S0-BMA-038

ANGUS™

打造聖劍的哥倫巴預視未來新的一族——麥克蘭家族必須接受各種考驗，為正義的使命、人類的傳承而戰。

海狼率領大軍黎明時分抵達了約克，
立刻投入戰鬥，攻約克城一個措手不及。

火獅——象徵正義、勇敢，
和上帝賦予的神聖力量。

奧蘭多·裴斯Orlando Paes Filho——著　趙丕慧——譯

ANGUS™

安格思首部曲

傳奇初現

台灣版作者序

我非常高興能把《安格思傳奇系列》介紹給所有台灣的朋友們。我非常驚訝也欣賞你們的千禧文化進步，而在研讀了你們過去的豐富歷史、藝術和先師教誨後，我才明白你們今日的豐碩成果從何而來。

舉一個最好的例子，人類史上最有智慧的哲學家之一，孔子，他的思想在流傳了兩千六百年後，依然根植於人們的生活中。

在道德與價值觀匱乏的當今世界，孔子的話語讓人深感欣慰，他告訴我們，不要道人長短，凡事要行得正做得正。在這個充滿許多不合理的世界，孔子要求我們，隨時要恭敬有禮。

最後，無論西方或東方的人們，都應該要學習個個偉大宗教和優秀哲學家所強調的教誨。正如孔子明白指出的：『己所不欲，勿施於人。』

看到《安格思首部曲》在台灣發行，讓我相信，東方哲學傳承的呈現和西方最優秀的理想之間，產生了一段共鳴——努力追求道德完美、榮譽和心靈的滿足。

實際上，《安格思》是部探討心靈的作品，它所推崇的，並不是一個價值失序的世

界，而是在這樣一個混亂的世界中，許多人心中仍保有的價值。它要重新喚回被人們遺忘的永恆美德，透過這些美德，東方與西方便能夠互相了解，互相團結。

從表面上看來，東方與西方之間似乎沒有連結。兩把劍，兩件鎧甲，兩頂頭盔，兩面盾牌，刻印著不同的象徵，指向不同的方向……然而，它們背後的本質，都同樣是為了尋找美德。而這種對價值的追尋，把我們結合成為一體的同胞。

或者，引用另一位智者的話，老子的《道德經》中說道：『同於道者，道亦樂得之。』

此刻，滿懷著此種喜悅，我想感謝所有推動《安格思》在台灣出版的人。包括皇冠出版社全體，以及我在台灣的代理人。

奧蘭多・裴斯

人物介紹

安格思・麥克蘭

生於凱特，布麗姬・麥克蘭與海狼之子，兼具蘇格蘭、塞爾特、挪威血統。十六歲即隨父遠征東盎格魯，後來和軟骨頭艾瓦及海夫丹之龐大維京艦隊會合。

海狼被艾瓦陰謀殺害，起因是艾瓦妒忌海狼的領導能力及勇氣。安格思在不列塔尼森林亡命期間被內尼厄斯收留。這位隱居僧侶教導安格思最深奧的初期基督教教義，由於維京人入侵，他將聖內尼厄斯及聖吉爾達之手稿交由安格思保管。安格思浪跡威爾斯（即西姆如），曾遭俘虜奴役，恢復自由身後，從此便積極追殺殺父仇人軟骨頭艾瓦。

安格思面對橫逆勇往直前、堅決果斷，在命運的試煉之後，成為堅強的領袖。他麾下有一支大軍，與西姆如國王羅德利・莫爾以及艾弗列大帝聯合作戰，對抗維京人的無敵艦隊。

海狼．葉特蘭生

北歐挪威伯爵，外號冰血，因為在遠征愛爾蘭諸戰役中表現冷酷專注。青年時代橫渡洶湧的白海，手下水手多人喪命，但他仍安全將德拉卡駛回卑爾根，因而成為英雄人物。他率軍攻下凱特，迎娶當地人布麗姬．麥克蘭，生下了安格思。安格思對父親充滿崇敬之心，海狼的傳奇偉業對安格思影響很大，日後安格思幾此遭險都以父親的勇氣鼓舞自己，安格思帶領部下時，更時時刻刻以海狼的戰士精神為準則。

布麗姬．麥克蘭

海狼之妻，安格思之母。生於蘇格蘭極北之凱特，祖先是塞爾特人。這名蘇格蘭婦女勇氣十足，獨立自主，性格堅毅，是凱特最漂亮的女孩。落入海狼統治時，她原本充滿憤怒，但觀察海狼的為人處事，她不由得被深深吸引。兩人結合生下安格思後，布麗姬更是全心愛護丈夫和兒子。她以基督教教義教育安格思，對他的人格養成有重要影響，是安格思生命中最重要的女性。

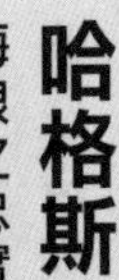

哈格斯

海狼之忠實戰友，與海狼一起身經百戰。敵眾我寡之時，海狼善採圓形陣式，戰士們以背抵背，正面接戰。哈格斯與薩葛斯皆為海狼後翼主力。哈格斯總在最關鍵的時刻，以豐富之經驗襄助海狼。他與安格思之關係有如叔姪，與布麗姬亦是至交。

艾格瓦・拉格納生

北歐丹麥國王，海夫丹之兄，號召了一支無敵大軍，不列顛之大敵。他想為父親拉格納・洛布克報仇雪恥。後暗殺海狼，成為安格思之死敵。其殘暴肆虐了諾森柏里亞、麥西亞、東盎格利亞、威賽克斯等地。大軍勢力延伸至愛爾蘭之都柏林，不列塔尼各城池亦淪落其魔掌。為人陰險善變、猜疑心強，對於膽敢正面挑釁者，無不威脅恐嚇。權力慾極重，老謀深算，眾所周知。

內尼厄斯

一位聖者，睿智穎慧，學識豐富。僧侶暨隱士，將來自沙漠傳教士與愛爾蘭僧侶之手稿中所載之初期基督教教義傳授安格思，讓安格思確立未來伸張正義、平定天下的使命。因為認內尼厄斯做教父，安格思成為虔誠的基督徒，並對美德與信仰有了深刻的體悟。為免手稿毀於維京戰火，內尼厄斯將聖吉爾達記錄不列顛島的完整歷史交託安格思保管，安格思自此踏上戰士之旅。

羅德利．莫爾

傳說第一座岱納福爾城堡是西元九世紀建於威爾斯國王羅德利．莫爾之手。人稱羅德利大帝，當時僅有三名國王享此封號，其他兩名為查理大帝與艾弗列大帝。三人造就了威爾斯、法蘭西、英格蘭等獨立的民族國家興起，贏得世人崇敬。他是安格思對抗丹麥維京人之同盟。

艾弗列大帝

西元八七一年起即擔任威賽克斯國王。他在維京人征服英格蘭，威脅威賽克斯之際繼任國王。西元八七八年，他擊敗維京人，簽下和約。八八六年，他加強威賽克斯之防禦工事，建構一道防線，從倫敦延伸到切斯特。八九二至八九六年間，維京人再度犯境，卻挫於艾弗列之防線。艾弗列重組民兵，重建海軍，訓練了有戰力的勁旅。他信奉基督教，是美德的典範。在對維京人的最後大戰時，安格思與他聯盟。艾弗列在安格思的一生及他的氏族形成上有舉足輕重的

影響。

至於他的性格，邱吉爾在《英語系人民史》一書中言道：『起於逆境之中，而能勝不驕敗不餒，禍患中能堅毅不拔，時來運轉時能平靜以對，歷經多次背叛猶能信人不疑，艾弗列在殘暴混亂的戰時而頭角崢嶸，終享千秋萬世之榮。』

關妮絲．希文

關特的公主，天使臉孔，魔鬼身材，留著一頭絢麗的長紅髮。安格思將修道院院長的手稿遞送到關特時被關到馬廄，關妮絲下令釋放安格思。氣質沉穩、個性堅毅的她讓安格思一見鍾情。後來安格思比武被打成重傷，關妮絲常常來探望，經過多次交談，兩人陷入熱戀。關妮絲教導安格思武藝，並告訴他自己被俘虜的悲慘過往。她的坦誠讓安格思感動，而她遠比男人更強大的勇氣和力量和女性獨有的溫柔細緻，更令安格思永遠愛慕不已。

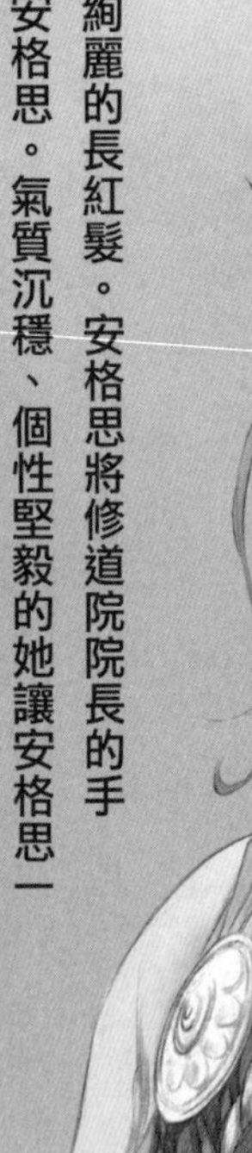

關娜拉．希文

和關妮絲是雙胞胎姊妹，曾遭奴隸販子歐斯拉夫俘虜。兩人起而反抗，殺死奴隸販子，將其分屍，釋放了二百多名威爾斯奴隸，此後即為羅德利．

莫爾國王封為英雄。因為她們這對姊妹花的戰鬥勇氣，羅德利大帝將關特賜予她們，封她們為公主。

布蘭・萊斯

西姆如境內摩根尼衛族族長。安格思曾遭其俘虜奴役，後打獵發生意外，安格思救其一命，贏得其信任，從此兩人成為盟友。他身經百戰，擅出奇兵，對抗維京人、麥西亞人、撒克遜人。料敵機先是他對抗丹麥維京人的致勝武器。

歐文・里楊德果

龐然體格與勇猛精悍震懾西姆如全境。這名高大的威爾斯人孤身迎敵，某次戰役單槍匹馬砍殺了三十名撒克遜人。其威名在家鄉摩根尼衛老幼皆知。生性兇殘，卻富正義感。與布蘭・萊斯形影不離，是安格思主要的不列塔尼盟友。

contents

1 燃燒之眼

我拋下了此時此刻，回到久遠久遠的過去。任憑時間的巨浪沖刷，這份回憶無論如何也抹不去。那是基督降生後八百四十七年，某天早晨，爐火早已熄滅，村中房舍一片漆黑，我臥室的窗子距離海面僅有幾噚高，第一道曙光射入房間，我照例在此時睜開雙眼。清晨微冷，灰濛濛的濃霧彌漫。我們的村寨在蘇格蘭人領土的東北方一處小海灣裡。第一波寒風呼嘯，村子彷彿顫抖著的醒來。圓屋裡爐火再度點燃，藍色炊煙從茅草屋頂裊裊上飄，似乎在向嶄新的一天寒暄問好。更下方海灘上，漁夫乘著卡勒❶出海，船隻劃破平靜無波的海面，迎向外海的狂風巨浪。牧人散佈在村寨後方空地上，這片土地綠油油的一片，我總覺得像是大海凝固，形成一片遼闊的翡翠草原，逼人的綠因為遍野的白色羊群而柔和不少。

那天早晨我照例生起爐火，用毛皮披肩裹好身體，準備到海灘去找海水沖刷卡在岩縫裡的貽貝，運氣好的話，還能找到一顆掩藏得不夠隱密的海鷗蛋。我父親黎安・麥克蘭仍在睡覺。我離開我家那棟小屋，一出門就看見愛溫娜出現在右手邊，一頭紅髮梳成兩條辮子。沒多久我們又碰上愛薇兒，她總是把金髮盤成高高的髮髻。我們三個一起朝海灘前進，把裙子撩起來打個結，夾在大腿間，在露出海面的岩石上行走。

日頭已經爬上了半空，海面的濃霧卻仍舊不散。可是打上岸的海浪聲卻不大對勁。我不曉得愛溫

一個濃霧彌漫的清晨，長了翅膀的火龍從濃霧中蜂擁而出，挪威人首領海狼帶領三艘有方形帆的艦隊攻向凱特村。

娜和愛薇兒有沒有注意到，倒是我不再朝最近的岩石過去，反而朝大海走，睜大眼睛凝視著濃霧。突然間，一陣突如其來的暴風衝破了濃霧，海水發出被巨魚魚鰭劃破的聲音……也可能是快船破水的聲音。我看見長了翅膀的火龍從濃霧中蜂擁而出，那巨大的獠牙，那燃燒的眼睛，那紅白條紋的奇怪翅膀，在在讓我膽戰心驚，我的腿自己動了起來，想要盡快從海灘逃走。我、愛薇兒、愛溫娜爬上峭壁，使盡全力往村子奔逃。我回過頭去，想看看火龍有沒有追上來，卻看見火龍變成了三艘有方形帆的長船，泊上了沙灘，帶來了一群戰士。我們繼續朝村寨狂奔，一面扯開喉嚨尖叫，好似最後審判日降臨。全副武裝的男人跑過我們旁邊，準備投入戰場，然而入侵者已經爬上了峭壁，敵我雙方變成在平地上見真章。村裡的武力不夠，很多人不是出海了就是去放牧了。但我們的人仍然英勇奮戰，讓敵人損失慘重，可惜到最後還是寡不敵眾，大部分的戰士都倒下了，少數殘存的人只能棄械投降。我們的村寨淪陷了。我們落入了北方部族的手裡，落入了自稱維京人的部族手裡。他們的首領叫海狼，是個『甲爾』，也就是他們語言裡的伯爵。從來沒有一個人像這名神秘男子一樣可以讓我一見難忘。我看見他第一眼就覺得他是冰塊雕的，鋼鐵色的眼珠，每一步都盤算過，每一句話都先深思熟慮過。儘管他對我有難以抗拒的吸引力，我還是對他充滿憤怒。

不過，雖然我們落入了異族統治，但在那段戰亂頻仍、北方部族動輒入侵的歲月裡，海狼和他的手下卻逐退了日後許多的入侵者，而且護士之心甚至比我們這些原先的居民還要激切。海狼是戰士的首領，而這些戰士現在不得不和我們融為一體。他們都是體格魁梧的壯漢，幫助我們擊退敵人。他們經商耕作捕魚，和我們早已分不清彼此。我們的村寨很小，防禦力不足。我們的祖先來自北方和蘇格蘭，我們是混血的皮克特人，雖然在埃林島上威名遠播，其實地理屏障不夠，而且持續不斷的爭戰也削弱了我

凱特的戰士全副武裝，準備投入戰場，然而村裡的武力
不夠，很多人不是出海了就是去放牧了。最終寡不敵
眾，只能棄械投降，落入了北方部族的手裡。

們的力量。主內八四三年，肯尼斯・麥克亞賓成為皮克特人與蘇格蘭人的國王，結合了兩族人民，建立了強大的王朝。但是安定的生活只有在低地才享受得到，挪威人總是攻擊我們最脆弱的區域，我們的小村寨就是其中之一。因此我們部族必須要融入新血，才能抵抗挪威人的劫掠。

海狼的族人就在我們島上落腳，我們也從此不受騷擾。他們逐漸融入我們的生活，也學習我們的語言，混合他們自己的母語使用。他們從不干涉我們的宗教，只不過會帶著諷刺的語氣批評我們這一族很可憐，因為我們只有一個神。我們大部分的族人都是基督徒。古老的德魯伊教❷已式微，如今我們皈依真正的信仰，服膺上帝，祂統領世上萬物，寫下我們的未來，卻由不得我們閱讀自己故事的結局。

海狼・葉特蘭生❸沉默寡言，嚴肅沉穩，臉上很少見笑容，他非常認真盡力地組織我們村寨的防禦能力。在此期間，海狼看上了我。想當年，他是很有理由會看上我的，我可是村子裡最耀眼的女孩呢！這段結合帶來了一個孩子，我們給他取名叫安格思。

時光飛逝，我的回憶又飄向了另一個清晨，那是主內八五五年，北方另一名甲爾，渥夫葛，率領了三艘『德拉卡❹』停泊在我們的海岸。全村人都奔向海灘迎接客人，用長矛敲打他們的盾牌。雖然我們友善的接待他們，沒多久我們還是察覺出渥夫葛真正的企圖是想成為地方一霸，而我們的村寨也在他的覬覦之中。

當晚舉辦了慶祝會，給客人接風，烤肉香氣四溢，營火熊熊燃燒，不到隔天早晨不會熄滅。看見海狼和渥夫葛兩人的表情，我們大家都明白這兩名甲爾真正是一山不容二虎，誰也容不下誰。

於是事情就發生了，誰也沒料到來得這麼快。

幾天之後，海狼正在忙農事，他的一個手下哈格斯跑了過來。

村裡最美麗的女孩布麗姬被海狼看上，布麗姬也對這個神秘男子一見難忘。
兩人結合後，生下一個兒子——安格思。

『海狼！海狼！』到今天我仍然清楚記得他們的對話，好似就在我耳邊說的一樣。那天下午很冷，東北風從大海向陸地吹來，冰冷刺骨，哈格斯呼吸急促，紅鬍子四周形成了朵朵水霧。

『哈格斯，什麼風把你給吹來了？』

『糟了！海狼，渥夫葛要薩葛斯的人頭，因為他宰了他的手下蕭爾。』

『薩葛斯人呢？』

『在黛娜家裡，還有羅斯格跟哈肯，渥夫葛的人正在攻擊他們。』

海狼一聽立刻就走，哈格斯緊跟在後。

他們剛到黛娜家門口，就看見渥夫葛正在召集戰士準備最後一擊。

『住手，渥夫葛！』海狼大喝。『這事我來處理。薩葛斯是哪裡得罪你的人了？』

『他殺了我的人。』渥夫葛答道。

『什麼？是公平決鬥嗎？』

渥夫葛躊躇不答，但終究還是說：『蕭爾跟村裡的某個妞兒打得火熱，薩葛斯卻來多管閒事。』

『是哪個女孩？』海狼問道。

『是我，黛娜！』在屋子前面慢慢聚攏的一小叢人群裡，有個年輕的女孩大聲回答道：『他想霸王硬上弓。』

『她只不過是個小村姑，』渥夫葛反駁道：『哪有我手下的命值錢？薩葛斯非死不可！』

『不行，渥夫葛，』海狼平靜的說：『你不能要薩葛斯償命，不能在此時此地，不能在我眼前。』

『海狼，你想來硬的？』渥夫葛說。

『渥夫葛，你我都知道早晚會有這一天。』海狼的話至今仍在我的回憶裡縈繞。我的心好痛。我的男人，我孩子的父親就要和另一名戰士展開殊死搏鬥，而這名戰士的武技就算沒有更勝一籌，也是跟他旗鼓相當。可是不知怎地，海狼平靜果決的語氣卻讓我放心不少。

『就我們兩個來解決，』海狼繼續說：『你跟我單挑，誰勝了，誰就得到全村人效忠。這樣就不用白白犧牲人命了。』

緊接而來的沉默叫人心痛。人人似乎都在自問該怎麼辦。接著，海狼再次開口，聲音洪亮，像打雷一樣。

『我，海狼，「大力士」葉特蘭之子，向渥夫葛挑戰，讓死亡來決定誰是凱特❺人的首領！如果各位有不同的意見，現在就說出來，否則就永遠不得有異議！』

人群竊竊低語，卻沒有人上前表達意見。渥夫葛四下掃視了一圈之後，回頭面對海狼，答道：

『我，「好漢子」渥夫葛・魯波生，接受你的挑戰。』

彷彿是有什麼默契，所有人圍成了一圈，獨留海狼和渥夫葛兩人面對面而站。黛娜家的門打開，薩葛斯、羅斯格、哈肯走了出來。

『要打也應該由我來打，海狼！』薩葛斯大聲叫道。

『不，薩葛斯，』海狼說：『打從渥夫葛・魯波生踏進村子開始，我們兩個就勢必要打一架。要來的終究是躲不了，他也知道。好了，你們讓開吧。』

村民和戰士都喃喃應和。我那時心裡想到的是小安格思，他才是個小孩子，就得要親眼目睹自己的父親和別人生死決鬥，為的是要決定誰是我們這個小小村寨的頭目。當時我就知道海狼的搏命會在我兒子的人格和一生刻劃下難以抹滅的一頁。

渥夫葛舉起斧頭，架好盾牌，走向臨時湊合的競技場中央。也不知消息是怎麼傳開的，全村的人都來了。他選擇斧頭當武器，無論是攻擊或防禦都十分有利，不過有利也有弊，斧頭雖然巨大鋒銳，盾牌雖然能夠保護身體，卻也會讓他的身手不夠靈活。

而海狼則出乎人人的意料之外，捨盾牌而不用，反而抓起長劍，兩手握緊，走向場子中央。顯然海狼想要以敏捷的身手來對付敵手的蠻力——令人捏一把冷汗的決定。

兩名戰士文風不動，目不轉睛盯住彼此——時間靜止了！我緊緊握住小安格思的手，他渾然不當一回事的寧靜態度讓我在這殘酷的一刻得到些許安全感。

人人屏氣凝神，想要預測誰會先發動攻擊。沒多久，渥夫葛一面揮舞斧頭，一面向右繞圈。海狼退向左邊，高舉著長劍，牢牢盯住敵手的動向，等他一露出破綻就攻擊。我心急如焚，東張西望，想找個人或找個什麼來解決這個場面，但我只發現面對我們無權干預的情況，除了一臉焦慮之外，人人都是束手無策。村民已經習慣了海狼仁厚的統治，這兩人其中一個是我孩子的爹，搏鬥的結果卻足以改變我們全體的命運。

渥夫葛繼續朝右繞，也在尋找海狼的破綻。村民鴉雀無聲，唯一的聲響是渥夫葛的皮靴踩在沙地上的聲音。渥夫葛率先攻擊，海狼輕鬆擋開。圍觀人眾連大氣都不敢出，誰也不敢說決鬥會持續多久。渥夫葛揮舞斧頭，瞄準敵手。海狼有時閃身避開，有時揮劍格擋隨即反擊，長劍砍中對方的盾牌。時間一拉長，渥夫葛沉重的斧頭盾牌漸漸顯得累贅，他的動作慢了下來，呼吸沉重。安格思捏捏我的手，像是給我打氣，要我放心，彷彿他已預見戰鬥的結果對他父親有利。我很快的和兒子對看一眼，被兒子眼裡的信心嚇了一跳，這才恍悟他看得比我清楚，我這個女人家只是一心一意等著自己的男人凱旋歸來，而安格思的眼光卻更高遠，好似從這場決鬥中看見了更宏偉更遠大的某種東西。

就在我胡思亂想的時候，渥夫葛忽出怪招，反向攻擊，不用斧頭，改用盾牌砸向海狼，果然一擊得手，但海狼雖然踉蹌跌倒，還是及時一個翻滾，躲開了盾牌的另一輪猛攻。

反倒是渥夫葛因為用力太猛而亂了腳步，露出了身體右側，已經跳起來的海狼一見機不可失，立即把長劍往前一送，刺中敵人揮舞斧頭的那條手臂。

好個渥夫葛，儘管痛極了，仍目不轉睛盯住敵人動向，同時把盾牌往地上一扔，雙手握住斧頭。群眾怪聲呼叫。

渥夫葛想要用沉重的斧頭來制住對手的長劍。斧頭從左向右轉圈，又從右轉向左，發出颼颼的聲音，很難預測他會從哪裡下手。海狼總是朝相反的方向旋轉，避開這些虛招，等著他真正的出擊。

渥夫葛的傷口鮮血淋漓，他卻一點也沒有力氣衰竭的徵兆，反而雙眼炯炯有神，銳氣絲毫不減，一心想砍倒敵人。他下一步攻向海狼左側，海狼輕盈的閃向另一邊，停下腳步，不知在凝視哪裡。他看的不是渥夫葛，也不是渥夫葛的斧頭，而渥夫葛許是發現敵人突然舉止有異，自己也稍稍的分了神。

說時遲那時快，海狼的劍刃在空中劃出一道圓弧，砍向敵人的頸部。渥夫葛猜到了他會攻擊，立刻以斧柄格擋，但海狼的劍來得太快，來得太猛，只見光芒一閃，削斷了斧柄，斧頭一分為二，劍刃又順勢砍中渥夫葛的頸子，力道再往前一送，渥夫葛人頭落地。平時神氣活現的渥夫葛如今只剩下在地上翻滾的人頭，我發現恰恰和挪威人的傳統相反，死亡一點也不能增添戰士的光彩。一味的相信蠻力只是愚蠢，一味的強調勇氣也只是魯鈍。就在此時此刻，我明白了死亡其實比任何一個揮舞殺人利器的勇士都還要孔武有力。這就是最讓我心寒的預感，而那份痛徹心扉的傷痛會永遠永遠留在我的心中。

人群一片沉默，似乎永遠不會有人開口說話。就連我自己，看見自己的男人戰勝了可怕的敵手，也不敢在勝利者震懾全場，接受眾人默認之時表達自己的感情。渥夫葛和海狼的手下握著武器面面相顧，衡量當前的情勢。薩葛斯、羅斯格、哈肯、哈格斯迅速佔據有利的位置，以防有任何不測。但是沒有人打鬥。渥夫葛的一名手下向前跨了兩步，高舉長劍，大聲吼道：『海狼甲爾！』所有圍觀決鬥的人也跟著大喊：『海狼！海狼！』一面用劍拍打盾牌。

當晚營火衝天，清爽的空氣很快就彌漫了烤肉的香氣。渥夫葛的屍體給放入了他自己的船中，身邊伴著他斷成兩截的斧頭。這種葬禮更讓我清楚我四周這些人都是異教徒……我突然想到將來有一天，我自己，或許連兒子也一樣，很可能會變成這些挪威人安撫眾神的祭品，一明白這一點，我不禁簌簌發抖。渥夫葛的身下鋪了毯子，其餘的武器散放在身體四周。他的盾牌上面還有海狼的長劍痕跡，會永遠刻劃著他的武技。他的頭盔和長劍隆重的擺在他的身旁，無言的訴說著亡者的功績。儘管我十分痛恨渥夫葛，恨不得他慘死，但此時我心中卻不由得升起一股敬意。他的一名同袍牽來渥夫葛的坐騎，一匹高大勇猛的黑馬。渥夫葛的手下就在船邊手刃了黑馬，肢解成數塊，屍塊丟進船裡。看在我眼裡十分悲慘的一幕卻毫不影響挪威人。渥夫葛的奴隸英姬帛也被帶向前，他們灌了她一些強烈的蜂蜜酒，帶她到船邊，把她高舉到空中。她用挪威語向祖先起誓，祈求能在挪威人的天堂享受不朽。接著他們又張開另一條毛毯，這次是垂直撐開來，為的是遮擋他們將對她做的事。我瞥見兩名渥夫葛的手下和她性交，一直到他們自己酣暢淋漓為止。這是挪威人向領袖致敬的方式。稍後他們殺了這名年輕的女孩，同時大聲的敲打盾牌，以便蓋過她痛苦恐懼的尖叫，最後才把她和她的主人並排放在一起。等到挪威戰士終於把渥夫葛的德拉卡點上火推出海，我忍不住感謝上帝。所有人都在海灘上看著烈焰吞沒德拉卡。

鴉雀無聲的看著德拉卡起火燃燒之後，渥夫葛和海狼的手下全都圍攏在一塊，喝蜂蜜酒吃肉跳舞，好似從來就不曾為敵過。我看見蘇格蘭人和挪威人就像一家人一樣融洽，語言風俗互相融合。就在慶典上，我看著安格思和其他小孩子在營火邊玩，忽然明白我也替一名挪威人生下了兒子，兩種血緣結合的產物。

我回想過去，兒子的點點滴滴一一浮現。我看見安格思長得好快，眼睛顏色就像海水，金色頭髮，就像海狼；我看見兒子玩著父親給他做的小盾牌小木劍；我看見年紀稍長的安格思，跟著海狼一塊訓練，一訓練起來就沒完沒了，有時候冒著嚴寒的天氣，什麼保暖的裝備都沒有，我記得他在冰冷的海水裡游泳，沒有半句怨言，唯恐會害父親沒面子，而孩子的父親用他那冰冷的凝視觀察他，眼裡閃動著得意；我回味著海狼送給他一把戰斧時，兒子臉上的微笑。

坐在木樁上，我因為安格思返家而欣喜欲狂，我想起了兒子和做父親的一起訓練，想著想著笑了起來，跟個傻老太婆似的。說真的，看這父子倆訓練就跟看一棵大樹壓倒一棵小灌木一樣。然而安格思卻在戰鬥中與父親針鋒相對，跟頭牛一樣倔，讓海狼打從心眼裡滿意。海狼把我照顧得很好，村民人人都當我是他的正式妻子。那段時光是我一生中最美好的日子。安格思和他父親真像一個模子打出來的，也不愛說話，總是忙著農事，和同齡的孩子玩耍的時間愈來愈少。

只可惜良辰美景總是很短暫，我一生中最美好的時光也走到了盡頭。回顧我這一生，我又回到那一天，更多的德拉卡抵達，召喚所有的戰士向南方東盎格魯土地進擊，當時我心底的恐懼，至今記憶猶新。這一次船隻靠岸大家也是都湧向海灘，用長矛敲打盾牌，向大神奧丁❻祈禱。迎賓慶典再次舉行，烤肉烈酒，喧鬧到天亮。

兩天之後，他們全都上船駛往南方。才十六歲的安格思因為能陪同父親首次出征，驕傲得不得了。我哭得很厲害，止不住眼淚，因為不知為什麼，我明白再也看不到他們父子了。

於是就在主內八六五年，北方來的人離開了，我的兒子也跟著他們而去。村子裡的生活漸漸恢復了正常，凱特幾乎沒有男人留下，許多人也自願和海狼的戰士一起離去，但我們還是又重建了一些教會。有時南方來的僧侶和埃林島逃出的難民也會在我們這裡暫時落腳。

儘管海狼冷淡沉默，我還是忘不了他。每天我的心都好像給痛苦咬掉一塊，想到兒子安格思，想像他們父子倆一同戰死沙場，我就心痛得不知所以，只好靠勞動和祈禱來暫時忘掉心事。不過這一切已成往事，如今我的兒子已歸鄉來，結束長久之前開始的苦難循環。想起我們母子倆在分別多年後的第一次重聚，加上更久以前的回憶，所有加起來就是我的漫長等待史。此刻，我滿心都是今天早晨的事。

一如往常，我在日出前就已起床，出門去找貽貝鳥蛋。我走到海灘，把長裙撩起來綁成結，用大腿夾住，沿著露出水面的岩石走。日頭已爬到半空高，濃霧依舊籠罩海面，就像十四年前送走他們的那一天，海浪拍岸的聲音也有些奇怪。這次我沒有朝最近的岩石走，反而迎向海面，瞪著濃霧。驀然間，霧中吹來一陣狂風，海水發出被巨魚魚鰭劃破的聲音……也可能是快船破水的聲音。我看見有翅膀的火龍一點一點從濃霧中出現。那巨大的獠牙，那燃燒的眼睛，那紅白條紋的奇怪翅膀，讓我的胸膛像著了火，兩腿凍結，愣愣的站在原地。歷史似乎又重演了，只是這次我沒有跑，我等著火龍化身為船隻，收起風帆。有很多船隻，任誰見了都會以為是敵人入侵，但不知為何，我竟然一點也不害怕。一名雄偉的戰士跳下了第一艘船的船頭，他跪下來抓了一把砂土。我不敢相信自己的眼睛，竟然是海狼！他回來了！

我怎麼也壓抑不住湧上喉嚨的尖叫，聽起來好像報喪女妖的尖叫，然而恰恰相反，我的尖叫不是在預告死亡來臨，反而是在宣告生命降臨。那名戰士看見了我，立刻朝我這邊走來，作勢要我鎮定，一面靠近，一面說：

『我，安格思，在找布麗姬，凱特來的麥克蘭族人。』

『安格思，兒子！兒子！』我一面大喊，一面抽泣……一切彷彿是奇蹟。我跑向他，用上全身的力氣擁抱他，感覺上就像在擁抱海狼。另一個人靠過來，儘管多年過去了，我還是認得他，他朝我微笑。

『布麗姬，這些年過得怎麼樣啊？』

是哈格斯！年紀大了些，腰板還是那麼的挺，姿態還那麼的驕傲。我們擁抱了好久。

如今我長久悲傷的等待終於到了盡頭。全村都在慶祝安格思回家，我們的部族又活了起來。村子裡女多於男，我們儘可能隆重款待我兒子和跟他一道來的戰士。看起來這些人會留下來和我們一起生活，這使得村裡年輕的女孩精神大振，一個個笑靨如花，不住的打量他們。

安格思終於偷空躲開了那些圍繞著他、上前和他攀談的人，走到我這邊，在我身邊的木樁上坐下來，一小堆營火在旁邊，遠離那些大吃大喝、跳舞歡鬧的人。

『這麼多戰士聽你的指揮……我不懂。發生了什麼事？你父親呢？』

『他們都是忠誠的戰士，是我從他們主人的魔掌裡解救出來的。』

雖然早在幾年之前我心裡就感覺海狼死了，親耳聽見確實的消息，我的心還是忍不住往下沉。我抬頭望著繁星，無語問蒼天，為什麼上帝要創造這種世界？讓女人生下男人，而男人又拋棄女人，只為了去戰死在沙場上？群星自然無言，蒼天也沒有答案。

『這麼說海狼死了，』我說，平靜的接受了逃脫不了的事實。『死得像個戰士吧？』

『對，媽。』

我抹了抹眼，雖然心酸卻是欲哭無淚，因為很久以前我就明白再也見不到自己的男人了。不過我同時也很開心，能夠再見到兒子，海狼和我的愛情結晶。我抓住他的手，用自己的兩手包住，我感覺新生，得到了慰藉。營火的溫暖以及像一床毯子一樣點綴著繁星點點的夜空給了我安慰，漫長的等待終於結束了。我在安格思臉上看見了海狼的眼睛，我明白他會永遠停駐在兒子的心裡。我忍不住微笑，開口問安格思，或許在不知不覺中同時向兒子以及海狼發問：

『安格思，你跟你父親這些年是怎麼過的？』

於是安格思說起他的故事。

譯註

❶卡勒是古埃林島之傳統船隻。埃林島即今之愛爾蘭，蘇格蘭人之祖先即來自此處。

❷古代塞爾特人的傳統宗教。

❸當時北歐族人的命名法，姓氏是以父親的名字加上『生（son）』，因此，葉特蘭的兒子便叫：海狼·葉特蘭生，而海狼的兒子則叫安格思·海狼生。而其他基督教徒則沿用家族的姓氏，因此安格思皈依基督教後，便依

母姓叫安格思・麥克蘭。

❹典型的維京船，原意為『龍船』。

❺蘇格蘭極北的地區。

❻北歐神話中，創造世界、賜予人類生命的神祇，為諸神之父。

2 微弱的秋陽下

我們大膽無畏的闖過了環繞蘇格蘭土地的蔚藍大海，遠遠的望去，我認得出故鄉的輪廓，當時我真的認為這輩子只怕再也不會有雙腳踩在堅實大地上的機會了。不錯，我是很幸運能夠參與這次的冒險，剛出海之際也精神昂揚，但離開陸地愈久，我對這些來自北方的水手的航海技術就愈沒信心。母系的傳承壓在我的肩頭，讓我恨不得能立刻踏在穩固的大地上，我和他們的認同感也愈來愈少。我不是天生的水手，這點讓我非常沮喪。不過只要我能踩在土地上，我就會讓大家看看我是個打遍天下無敵手的好戰士。

為了破除阻擋在我精神四周的障礙，我決定學習如何操作德拉卡，熟悉德拉卡作戰的能力。雖然我的前後左右那些老戰士用銳利得像幽冥之門的眼睛盯著我，但我畢竟還年輕，不必立刻就和他們一爭長短。他們都是偉大的戰士，所到之處將會留下堆積如山的屍骨。我們的勝利消息會由狂風吹送，就算敵人離我們還很遠，冰冷的海風也會把我們未來的入侵給傳送到每一處，而我們攻城掠地的成果會十分豐碩……啊，那一刻我簡直陶醉得忘了一切。

『安格思！』

阿斯畢昂，我十六年多的老朋友驚散了我的白日夢。他只比我年長一歲，卻喜歡在我面前倚老賣老。在阿斯畢昂自己的想像中，他是個身經百戰的水手，所向無敵的勇士，他總是很耐心的想把他知道的寶貴知識教給我，就跟熱心教育的大師一樣，起碼他是這麼想的。

『安格思？』

『又幹嘛，阿斯畢昂？』我用乾澀噁心的聲音說。

『你覺得我會需要多少奴隸？』

阿斯畢昂就是會吹牛。村裡的女孩沒有一個看上他，儘管他第一眼給人的印象很好，因為他長得高大威猛，可惜他胡吹亂蓋的毛病老是不改，不用多久就會露出馬腳。而且只要幾杯黃湯下肚，就連神仙都很難忍受我這個朋友──在他喝醉了之後，我八成是唯一一個受得了他的人。

等我們高奏凱歌，帶著豐盛的戰利品和奴隸返鄉後，八九不離十我們會結婚，生養小孩。到時我們就成了老手，因為我們的斧頭殺出過一片血路，留下過橫屍遍野。

『很多……』

『很多是多少？』

『大概兩百多個……』

『小王八蛋，你吹牛！到時就讓你看看你的老朋友阿斯畢昂一個小子接一個小子的生，你就在旁邊吃味吧。』

『阿斯畢昂？』

『幹嘛？』

『你幫我弄一個好不好？』

『弄一個什麼？』他悻悻然答道，感覺到一點現實的壓力。有時我就會潑潑他冷水，以免他吹牛過了頭。

『一個女奴啊。』

『沒問題！交給我就對了！可是……』

『可是什麼，阿斯畢昂？』

『我只能給你一個……』

『一個就一個……』

『一個掉光了牙齒，又老又髒的老太婆！』說完他用力推了我一把，往船的另一邊跑了。

『混帳！』

『不過在那之前我的任務是保你平安，安格思，誰叫我答應了你媽呢！哈哈哈！』

『我會教你怎麼用盾牌，王八蛋！用我的斧頭教……』

我和阿斯畢昂就在老戰士的眾目睽睽之下一路打鬧。說實話，當時除了和阿斯畢昂打鬧之外我也沒別的辦法，一來我可以不去想自己暈船，二來也可以不去管我在德拉卡上的尷尬地位。

我們終於抵達了東盎格魯的土地，我們收到命令，要我們到海灘上紮營。那天下午太陽又大天氣又熱，天上只有幾朵雲，微風吹來也是熱的，這表示內陸非常的遼闊。不用說，內陸人的財富絕對是我們的囊中之物，不出多久他們的禮物就會交到我們手上。我簡直等不及要看看自己的戰鬥能耐，要證實自己的價值了。

一整個下午忙著登陸紮營，夜幕低垂，我們又奉命站崗。其他人都可以飽睡一夜，為第二天的戰鬥養精蓄銳。我已經累極了，可是卻沒有辦法好好入睡。

『安格思，安格思，醒醒啊，小子。』

『……』

『起來了，安格思，擦把臉，醒一醒，還有好多事沒做呢。』營地裡窸窸窣窣的聲音，大夥忙著清晨雜務的聲音，把我喚回現實世界來。我揉揉眼，想甩掉一直勾引我再進入夢鄉的困倦。

『把麥片粥吃完，趕緊準備好。』布拉吉說，遞給我一碗牛奶燉燕麥、大麥、小麥，旁邊還放了一塊山羊乳酪，是額外給我的。可是我已經跳了起來，心急得不得了，抓起斧頭，彷彿斧頭是我的命根子。這種時候誰還有心情吃什麼麥片粥啊？

『你忙個什麼勁啊，傻小子？』布拉吉問，看我猴急的模樣忍不住出言挖苦。『事情是很多，不過要是光求快，馬馬虎虎了事，就什麼事也辦不好。』

『可是，布拉吉……』我張口抗議。『我一點也不餓，我想盡快去跟大夥會合。這次可不是平常的打獵……』這麼一位重要的人士用這麼嘲諷的語氣跟我說話，我也使起了性子。

老詩人的嘴愈笑愈合不攏，我輕率的態度反而讓他更覺有趣。

『安格思，這麼年輕，這麼急著去刀口下討生活……』他像哲學家似的思索。老人的目光飄遠，而我一心只想擺脫他去和大夥會合。忽然他深深凝視我的眼睛，笑著問我，彷彿很肯定我不知道答案。

『安格思，你能不能告訴我戰士最鋒利的武器是什麼？』

我以為老詩人的腦袋有問題了，不過我還是回答了他，也許回答了他的問題，他就不會再煩我了。

『這個嘛，這得要看是哪一個戰士。比方說我的武器是雙刃斧……』我打算要解釋，卻沒辦法繼續，因為他忽然大笑起來，尖銳的笑聲打斷了我的話。

『雙刃斧？說得好，安格思！不過也可能是比我們要先進佔這片土地的撒克遜人使用的長劍。不，安格思，這些東西不叫做武器，叫做玩具。仔細聽好了，傻小子，戰士最鋒銳的武器是耐性。戰士用耐性去征服他想得到的東西。』

我倒沒有料到是這麼一句話。聽在我耳朵裡簡直是胡說八道，就跟有人告訴我為了要讓身體暖和應該脫光衣服在冰天雪地裡行走一樣。

『耐性？布拉吉，我怎麼可能有耐性？戰士最不可能有的特質就是耐性，誰有可能耐心的等著敵人來攻擊……』

『耐性並不是要你完全不動，安格思。』老人回答道。

他的語氣更嚴厲了。他又變成了老師，在我出生的小村裡教導我有榮譽感、言出必行的男人應該具備的品德。老詩人說的話讓我摸不著頭腦，結果害我忘了剛才還一心要衝出去跟大夥會合。他挑起了我的好奇心。說穿了，這就是他高明的地方，說出常人說不出的事情，把偉大的功績講得天花亂墜，把短命的英雄說成不朽的傳奇，把一場戰役轉變成開天闢地的真正歷史。在滿是無知粗魯愚蠢的戰士群裡，他算得上是唯一一個有文化的人，而且他的地位也和甲爾相當……我該聽他的，可是我哪裡有耐性？我這輩子就在等今天這一刻：我的開場，我的浴火洗禮。這是我第一次加入征戰，就因為這個原因，我興奮得無以復加。

布拉吉趁我分心，趕緊講下去。

『耐性就是知道要待機而動。你知不知道為什麼別人都叫你父親「冰血」？』我父親是如何威名遠播的有好幾種說法，可是我從來沒聽過布拉吉的說法。

『我早就聽過幾千遍了。』我故意刺激他。

『我沒跟你講過這個故事，安格思，所以你根本沒聽過。』

『那就講給我聽啊！』

『那一次也是橫渡大海，安格思。海狼還很年輕，就已經參加過一次到諾森伯里亞沿岸的遠征了。後來又組了一支遠征都伊柏林⑦的隊伍，他們會在那裡和另一支挪威部隊會合，合力攻打亞馬，可惜卻吃了敗仗……』

『我就說我早聽過了嘛，』我插嘴說：『我父親替他的同袍掩護，神勇到連赫赫有名的愛爾蘭人都很佩服他，為了表示對他的敬重，愛爾蘭人就讓他們平安撤退了。』

『沒錯，安格思，但他的名聲不是靠戰場上的英勇贏來的。』

『真的？』

『真的，安格思。攻打亞馬耽擱了他們的行程，他們在愛爾蘭人的小王國裡找不到棲身之處，只好在暮秋啟航……』

『暮秋？』

『那也是沒辦法的事，傻小子。還有更糟的呢，他們本來希望能跟著鯨魚找到回家的路，可是那條鯨魚卻把他們愈帶愈遠，一路帶到了北邊。大夥都累壞了，一來是征戰之後沒得到休息，二來又在嚴酷的氣候裡划了太久的船，那時的海風吹在臉上比被刀子砍中了還要痛。他們在海上迷了路，受不了北方的冰雪，一個接著一個死掉。可是海狼卻給他們打氣，鼓勵大家支持下去。他說他能夠在那些像巨人的長矛一樣威脅他們德拉卡的冰山之間找出回家的路。』

『最後他是怎麼成功的，布拉吉？』我好奇的問。這時他又瞇起眼睛，陷入沉思。我約略窺探到一點老詩人的好記性，那是能夠讓我們的所作所為永垂不朽的好記性。說真的，真的沒有人跟我說過這故事，我父親當然更不可能，他根本就是我這輩子見過最沉默寡言，最神秘的一個人。

『他有一塊魔法石，安格思。拿塊金屬來跟石頭摩擦，金屬就會指著北方。』

『魔法石？他是哪裡弄來的？』

『是你的祖父，也就是海狼的父親葉特蘭・歐拉夫生給他的。老葉特蘭說是他當年遠征法蘭克人土地，攻下了一座摩爾人的堡壘，一個阿拉伯金匠拿這塊魔法石當作一半的贖金。』

『魔法石真的管用嗎？』

『你父親用魔法石找到了正確的方向，領著德拉卡回到了家，不過他需要有極大的耐性和決心。他得面對同袍的懷疑憤怒，他們不相信走對了路。可是你父親堅信不移，總是沉住氣等待適當的時機，該做什麼就做什麼。等他們到家後，冰雪掩蓋了卑爾根，你父親的村寨，還有我的……』

布拉吉提到卑爾根之後就忽然住口，眼裡充滿了淚水，似乎在重溫那遺忘不了的遙遠過去。停頓了一會兒之後，他眨眨眼，努力重拾鎮定，繼續說下去。

『卑爾根……大夥抵達後……我記得就好像是昨天的事……大家都稱讚海狼是英雄，我奉命要撰寫一篇「幅羅科」來歌頌他。』

『幅羅科是什麼東西？』

像銅雕般的勇猛戰士海狼受挪威人尊崇，他用冰冷的長劍迎戰愛爾蘭人，他的耐心像冰冷的海洋，所以大家就開始叫他『冰血』。

『傻小子，幅羅科就是一首短詩。換作是今天，我對你父親認識更深，我就會撰寫一篇「爪帕」，一首長詩，專為帝王而寫的詩！』

『真的，布拉吉，為帝王而寫的詩？』

『那才配得上你父親，只可惜當年我只是個不知天高地厚的小夥子，作不出長詩來。』

『告訴我，布拉吉，把你為海狼寫的短詩告訴我！』

『仔細聽好了，安格思，因為就算你拿所有的物質享受來換，都不可能會聽見一篇類似的東西來讚頌你。』

我一點也不喜歡老人對我的觀察。我未來會成為什麼樣的戰士他又知道什麼？他清清喉嚨，開始了。

『北風，鐵劍。
刺骨的風，撕裂你的皮肉。
岩石撞擊。
海水拍打。
力量與勇氣短兵相接，
北方的戰士
「英靈殿❽」的英雄。
怒海洶湧入侵。
迎向北方。迎戰冰冷海洋。

迎向西方。柔軟纖細的奴隸。
迎向東方。帝王爲之變色。
迎向南方。藍色大海如鏡好使帆。
但戰士記得，而且永誌不忘，
海狼的血管裡奔流著怒海狂瀾。』

老詩人的熱誠打動了我，我很得意我的血管裡也流著相同的血液……

布拉吉繼續往下說。

『大家都把這首詩和海狼的冒險聯想在一塊。你知道，他冰冷的長劍迎戰愛爾蘭人，他的耐心，冰冷的海洋，所以大家就開始叫他「冰血」海狼。所以說，安格思，要是你父親沒有那份耐性在船頭等待大地向他微笑，你就不會出生。好了，把你的麥片粥吃完，把斧頭磨利，好好研究你的敵人，等待適當時機出擊，早一秒晚一秒都不行。』

說完之後，老詩人走了。每次我們談了什麼重要的事情之後，他都這樣一走了之。他常說我應該要好好思索我們談過的話。然而布拉吉的故事還是撫平不了我的焦躁，尤其是我還知道另一個我父親外號的由來，那個故事說我父親光靠眼神就讓敵人軟了手腳，乖乖的讓我父親砍了腦袋。

這個故事裡的勇猛戰士，比布拉吉說的耐心戰士更吸引我，尤其是我現在一心一意只想著戰鬥和戰功。畢竟我們都是為了這個而活：戰死在榮譽的沙場，和奧丁一起在英靈殿享受盛宴，白天打鬥消磨時光，晚上飲宴作樂，永垂不朽。

我三兩口就把麥片粥給吃完了，乳酪也是一口吞下，然後就急忙去加入其他戰士。不過布拉吉的教訓卻一直在我腦海纏繞。可是教會我耐心的老師卻不是布拉吉這位老詩人，老詩人教我認識盧恩字母⑨，也讓我學會了盧恩字母；老詩人帶我了解我父親族人的傳說。但是真正讓我學會耐性的不是他，而是復仇。

我在營地裡到處找父親，一直走到海邊，我們停船的地方。海狼和哈格斯在吵架，兩人的口氣都很激烈，海狼一隻手握住劍柄，不停的轉動。我留在遠處，不讓他們看見，卻可以聽見海風斷斷續續送來的句子。我仍然記得當時的情景，那一幕實在難以抹滅。我記得那時滿心都是對父親的崇敬。站在那裡，冰冷的秋風吹亂他的頭髮，他的鬍鬚也隨著他每一句話搖擺，在另一個甲爾的面前強調護衛自己的意見。啊，海狼好似變成了巨人！我多麼希望我能跟他一樣，有他的勇氣，有他的力量。

哈格斯很憤怒。大約十五天前，三艘由維斯佛維京人⑩駕駛的船沿著蘇格蘭土地的東北岸進入了我出生的村寨凱特。他們帶來消息說『軟骨頭』艾瓦正在號召各村寨的人組織一支史上最強的維京人部隊，要進犯東盎格魯領土。艾瓦想要為他父親拉格納報仇，所以鼓勵四面八方的戰士來加入遠征，從斯科納到約如德佛伊有許多人響應。艾瓦也許滿腦子是報殺父之仇，但其他戰士盤算的卻是他們能得到多少的媾和禮⑪。東盎格魯土地上有數不盡的白銀。維斯佛人一把消息傳到我們的村裡，我父親冒險犯難的心立刻蠢蠢欲動，馬上就準備船隻，招募水手，短短幾天之內就出海了。

哈格斯也是另一名完全沒有浪費時間的蘇格蘭甲爾，他也加入了這一次的遠征。可是現在他們抵達了會合點，東盎格魯人口中的烏茲河口，卻沒發現『軟骨頭』艾瓦的蹤影，哈格斯不由得對那些維斯佛人起了疑心。他認為這是個陷阱，維斯佛人到蘇格蘭人的地盤到處張揚『大舉進攻』，其實是想要多招募一些軍隊來幫他們燒殺劫掠，但事後他們就會過河拆橋，把戰利品佔為己有。

海狼很嚴厲的駁斥。他知道艾瓦一心為他父親報仇。老拉格納的鬼魂一直得不到安息，他會糾纏著兒子們直到報了仇為止。他說他相信艾瓦一定會來，但他可不願等下去，他，『冰血』海狼，可不是坐著等待的人。他要自己先揮軍進攻！他們有五艘船，包括維斯佛人的船……風把他的話吹到我耳朵裡。海狼幾乎是用吼的，而哈格斯雖然是個大漢，面對如此堅定的決心似乎也變渺小了。這就是那些定居在蘇格蘭土地上的甲爾這麼敬重海狼的原因。他跟哈格斯說他們必須立刻拿下河口的村寨，以免村民發現有維京人入侵。然後他們就在村寨裡過冬，等待艾瓦。時節已經進入深秋，他們也已是箭在弦上，不得不發，就算艾瓦沒有出現，他們也可以固守村寨度過冬天，總比背靠著村寨陡峭的土堤來防衛要強得多。他們帶來了補給品，從村寨搶奪來的糧食物品必定能裝滿五艘船。哈格斯同意了海狼的計畫，卻不同意五艘船平分戰利品。他的看法是萬一維斯佛人說謊，到冬末春初就把他們給宰了，戰利品由他和海狼均分。

我動也不動的站著，仔細聆聽他們的對話，而我自己想像出來的偉大戰士大集合畫面早已亂成了一團。在我幼稚的夢裡，我幾曾想到過戰士為了一些戰利品彼此自相殘殺，而且還只是為了一點點很可能根本微不足道的東西，因為這是我們第一次攻擊富裕的東盎格魯土地，而且頭一個目標還只是一個小村寨。就在這時，海狼察覺到我的身影。他瞇起眼睛，粗聲招呼了一聲，我就走了過去。

『你有什麼事，安格思？』

『父親大人，你們剛才說的話我聽到了一些，我想自願當探子到村寨去打聽情報。』

海狼的藍眼瞇得更細，頗感興趣。我儘可能讓父親知道我是個好戰士，勇往直前，無懼無悔。海狼的沉默似乎把時間也凍結住了，最後還是哈格斯輕輕笑了一聲，打破了僵局。

『海狼，布麗姬要是知道你把她的寶貝兒子派去當探子，她非宰了你不可。』他一面說一面笑個不停。『再說，我們可信不過一個連雪地裡的兔子都追蹤不到的小鬼頭。』

我一聽立刻熱血沸騰！哈格斯的話好似烈火燒穿了我的耳朵，畢竟這種嘲笑不是出自阿斯畢昂之口，換作是他我還可以回他幾句。可是出自一名身經百戰的戰士之口，我那些征戰榮耀的美夢都粉碎了。我用盡全身之力撲向他，哈格斯抓住我的肩膀，又笑又求饒。

『唷，這小鬼頭還滿壯的嘛！』他說，一面格格笑。『好了，安格思，你明知道我不能跟你打。』說完他轉向我父親，又說：『不能派他去，冰血。』

我父親同意，兩人一起回營地去把他們的計畫告訴部下以及維斯佛人。

我一個人留在海灘上，耳朵裡像有怒火在燃燒，哈格斯用他為我塑造的形象重重打擊了我。我不認為自己是一個『連雪地裡的兔子都追蹤不到的小鬼頭』，我整個少年時期都在做戰技訓練。海狼是我的武藝教練，也是我練習的對手。再說，我的血管裡也流著海狼的血，我是這名甲爾，這名霸主的繼承人。他的諸多功績之一是佔領了蘇格蘭領土東北部我母親的村寨，帶著部下定居下來，而我是他的兒子，北方最強的一陣風生下的兒子……

我的身體裡當然有挪威戰士的血液，甚至還有挪威水手的血液。德拉卡似乎不在乎翻翻滾滾的海浪拍打船身，海浪持續的鞭笞船尾，但整趟航程我都不覺得有一丁點的害怕，一直到快抵達這裡才出問題，幾乎是在航程的末期我才愈來愈不舒服。德拉卡建造之初就是為了要能夠成為海上的霸王，孔武有力的槳手可以讓手臂休息，因為只要一揚帆，風力就能載動一百名戰士。德拉卡破浪的方式非常獨特，其中的奧秘似乎就在接合得十分緊密的中央圓材。德拉卡上有槳有錨，專門用來在外海航行。德拉卡都

哈格斯嘲笑安格思是個連雪地裡的兔子都追蹤不到的小鬼頭。被一名身經百戰的戰士這樣評斷，安格思氣壞了，用盡全身之力撲向哈格斯。

是用又高又直的橡樹做的，龍骨彎曲，中央可以支撐巨大的重量。前後兩端變尖，方便藉助海浪之力前進，也可以抵擋狂風巨浪。整艘船的框架都是用堅固的橡木造成，龍骨部分則是把樹木弄彎嵌入。

德拉卡覆上了好幾排只有兩指寬的薄橡木板，釘綁在橫樑上，還用紅樅樹做的索具互相固定住。德拉卡是非常快速的船隻，最適合突襲以及快速撤退。

因為信仰的關係，挪威水手比較不怕實際上可以把船隻拉入海底深淵的危險峭壁和風浪，反而比較敬畏大海蛇約蒙加德⓬，還有海神艾吉爾、他的妻子蘭，以及海神尼約若。他們相信隨身攜帶小巧的黃金製品可以平撫眾神的怒火，而為了得到金製品，挪威人一皺眉就能讓敵人屈服，德拉卡所吐出的魁偉戰士總是所向披靡。這就是為什麼我在很小的時候就愛上了這些威風凜凜的船隻，想要學習航海技術的原因。

我自覺是個戰士，也是個有雄心壯志的水手，但哈格斯卻當我是個手無縛雞之力的頑皮小孩。當時那簡直是無可忍受的羞辱，因為這是我第一次夾雜在這麼多戰士裡接受戰火洗禮。

營地響起一陣騷動，我這才發現自己又作起白日夢了。我不能浪費時間在海灘上冥想，還有很多事得做。我趕緊朝營地回去，很好奇那些人在吵什麼。到了營地之後，我才發現統領們已經做好了決定，擔任探子的人也已經從自願者中挑選了出來。有三個人把一名叫做拉爾斯的維斯佛人制伏住，他氣得口吐白沫，不停大叫，因為他們不讓他去當探子。原來他是那種所謂的狂戰士，一打仗就會興奮到昏了頭，他會一心一意只想著攻擊村寨，壞了大事。據說這些狂戰士總是身覆熊皮，一種幾乎是神秘的怒氣會讓他們刀槍不入，他們在浴血戰鬥中手刃敵手，凌辱敵人的屍體，放進大鍋子裡煮。有時他們甚至還窩裡反，攻擊其他維京人，不為別的，就只為愛打架。我靠近他，幾乎認不出他來，誰知道這

『狂戰士』拉爾斯。據說這些狂
戰士總是身覆熊皮，一種幾乎是
神秘的怒氣會讓他們刀槍不入。

名看似安靜實則奸詐的巨人昨天晚上還幫著我把我父親的德拉卡給拉上岸呢。巨人的憤怒給了阿斯畢昂靈感，也跟著瞎起鬨。他像隻鵝一樣在拉爾斯旁邊呱呱叫，罵出口的髒話比這名狂暴的巨人還要多，而且還誇口要宰掉多少敵人。其實阿斯畢昂心裡清楚他們是不會讓他去的，顯然是因為怕他這個生手妨礙了他們的任務。我走開去找羅斯格，他也是從卑爾根村一路跟著我父親的老戰士。我問他剛才開會的事情，他告訴我我們要在當晚襲擊，殺撒克遜人一個措手不及。探子應該帶回村寨的詳盡位置，我們要攻打的地形特色，防禦人數，以及他們能蒐集到的所有敵情，但是絕不能打草驚蛇。羅斯格的語氣十分冷淡，完全沒有其他人身上都有的歡喜或熱切。看其他人的樣子好像要參加什麼盛大的宴會似的。營地從裡到外都興高采烈，戰士準備著武器，磨利雙刃斧長劍，檢查盾牌上的皮帶，空氣中充滿了力量勁道，而且大家不時哈哈笑，就連我也感受到戰士備戰的高昂情緒。我注意到自己的脈搏改變，胃裡好像有旋風一路捲到手腳，讓我有種說不出的渴望，巴不得能立刻就讓我的雙刃斧嚐到鮮血的滋味。我總算了解拉爾斯為什麼一上戰場就會興奮得沖昏頭。他現在已經給放開來了，正用斧頭砍伐一棵巨大的松樹，一面大叫，一面嘀咕，試圖鎮定下來。我想起了布拉吉以前跟我說過的奧丁三兄弟的故事。奧丁跟他的兄弟威、維利殺死了太初巨人，用他的屍體創造了『中庭』⓭，也就是人類世界。他們用太初巨人的身體創造了大地，用巨人的血液創造了海洋，他的骨骼是古老的群山，頭顱是穹蒼，星群閃爍之處。老詩人說太初巨人的飢渴導引了我們的劍斧，亟望一嚐人類的鮮血。我感受到了那股力量，就是這股力量讓有些人赤身露體上戰場，彷彿接受女武神⓮的邀請到英靈殿去狂歡作樂。我也是基督徒口中的『北方蠻族』，等著要以戰士的身分讓世人大開眼界。

情緒高昂的戰士作詩來讚頌自己的武器。布拉吉測試劍鋒是否銳利，同時拉高嗓門吟詩。

『富貴消逝，友朋離散；
牛群死亡，麵包分裂，唯有一事永不死，無庸置疑。
戰士之榮耀唯以勇氣爲不朽，
戰士之言永純正。』

另一個跟我同村的人薩葛斯和氣的看著我，他受了布拉吉的感染，綻開一抹同仇敵愾的微笑。

『你知道嗎，安格思，』他說：『我還在你這麼大的時候就跟著你父親到蘇格蘭人的地方，那是我第一次遠征，我永遠也忘不了第一次殺人的滋味。剛開始，他就跟野豬似的拚命，到後來他卻像鹿一樣投降，像綿羊一樣死掉。我來教你一點魔法，安格思，用在你的斧頭上。千萬別忘了要用敵人的肉來餵你的斧頭，還要召喚死亡女神弗雷婭的烏鴉，烏鴉會指引你的武器，滿足牠對鮮血的渴望。』

薩葛斯的話移除了哈格斯壓在我胸口的重擔，讓我又生氣勃勃，就跟喝了蜂蜜酒一樣。我也是這群戰士裡的一分子。這些人聚集在那裡，磨刀霍霍，準備戰鬥。他們都是我的同袍，我們會並肩作戰。很多人用自己的皮肉測試武器，好似在享受鋼鐵的愛撫，然後又舔掉自己的鮮血。有人大聲發出戰吼，足以讓敵人為之喪膽的聲音。我一時衝動也把斧頭高高舉起，莫名其妙的大叫一聲，彷彿是從靈魂深處發出來的。我這一叫讓其他人都愣住了，我父親也轉過頭來看我，嘴邊隱隱約約掛著微笑。這是我的戰吼，在此時此刻誕生，從內心深處而生。就從這一刻起，我已經知道我的戰吼會在戰場上迴盪，光耀我的名姓。我是安格思・海狼生，就跟我父親一樣，只有眾神能夠讓我折腰。

下午很晚的時候三名探子打探了敵情回來，還俘虜了一名盎格魯人，於是所有人都跑去偵訊他。探子說村寨位在一處小海角上，四面都是沼澤，他們怕不熟悉地形會誤入流沙，不敢太靠近柵欄，所以沒能查出敵方有多少人。但他們在村寨附近樹林裡發現了獵人的蹤跡，就決定跟蹤下去俘虜他，必須有人指引我們如何穿過沼澤。薩葛斯會說盎格魯話，所以就由他來訊問。他們的對話我大致可以聽懂，因為我除了會說母親的語言之外，也會說父親這邊的語言，而父親的語言跟盎格魯語很接近。喉嚨抵著箭鏃，雙手反綁，又給壓制得彎了腰，俘虜說村裡有一支民兵在負責防衛，是後備戰士組成的，不到九十人。薩葛斯說只要俘虜句句實言，就可以饒他一命，讓他做奴隸；要是他膽敢說謊，『血鷹』⑮就是他的下場。俘虜一聽，艱澀的吞吞口水，箭鏃刺入他的皮肉。他兩眼絕望，尿濕了褲子。

『是真的……是真的！』他氣急敗壞的哭著說，眼淚泉湧，模糊了視線，虛弱的東張西望，似乎到處都是人影。

我突然對俘虜生出了一股又憐又氣的感覺，稍稍沖淡了剛才和大夥一塊磨斧頭時所勃發的戰士衝動。我想起了母親。她和部族的眾頭目，那些幾近野蠻的英勇戰士也都曾面對過北方蠻族的怒火。那一大群野狼似的嗜血戰士團團圍住那可憐的獵人，他是如此衰弱怯懦，就像他為領主狩獵的獵物。這情景在我心頭蒙上了陰影。我看著自己的恐懼和憐憫像兩道可怕的陰影在我頭上纏繞，不禁產生了不安全感，而開戰的時刻快到了……

天上只有一鉤月牙散放出柔和的光芒，卻被更多的雲阻擋住，掩護了我們的行動。第一艘抵達烏茲河口的船上有六十五名水手，其中四十五名正向盎格魯人的村寨前進，留守的二十人包括年輕的水手以及兩名老人，布拉吉就是其中之一。他們的責任是在營地守護船隻。海狼走在隊伍最前端，還有哈格斯、薩葛斯，帶著五花大綁、嘴巴塞住的俘虜。我們安靜的前進，用手勢溝通。空中彷彿有電，好似我們的武器摩擦出來的。身為戰士，我們也感覺到女武神之火在我們隊伍中躍進。只有少數人穿了盔甲，因為盔甲幾乎和船一樣貴，不是人人都買得起。對這些沒有盔甲的人來說，本身的力量就是最佳的防護。至於我這個對自己的武器得意得不得了的新手呢，總覺得有點慚愧，自己的配備那麼齊全：我的頭盔可以保護眼鼻，木質盾牌上鍍了一層銅，雕刻著美麗的曲線和複雜的圖案，代表西格德和火龍法夫尼爾的決鬥⑯，匕首是我外祖父黎安・麥克蘭殺死大野豬的名劍『鐵爪』，還有我的雙刃斧。我正打算跟這把斧頭一樣，斧刃會是我的靈魂，而我的力量會導引它求勝。我的斧頭上也有我父族特有的複雜紋路及圖案。斧頭兩面都雕刻了一把神鎚，也就是『雷霆之鎚』，表示對雷神索爾的尊崇，希望祂賜予我勇氣及保護。

行進之間，我們突然停了下來。海狼指著某個方向，我們看見遠處有一座小村寨被沼澤散發的霧氣包圍住，看似飄浮在空中。薩葛斯扯了扯俘虜脖子上的繩索，直扯得他雙膝跪地，然後對著他的耳朵喃喃低語。薩葛斯踢了他的肋骨一下，把他拉起來，讓他恢復站姿，然後推著他往村寨的方向前進。大夥都緊緊跟著他，成一列魚貫而行，小心翼翼，以免陷入泥淖。薩葛斯牽著俘虜，只准他一次踏一步，唯恐獵人動什麼歪腦筋，把我們引入流沙。於是我們花了好長的時間才接近柵欄，裡面沒什麼動靜，大門後閃動著火光，樹冠的陰影在門上舞動。沒看見衛兵，但我們知道一定有，不過照這麼安靜的情況看來，他們並沒料到會遭受攻擊。海狼觀察打量了整個柵欄之後開口了。

『哈格斯、薩葛斯、羅斯格、哈肯、安格思、我，凱特來的人由右翼攀登柵欄，其餘的人到大門去等我們開門。』

『我要跟你們一塊去爬柵欄。』維斯佛來的狂戰士拉爾斯說。

『可以，』海狼回答道：『不過別莽莽撞撞壞了大事。盎格魯人擅長打組織戰，我們的力量千萬不能分散，否則就會失敗。愚蠢和勇氣可不一樣。』

拉爾斯眼睛閃動著怒火。

『遵命，「冰血」海狼。現在我會把對你的痛恨發洩到那些可憐的盎格魯人身上。』他說，挑釁的瞪著海狼。接著他抽出長劍，不過一眨眼的功夫，就割斷了俘虜的喉嚨，誰都沒料到他會突然殺人，薩葛斯還牽著俘虜脖子上的繩索呢。這個狂戰士齜牙咧嘴，露出冷森森的微笑，大夥看見俘虜在地上翻滾掙扎，垂垂待斃，全都熱血沸騰起來。薩葛斯壓制住俘虜最後的呻吟，以免引起盎格魯人注意。就像嗅到了血腥味的餓狼一樣，戰士們群情激昂，肌肉緊繃，準備要開始行動。海狼知道我們已經等不下去了。

『各就各位。』他壓低聲音下令，以免驚動了敵人。

他、我、凱特的人、拉爾斯準備好要攀爬柵欄，其他人則潛行到大門前。我們乾淨俐落的用繩索套住柵欄頂端的木頭，援引而上，所有人同時爬上去。柵欄並不很高，大約只有兩個男人的高度，我們輕而易舉就從頂端跳到地面。柵欄裡面有支六人一組的衛兵，靠近大門。我們一跳下，他們立刻就看見了我們，五個朝我們過來，最後一個往大門跑去敲警鐘。我們是七對五。盎格魯人排成一排，朝我們擲長矛，拉爾斯首當其衝，一支擊中他的盾牌，兩支擊中羅斯格的盾牌，還有兩支失了準頭，消失在黑暗中。接著盎格魯人又展開第二波攻勢，這次的矛更長，跟我們獵野豬獵熊的長矛很類似，而且他們也擺好陣式等待我們反擊。夜晚被嚇得一片靜寂，此時空中只有憤怒恐懼的呼喝。三名身經百戰的戰士用盾牌擋住了敵人的長矛，哈肯、拉爾斯、阿斯畢昂、羅斯格和我一齊撲向衛兵。近距離長矛派不上用場，又沒時間抽出長劍，他們幾乎可算手無寸鐵。我殺死了平生第一個敵人。起初他的眼睛恐懼得睜大，

海狼帶大軍攻東盎格魯，安格思把敵方
的柵欄門閂拉開，大夥就像猛獸出柙似
的湧入柵欄，很快的取得勝利，但他的
好友阿斯畢昂在此役陣亡了。

隨即反射出我的攻擊造成的痛苦，我的斧頭砍中了他的肩胛，女武神終於帶走了他的靈魂，那雙痛苦的眼睛變成朦朧一片，再也看不見大地上的東西。更多盎格魯人跑過來，揮舞著斧頭，又吼又叫，像是保護骨頭的狗。我父親和其他人聚集在一起，抵擋更多聽見警報而來支援的盎格魯人，我跑向大門去放我們的人進來。剛才跑去敲鐘的盎格魯人是唯一的障礙，他把長矛向我擲來，我輕鬆的閃過，他又抽出長劍，追在我後面。我們兩個朝對方猛衝，我突然靈機一動，跑到他面前突然臥倒翻滾，把他給絆倒。我的動作像閃電一樣快，立刻跳起來，但對方也不是省油的燈，早也已經站穩了身子，手握著劍，眼睛似乎在噴火，活像是把獵物趕到角落的野獸。幸好阿斯畢昂及時趕到，殺了盎格魯人，救了我一命，因為我幾乎沒時間站穩腳。我還沒來得及喘口氣，就立刻把門閂拉開，打開門放我們的人進來，大夥就像猛獸出柙似的湧入柵欄。現在我們大約得要一個打兩個，不過羅斯格大聲吆喝，不能讓盎格魯人集結起來。阿斯畢昂覺得背上挨了一下，視線模糊起來。我不敢相信我這個喜愛打鬧的朋友就這樣給奪走了青春，但就是他比誰都早進了英靈殿。

我方的戰士湧入，像大雪崩似的猛烈衝擊盎格魯人，逼得他們節節後退。他們開始驚惶失措，變成一盤散沙。我們窮追不捨。這一幕十分奇怪，那麼多的人在追逐。我之前從來就沒有看過，也從沒聽過這麼奇怪的鬼吼鬼叫。要是由我決定，我會放他們一馬，因為大勢幾乎已經底定。之後我才會明白是怎麼回事。畢竟這裡是盎格魯人的土地，他們當然會跑去求救。很多人逃亡的時候就給殺了，我們的斧頭嵌入了他們的後背。很多人投降，唯恐反抗得太激烈會激起報復。我們的戰士激動得一陣騷亂，安靜不下來。他們闖入房舍，看到值錢的就搶。很多人在保護妻子女兒的時候送了命，但大多數女人都袒露胸部，獻出身體，只求保住家中男丁的生命。這些婦女的丈夫兒子逃過了死劫，變成奴隸，那是十分珍貴的商品，因為年輕強壯的奴隸跟一對牛一樣值錢。就這樣，在同一個清晨，我手刃了平生第一個敵人，也失去了我平生第一個好友。

我們的人哈哈大笑，譏嘲被殺的敵人，興奮的飛舞比劃著手勢，為我們這邊的光榮犧牲者乾杯慶賀。雖然阿斯畢昂才剛去了英靈殿，我已經開始想他了。那個大嘴巴，我本來以為兩個人可以在戰場上馳騁到老，我可以聽著他老了以後把自己的戰功吹噓成了不起的豐功偉業，而他可以忍受我的抱怨牢騷……我真的會很想念我的好朋友阿斯畢昂。

這實在是相當沒有意義的狀況，也是我的生平第一次。看著那些戰敗的村民，我看見年輕的臉龐，修長的金髮女郎，我知道我必須挑選一個當奴隸。海狼叫我要對她好，其實不需他吩咐，因為我根本就沒有某些同袍那樣的瘋狂情慾。說真的，看著他們滔滔不絕的談女人，好像沒辦法很有尊嚴的得到女人青睞，非靠動物的蠻力不可，我還真覺得丟臉。我挑中了一個年輕女郎，不比我大多少。她很高，頭髮是暗色，水汪汪的神秘眼睛。我在一棟大房子裡發現她，房子就在村子中央。我不准別人欺負她，抓住她的手臂把她帶到屋子外面，想在一團混亂之中找到一個比較有隱私的地方，讓我多了解她一些。她嚇壞了，不管我要什麼她都順從。海狼走了過來。

『安格思，』他一面朝我走來一面喊我，隱約露出牙齒，這表示他十分的欣喜，因為他是從來不大笑的。『帶這個女孩去，要她指引你穿過沼澤，然後去找布拉吉跟其他人，告訴他們我們把村子攻下了，把他們盡快帶來村子裡。』

我立刻接受了海狼的命令，因為出了村子我就能得到我想要的寧靜。所以我叫她帶我穿過沼澤，我的手像鐵鍊一樣牢牢扣住她的手腕，以免她動歪腦筋害我陷入泥淖。不過沒有，她嚇呆了，聽話得

海面的金色濃霧裡，浮出無數隻德拉卡。這
是大災難的象徵，海上的大遊行──史上最
強的無敵艦隊，『軟骨頭』艾瓦大軍壓境。

不得了。地平線染上了一抹紅線，掩去了星光，曙光照臨大地。我們離開了沼澤。一路上我們並沒有交談，但我突然停下來，盯著她的眼睛，激烈的吻她，愛撫她柔軟的頭髮……我又一次盯著她的眼睛，看見了她內心的恐懼……她的嘴唇顫抖，我一明白她愈來愈緊張，就又吻住她。她似乎挺喜歡的，為了要讓她平靜下來，挑動她的情慾，我用力擁抱她，抱了很久。歐絲柏嘉（她的名字）沒有經驗，顯然連男人都不認識。在親吻擁抱了一陣子之後，她的顫抖沒那麼厲害了，就急著想跟我說什麼。我聽不太懂她說的話；我相信她是要我保護她之類的。我哈哈笑，用我父族的語言回答她說我母親一定會很高興有個年輕的奴隸幫她紡織，我也不想輕易放棄這麼漂亮的女人可以提供的樂趣。我仍然緊扣著她的手腕，一分鐘都沒有鬆開，急忙朝布拉吉和其他人留守的海灘前進。日頭從大地的子宮中出生，像一顆血淋淋的球一樣升上天空，紅色光線漸漸照亮了四周，逐退了黑暗。我感覺開心強勢。我殺死了和我對峙的敵人，擁有了歐絲柏嘉。我想起阿斯畢昂，希望他在英靈殿也一樣榮耀。

我們終於抵達了海灘，我直接去向布拉吉展示我的漂亮寶貝。

『我們贏了，布拉吉，我們拿下村子了！』我一看見他就大喊，拖著歐絲柏嘉朝他過去。

但老詩人似乎不急著打聽我們戰勝的消息，也不急著想一飽眼福，他的眼睛瞪著地平線，海面的金色濃霧裡似乎有什麼東西。他連瞧都沒有瞧我一眼，待在原地，觀察著霧中飄浮的陰影。我也瞇起眼睛，想看看遠處到底有什麼東西這麼吸引布拉吉。漸漸的，我辨識出帆影，就像海面上飛翔的彩色海鳥的翅膀。沒多久，海面上到處是帆，劃破了濃霧。我從來沒有一次看見過這麼多德拉卡。這是大災難的象徵，海上的大遊行……有翅膀的火龍遨遊大海，把內臟吐出到這塊未知的土地上，放出北方蠻族的憤怒。這壯觀的一幕壓過了今天清晨我才嘗到的戰鬥征服的滋味：在微弱的秋陽下，史上最大的維京船隊，史上最強的無敵艦隊，正接近東盎格魯人的土地——所向無敵的『軟骨頭』艾瓦大軍壓境。

譯註

❼今之都柏林。

❽在北歐神話中，『英靈殿』是英雄所居住的天堂。此處是一大廳，戰場上陣亡的戰士只有被奧丁選中才能進入此大廳。

❾古北歐字母。

❿來自維斯佛地區的維京人，即今之奧斯陸以西。

⓫與丹麥維京人謀合必須準備的貢品。

⓬北歐神話中的大巨蛇，是邪神『洛奇』的孩子之一。

⓭北歐神話中，宇宙有三層。第一層『諸神國度』，是眾神的居所，那兒有奧丁的『金宮』，皇宮的大廳就是『英靈殿』。第二層是『中庭』，是人類居住的世界，被大海所環繞。最下面的第三層則是『死人之國』，只有亡者能夠到達。

⓮北歐神話，『女武神』是奧丁的美麗女侍，按照奧丁神的意願或按照命運的安排，她們決定誰將獲勝，誰將在戰鬥中死亡，誰來到英靈殿。

⓯挪威人祭祀奧丁的儀式。

⓰西格德是北歐神話中的英雄，殺死了看守寶物的惡龍法夫尼爾。

3 冰血

西崔格、史崔畢揚、波拉德都是有名的詩人，他們從第一艘船登岸，引介他們偉大的主上登場。

『烏普沙拉、斯堪尼亞、愛爾蘭之王，埃林的征服者，日爾曼尼亞及日德蘭總督，不列顛未來的統治者，我們的國王艾格瓦・拉格納生駕到。』

艾格瓦・拉格納生，也就是人稱『軟骨頭』艾瓦，據說刀槍不入，確實是一條很不平常的漢子。倒不是說他的個子很高，也不是體型特別壯，而是以活躍的征服者來說，以他的高齡還能展現出頑固的決心以及勇猛的武士精神，確實不是常人所能做到的。像他這個年紀的指揮官不可能靠高雅格調來讓龐大的軍隊信服，讓許多甲爾效忠。不錯，他的體格仍保持得很好，不過這名丹麥人真正顯眼的地方是他的眼睛，閃動著蛇類的光芒，剛猛健壯，同時也殘忍無情，向每一個人挑戰，看誰夠膽面對他。我就感覺到即使我們的勇氣都達到一般的標準，卻還是別跟這位國王的眼睛對上。

艾瓦是藉著在埃林和阿爾斯太買賣奴隸發跡的。他的貪婪之性讓他成為真正的維京人，總是渴求財富，總是四處掠奪。眾所周知他是偉大的謀略家，這在我們的遠征中表現得非常清楚。不過單憑他那雙眼睛太像蛇眼，我就沒辦法信任他。他和我父親不同，也和我認識的挪威人不同。我父親他們來到凱特定居下來，有的攜家帶眷，有的娶了當地的婦女。富饒的土地讓他們放下了海盜生涯，他們最後也融入了蘇格蘭人的生活型態。有很多人娶了蘇格蘭女人，最後也皈依了新的信仰。

艾瓦，擁有一雙蛇眼的謀略家，外號『軟骨頭』。
艾瓦和他兄弟海夫丹貪婪成性、四處掠奪，和海狼的信念完全不同。

艾瓦從愛爾蘭帶來的人也大致放棄了祖父母的風俗習慣，但是和定居凱特的挪威人相反，他們不開墾土地，不從事捕魚貿易，不但沒有放棄海盜生涯，反而完全以海盜為業。這兩群人基本上都還維持著挪威人的生活型態，只不過各自保留了祖先不同的文化。

放眼望去，海面上到處都是艾瓦的船艦。我最注意的是大部分的船艦是長船，每艘上有三十多名戰士。舷緣上是一排盾牌牆，兩側各有二十面盾牌。船首的龍頭雕刻得很華麗，表示對敵人絕對不會手下留情。

艾瓦的兄弟海夫丹也跟著他在埃林島買賣奴隸。和艾瓦比起來，海夫丹顯得更傲慢，我打從一開始就討厭這一對兄弟。不出多久我就知道我對他們的壞印象不是沒有原因的，因為從他們抵達的這一天開始，我們的麻煩就層出不窮。

艾瓦下船上岸，布拉吉上前去通知他幾位甲爾決定先拿下附近村寨，而且已經成功。根據後來老詩人的說法，海夫丹一聽立刻火冒三丈，喊著要砍下這些甲爾的腦袋，大罵他們是叛徒。不過艾瓦卻和兄弟的意見相反，他稱讚幾位甲爾做得很好，現在他們有基地可以來展開軍事行動了。不過，布拉吉告訴我們艾瓦是一副冷嘲熱諷的語氣，而海夫丹聽了則哈哈大笑，立刻就隨聲附和。老詩人發現海夫丹的火氣消得太快，馬上就向我父親報告他們這種可疑的舉動。

戰士們花了一天的時間把這支龐大艦隊上的裝備給卸下來，再依據戰略位置圍著村寨安紮營帳。我從來沒見過這麼多戰士聚集在一起，也沒見過這麼多的裝備補給，這些都是艾瓦他們帶來的。沒錯，這是挪威人第一次聚集了這麼龐大的軍隊，總共有三萬人之多。大部分來自埃林島某個大型挪威人基地，也有很多人來自蘇格蘭、挪威、丹麥。都是各自成一個小團體，聽命於招募他們的甲爾。

柵欄裡面容不下三萬人，所以不同的團體就圍著沼澤紮成一個半圓形的營地，如此一來，萬一遭受攻擊，敵人必須先突破我們的防線才能穿過沼澤，然後才能進佔村寨。誰如果真想試試看，那一定是腦筋燒壞了。駐紮在柵欄裡的只有凱特和維斯佛人，加上直屬艾瓦和海夫丹的戰士。這樣的安排只是讓眾人心懷嫉妒，因為晚來的維京人就只能眼紅的看著別人搶奪到的財物。有些海盜甚至還打算攻擊村寨，幸好艾瓦要大家團結起來，保留精力來征服這片土地，他們才作罷。他的理性和領導能力的確讓人沒話說，但我就是忍不住覺得他之所以會下令不准攻打村寨，主要還是因為沒有一個人知道該如何穿越沼澤。

當晚，所有的甲爾都聚集到村裡最大的那間屋子裡，盛大慶祝他們踏上了東盎格魯土地。桌子是按照各甲爾的等級排列的，我和我父親、哈格斯、布拉吉坐大統領的那張桌子，艾瓦、海夫丹也同桌，另外還有艦隊裡最有權勢的甲爾。旁邊一張桌子是為我們的戰士以及維斯佛人準備的，這可算是莫大的榮耀。筵席供應的食物可以媲美英靈殿的宴會。奴隸兩個兩個走進來，歐絲柏嘉也在其中，用大鍋送上熱氣騰騰的豬肉，豬肉的大小也是根據戰士的等級而定：愈偉大的戰士，肉就愈大塊。在奴隸之後，小男孩端著大托盤，上面裝滿了臘腸、煙燻血腸；也有人連鐵叉帶烤肉一塊抬出來，誰叫喚就去服務誰。麵包、炸蕪菁不斷上桌，為了不用等人來斟酒，每張桌子的桌首都有一大桶蜂蜜酒。大夥忙著吃吃喝喝的這段時間之中，聽見的只有大口咀嚼、拔刀子割肉剁骨頭的聲音，沒有人交談。許久之後，艾瓦用他那種很可疑，有時候還譏誚得要命的方式和我父親說話。

『海狼……你的大名我早就如雷貫耳了。卑爾根的人到現在還忘不了你的功績，不過自從你征服了蘇格蘭人，落地生根之後，卑爾根的詩人不知怎麼的似乎忘了要歌頌你最近的戰果了。』

海狼才不會中了他的挑撥，他只是平靜的嚼完嘴裡的肉，喝了一大口蜂蜜酒，然後才開口說話。

『什麼樣的選擇就有什麼樣的結果，艾瓦。我選擇了一個不會迷失的世界。』

『很小的世界……』

『用不著逃亡的世界……』

艾瓦氣得牙癢癢，因為最近五個埃林王國的國王才剛聯合起來驅逐了他，害得他得一直流亡。氣氛一下子凝重起來，我們這張桌子以及鄰近的桌子都籠罩著不安的沉默。艾瓦一雙蛇眼瞪著我父親，身體往後靠，喝了一口蜂蜜酒，好似在控制自己的脾氣。他把牛角杯放到桌上，露出譏誚的笑容，繼續往下說，看起來好像是因為口渴才中斷對話的。

『這些年來，我在愛爾蘭做生意太忙，因為我每次想要什麼就都能弄到手，你懂我的意思吧，』他呵呵笑著說：『可是我跟海夫丹的樂子得停一停，先解決一件攸關榮譽的大事要緊。人人都知道諾森伯里亞的艾萊國王暗殺了我父親拉格納．洛布克，身為他的兒子，我們必須要報仇，讓我父親的靈魂得到安息。』

『如果只是單純的想報仇，為什麼不直接殺到諾森伯里亞去，反而攻打東盎格魯領土？』海狼問。

『我要橫掃這整座島，我要把我們的人帶過來，讓這些基督徒嚐嚐利劍的滋味，然後我們把這座島獻給奧丁大神。盎格魯人和撒克遜人不相信會有巨人毫不留情的粉碎他們，等艾萊被殺的時候，他就會嚐到我父親嚐到的苦頭。我倒要看看在他的身體被毀滅，女武神帶走他的靈魂的時候，他有沒有老拉格納的膽量。』

『根據那些詩人的說法，你是兄弟裡面唯一一個想知道你父親死亡細節的人。』一名維斯佛甲爾蘭德・拉森說。

『沒錯，』艾瓦答道：『我在聽細節的時候，就像濕木頭著了火一樣，那把仇恨之火愈燒愈烈，最後把我也吞沒了。』

艾瓦停頓片刻，四下掃視了一圈，確定人人都在仔細聆聽，場內唯一的聲音是狗爭骨頭的咆哮。

『人家說聽見拉格納死訊的時候，我兄弟「勇士」比昂的指甲都掐入了長矛柄裡，最後矛柄上留下了深深的指印！』

驚異的低喃聲此起彼落，我乘機撩撥我的老師。

『看吧，布拉吉，詩人就是愛誇張。』

他正要回答，可是艾瓦又繼續往下說，裝得很肅穆的樣子。

『赫維策聽見噩耗的時候正在下棋，他不知不覺捏斷了一個棋子，指甲縫裡鮮血直流。』他說，不等竊竊私語聲停下又繼續說。

『我另一個兄弟「蛇眼」席古正在用匕首修指甲，聽了消息後還不停的修，渾然不覺已經修到骨頭了。但是我，「軟骨頭」艾瓦，卻還是鎮定如恆，仇恨埋在心裡，要他們把我父親的死因詳詳細細說清楚。』艾瓦停下來，一雙蛇眼因為回憶而閃動光芒。『拉格納是贏家，年輕的時候就言出如山。他的霸業美夢可以用一句話來總結，那就是「向西去，跨海去」。而且他也實踐了他的夢想。他的德拉卡船首從奧克尼群島航行到白海。他是個戰無不勝、攻無不克的戰士，一個永遠孜孜不倦追求名聲榮耀的維京人。他佔領了半個世界，沒有什麼能阻撓他，只可惜運氣變了。就在某個可詛咒的夏天，拉格納指揮一支船隊從塞納河進入法蘭克人的土地，攻擊首都巴黎。他們包圍了巴黎，正要積極拿下它，可惜卻遭擊退，雪上加霜的是傷亡十分慘重。他們說是因為他們偷了很多基督徒的聖物，我覺得這種說法太卑劣，而我會摧毀這座島上的基督教，來證明這種說法完全是空穴來風。』

大夥又響起一陣竊竊私語，這次更熱烈，也許我該用『激昂』來形容比較恰當。有些貴族舉起牛角杯，附和他的說法，艾瓦繼續用他冷硬的語氣說話。

『拉格納既沒有投降也沒有逃回家，他讓船隊轉向諾森伯里亞，筆直朝他的命運前進。他在一場戰役中被俘，被帶到國王面前。艾萊給了他戰士應有的死亡，但他卻點燃了北方人的怒火。他把拉格納帶進堡壘裡的一處墳坑，裡面裝滿了毒蛇，然後把他推下去送死。但是區區毒蛇嚇不倒拉格納，老戰士直到死前都還高唱著他自己的死亡之歌。毒蛇咬過的傷口腫脹發燙，折磨得他痛苦不堪，他還是大聲咒罵艾萊，揚言他的子孫會復仇。毒蛇折磨他，拉格納大聲呼喊我們，他的兒子，大聲喊道：「就連吃奶的豬知道老母豬出事了都曉得咕嚕幾聲。」』

艾瓦停下來打量觀眾的反應，然後才說完故事。他是想用個人的歷史來點燃眾人的仇恨之火。坦白說，挪威人會參加這場危險的遠征就是為了要征服這塊土地，搶奪這裡的財富。他們的家鄉已經養活不起這些成長得這麼快速的人民，所以他們只有一條路，也就是衝向這座島嶼的青翠原野。

『所以今天我們大家才會聚集在這裡：為了替拉格納報仇雪恨，』艾瓦接著說：『我們會把這些國王一個接一個打敗。我們會拿下他們的堡壘、他們的財產、他們的女人。我們會揮劍橫掃他們的子民，我們會摧毀他們的信仰。我們會把這座島變成另一個丹麥，誰敢擋住我們的去路，誰就去死！』

他的話，加上供應不絕的蜂蜜酒，讓所有人的情緒激動到了極點，每個人都同時開口說話，支持

所有的甲爾都聚集到村裡最大的那間屋子
暢飲蜂蜜酒，慶祝踏上了東盎格魯土地。

艾瓦，發誓要讓艾萊好看。我們同桌的一位甲爾站起來向雷神索爾以及艾瓦、海夫丹眾兄弟敬酒，我們全都比劃出鎚子的手勢，連乾三杯。

大家都已經醉醺醺的，有人開始追逐奴隸，我看準空檔趕緊把歐絲柏嘉抓過來，讓她坐在我大腿上。

海夫丹問了蘭德・拉森一個問題，起初好似很友善，後來卻證明他根本不懷好意。我們裡面有一個海夫丹的人，是個奴隸販子，叫做史旺・韋格。他是朱特族人，跟著俄斯族⑰到東方好幾年。他住在窩瓦河沿岸一棟大木屋裡，販賣美麗的奴隸。他每天都縱情聲色，而且還是在人人面前玩樂，因為這是俄斯族的風俗。這個傢伙跟其他挪威海盜到處獵捕女人，誰也不知道他和蘭德・拉森的手下也掛鉤了。

『我覺得我們應該挑選一些偉大的戰士出來，請他們跟我們說說他們的功績，給大家添點樂子。第一位應該請蘭德・拉森，他性烈如火，一上了戰場就克制不了殺人的衝動。他和梵・布埃生遠征斯莫蘭，攻打齊格・懷瓦特，就算在今天整個斯堪尼亞的詩人都還傳頌不已。蘭德，快跟我們說說你到斯莫蘭的冒險。』海夫丹熱烈的邀請他，假裝是要讓晚宴的氣氛活躍。蘭德已經半醉，聽不出海夫丹的諷刺語氣，而且他也不知道史旺・韋格和斯莫蘭的甲爾有關係。他根本沒想到海夫丹設了一個圈套讓他往下跳。他醉醺醺的一笑，深信自己是受到了推崇，於是站得筆直，從同袍臉上尋找滿足的神情。

『我在斯莫蘭遇見了很多事，』蘭德・拉森開口說：『最特別的一件事就是古納跟我的部下救了我一命，他們還救了絕大多數跟我一起的人。』

『說謊。』史旺・韋格搶白道。他不認識蘭德・拉森，可是一聽海夫丹說起齊格・懷瓦特，他就明白海夫丹打的什麼鬼主意。『每一個戰士都把頭髮鬍子給剃了，以免在打鬥中給對方揪住。』

『別插嘴。』海夫丹命令道。

『沒錯，』又一名甲爾附和。『讓他說完，我們自己會判斷是不是真的。』

蘭德・拉森接著說：『我跟齊格・懷瓦特的打鬥是個人恩怨。他在我的王國上來來去去，搶劫了所有的維斯佛人，奪走了所有的摩爾奴隸，那是已經說好要拿去哥多華的哈里發市場交換不列塔尼奴隸的。其中有個奴隸還是我最喜歡的。我發誓我會殺了他，把他的女兒阿絲莉芙・波蒂絲搶來當老婆，因為她是全斯莫蘭最有名的大美人。我忠實的盟友梵・布埃生駕著他的德拉卡跟我一塊行動，另外還有一艘船，就是古納指揮的。我們進入了敵區之後，突然有六艘德拉卡包抄我們。我後來才知道齊格・懷瓦特在維斯佛有眼線，我們的船隻還沒到，進攻的消息早就洩漏了。梵・布埃生跟我打開帆布，沒命的划船要迎戰那些斯莫蘭人，古納卻膽小得要落跑，毀了他的一世英名，也害得我們的攻擊力量變弱。沒有多久，齊格・懷瓦特的船隻就包圍了上來，他的人站滿了整個甲板。梵・布埃生的德拉卡距離我們稍微前面一點，他是第一個倒下的。在我自己受到攻擊之前，我瞥見梵・布埃生被長劍削掉了鼻子跟半個下巴。他轉個身，踉蹌走向他的藏寶箱，裡面都是他最寶貝的戰利品，他攀住箱子不放，然後從舷緣跌了出去，連同他的寶藏一起沉入大海。』

我們這桌和附近各桌傳出模糊的喃喃聲。眾位甲爾討論起梵・布埃生傳說中的寶藏。我不經意瞧了史旺・韋格一眼，發現他雖然看著我這邊，但沒有在看我。他似乎靈魂出竅了，忘我的想起他的同盟齊格・懷瓦特發生的事，心裡的仇恨一點一點沸騰。蘭德・拉森這時得拉高嗓門才能讓大家聽見。

『梵的一個朋友，一個叫西格沃的維京人殺紅了眼，猛地扯下盔甲，拋開盾牌，一把抓住殺掉梵・布埃生的敵人的脖子，用力扼住他，壓根不管砍在他身上的武器，到後來另一名斯莫蘭人用長劍切下了他的腦袋。我們寡不敵眾，打到最後只有被俘。齊格．懷瓦特用鐵鍊把我們這些活著的都穿在一起，總共十七個人，然後把我們帶上岸。上岸之後，他們要我們坐在木樁上。我們的手綁在前面，然後齊格．懷瓦特出現了，還扛著斧頭。他面對著我站著，哈哈大笑。「蘭德．拉森，你不是說要把我宰了，把阿絲莉芙．波蒂絲搶去當老婆嗎？現在看起來要去向奧丁大神報到的好像不是我嘛，」他說：「我還沒死，齊格，維斯佛人還沒死絕，」我頂回去。為了讓我嘗嘗慢慢等死的滋味，他先殺了「藍牙」科洛克，他就坐在我旁邊。老科洛克很有尊嚴的離開人世，我相信招待他的筵席一定是英靈殿最豐盛的一桌。然後齊格．懷瓦特轉向我，說他願意把宰掉我的樂趣讓給跟他一塊來的一個甲爾。那個甲爾叫做彪爾．沃夫生。他走向我，很有自信的哈哈笑，彷彿要宰的是頭綿羊。我瞪著他的眼睛，想看見自己的末日，卻只看見未來。我朝彪爾笑回去，告訴他我還沒死。「你是個了不起的戰士，」彪爾說道。

『這時我們聽見維斯佛號角像雷霆一樣怒吼，真像是英靈殿傳來的仙樂，齊聲高奏，迎接敵人到來。齊格．懷瓦特瞪大眼睛，又怕又恨。我面前的人沒有一個願意像戰士一樣死掉，他們都很害怕，他們知道維斯佛人不會讓他們活著逃走，因為北方的人看見他們自己給打劫了，看見他們的奴隸被人家那樣虐待，他們的怒火就像燒熱的煤炭一樣燙手。

『齊格．懷瓦特停在我面前，扯我的長髮，對我破口大罵。我被扯得往前傾，脖子正好露出來方便彪爾下手。彪爾準備好了，但維斯佛響徹雲霄的號角卻讓他不敢舉起斧頭。這時齊格的手下都像懦夫一樣溜之大吉，彪爾看著齊格，一臉的鄙夷，看著他揪住我的頭髮大吼大叫，不像英勇的戰士，倒像個笨蛋。他舉起斧頭，我使盡吃奶的力氣向後退，連齊格．懷瓦特一塊都給我拉了過去，他揪住我頭髮的一雙手反倒可能給斧頭砍中。說時遲那時快，齊格還沒來得及把手縮回去，彪爾的斧頭就已經砍了下來，剁斷了他的一雙手。痛得他跌在地上，殺豬似的嚎叫，而我的手下和梵・布埃生的人全都哈哈大笑。齊格・懷瓦特另一個盟友哈洛德・索瓦登朝我衝來，握著長劍，準備來把我宰了。但是我的一個部下叫做「笑面虎」艾尤夫爾的撲向他的腳，絆倒了他，他正巧就跌在我面前。我馬上撿起他的長劍，二話不說解決了他。這下子不但我的人笑，連齊格・懷瓦特的盟友都捧腹大笑起來。「讓你在人間打鬥比送你去奧丁大神的宴會上快活要來得重要，蘭德・拉森，」彪爾・沃夫生說：「要是我放了你，你願意接受嗎？」他問我說：「除非你連我忠實的戰友一起放。」我答道。

『「又忠實又有骨氣的人應該活命！」彪爾說道，解開了我們的束縛。

『趁著我們被釋放的時候，齊格的人趕緊駕船落荒而逃，船隻愈走愈遠，這時我忽然看見一個熟悉的人影從後面的灌木叢摸過來，原來是古納跟他的手下。他們很有智計，悄悄的掩進，分散在我們後面，每個人都帶著牛角酒杯，把底部切掉當號角用，然後一齊用力吹，聽起來就好像維斯佛大軍壓境，讓敵人產生了落入陷阱的錯覺。齊格那批人會覺得掉入陷阱其實不難預料，因為那些沒廉恥的狗賊什麼都不會，就只會設陷阱玩陰的。

『這就是我救了盟友也救了自己的來龍去脈，多虧了古納和我的部下。另外為了要展示勝利，我拿了齊格・懷瓦特的金手鐲，就是這些，我現在戴的這些。』

蘭德的故事大家都聽得入迷，所以都非常激賞。有些最誇張的傢伙，也許也是喝最多的傢伙，甚至舉杯祝賀他的好運道。海夫丹發出蛇一樣的大笑，朝史旺・韋格使個眼色，這名齊格・懷瓦特的老盟友正氣得死命握住牛角杯呢。

『蘭德，能不能讓我們看看你的手鐲？』海夫丹問。蘭德給眾人恭維得樂陶陶的，立刻就把美麗的金手鐲送了過去。金手鐲上鑲嵌了曲線和螺旋圖案，海夫丹翻來覆去的看得很仔細。

『這位金匠的手藝可真不是蓋的。』他說道。說完，他就把金手鐲遞給了史旺。蘭德‧拉森看見他的寶貝戰利品在這麼多雙陌生人的手上摸來摸去，心裡有點不自在起來。史旺‧韋格戀戀不捨的摩挲著金手環，好似在撫摸女人。

最後，他說：『蘭德‧拉森，這些手鐲是我的。』

『什麼！』蘭德說，感覺莫名其妙。『難道是你坐在木樁上等著給人砍頭不成？難道是你戰勝了死亡，活下來跟大夥說這個故事不成？』

史旺憤怒的站起來，兩眼突出，一副挑釁的模樣。『齊格‧懷瓦特是我的姻親，我一直想找出是誰殺了他，現在我終於跟兇手面對面了。要是你真像個有榮譽感的戰士一樣面對他，我也許還犯不著幫他報仇，可是你這個雜種說謊，所以這些手鐲是我的，是賠償我親人死亡的代價。』

『我八成是喝了太多蜂蜜酒了，聽不大懂你在說什麼，』蘭德‧拉森說：『這是我的戰利品，從我殺死的敵人身上搶來的，而且也是我帶來的！』他大喊道：『你要以為我會白白把手鐲讓給你，你就是個孬種，賣女人的人口販子。你要想得到手鐲，就得先把我給宰了！東西還我，快點！』

史旺‧韋格一言不發，思索了一下，把手鐲交給了海夫丹。

最後，史旺開口了。『你很有野心，蘭德‧拉森，從你不等我們到達就先攻打村子就可以看得出來。你太貪心，什麼都想留給自己！我想我們應該問問在場的甲爾這些手鐲應該屬於誰。』

『你是個孬種，史旺‧韋格，』蘭德‧拉森挑釁道：『你那個骯髒下流的身體裡要是還有一丁點的骨氣，你就會為了你自稱是屬於你的東西而戰鬥。』

『慢著，蘭德。』海夫丹這時插手，把手鐲還給了蘭德。『我們都明白你的價值，可是史旺・韋格說的也不無道理。你說是嗎，海狼？』

我父親的回答乾脆俐落。『不。蘭德・拉森的功績大家都耳熟能詳，就連在遙遠的凱特我們也聽吟遊詩人傳唱過。要是這個史旺・韋格相信他有權拿走蘭德的戰利品，他就應該用他的劍去贏過來。』他做結論道。

『好哇，』史旺・韋格挑撥道，『又一個不等同志過來就搶佔好處的貪心傢伙說話了……』

海狼沒等他說完，立刻就站了起來，抽出長劍。艾瓦跟很多人也都站了起來，有些抽出了武器，不知道會發生什麼事。但艾瓦拉高嗓門蓋過了一片拔劍聲，他主要是針對我父親。

『現在不是內鬥的時候。我們得忘掉個人恩怨，一起合作征服這塊土地。把你的劍收起來，海狼，你們也是。把你們的怒氣留著發洩到盎格魯人身上。』

趁著艾瓦在說話，史旺・韋格悄悄溜到聚集在這一桌的人群後面，像隻爬行的毒蛇，他繞到蘭德・拉森的位置。蘭德正大聲跟海夫丹吵架，他最後看見的景象是海夫丹奸詐的表情轉變成譏誚的笑容。不出幾秒，他就感覺史旺・韋格的匕首劃過了他的脖子，這時他才明白海夫丹笑些什麼。有人看見蘭德・拉森倒下，史旺・韋格握著血淋淋的匕首。很快的屋內一團混亂。原本就並肩作戰的凱特和維斯佛戰士都要去追擊史旺・韋格，但艾瓦的人卻擋住了我們。

『那傢伙是個陰險的孬種！』哈格斯大吼道：『一定得給蘭德・拉森報仇！史旺・韋格得馬上得到報應！』

『沒有人可以動史旺・韋格一根寒毛！』艾瓦的話壓過了全場。『他有他的動機，他是為了復仇。』

『史旺‧韋格是孬種。』海狼的聲音好似雷鳴，整個屋子都轟隆隆的響。『就算是報仇也得要明著來，面對面的幹。這個陰險小人卻背後捅人一刀，蘭德‧拉森連看都沒有看見他。』

『史旺‧韋格是洛奇⑱之子，而洛奇號稱「騙術大師」。世上之所以有騙術存在就是要剔除掉那些笨到給人騙了的呆子。』艾瓦反駁道。

『像史旺‧韋格這種滿肚子壞主意的東西就只配當肥料。我說他必須死！』海狼要求道。

我站在父親身邊，手裡握著劍，我們的人以及蘭德的人也都護衛在旁邊。在我們面前的是艾瓦和海夫丹，屋裡的其他人則站在他們身後。我們起碼得一個打八個。歐絲柏嘉在發抖，躲在我們的人肉屏障後頭，其他奴隸也在一團混亂中躲到了我們後面。

『不行，海狼，』艾瓦說：『別把事情鬧大了，我還是認為史旺‧韋格有道理。』

『如果你就是這麼主持正義的話。我以前欽佩你能組織這麼一支強大的艦隊來為我們大家征服這塊土地，現在這份欽佩不見了，反而讓我懷疑你到底配不配領導我們大家。』海狼駁斥道。

艾瓦握緊拳頭，語帶威脅的低聲說：『你會後悔說了這些話，海狼。』

我父親不理會艾瓦，他把長劍收入鞘，走向蘭德‧拉森的屍體，拿下他手腕上的手鐲，對史旺‧韋格開口。

『你要就拿去，孬種，』他說，把手鐲遞過去。『我不是蘭德‧拉森的同袍，但是我們並肩作戰攻下了這個村子。他是個有價值的人，而我「冰血」海狼‧葉特蘭生會為他復仇。這是你跟我的個人恩怨，史旺‧韋格，早晚我會看著你痛苦難當的眼睛，拿回我現在給你的手鐲，當作我復仇的戰利品。』

史旺・韋格要笑不笑的拿起手鐲。

『那就等著瞧，海狼，等著瞧！』他嘶聲說。

譯註

⑰這一族源於俄羅斯。

⑱北歐神話中的邪神，狡詐又愛惡作劇。

血鷹

蘭德・拉森遇害讓我們的人以及維斯佛的人戒慎恐懼。艾瓦和海夫丹的意思很清楚，他們才是當家作主的人。蘭德・拉森被殺就是要彰顯這對兄弟擁有至高無上的權力，不容挑戰。

海狼是甲爾，向來自己作主，不必等別人認可，儘管他指揮的人手和整個艦隊比較起來不過是少數，他也不會對誰唯命是從。至於我自己，雖然我年輕沒有經驗，也已經明白我們要打的仗不只一個，而且跟這些動員來建立據點的挪威人不一樣的是，我們最艱辛的戰役不是征服這片土地，而是保住自己的命脈。

蘭德・拉森遇害後的早晨，海狼被推選為維斯佛人的領袖，他們很感激他自願為他們的甲爾復仇。其實復仇本該是維斯佛人的事情，但我父親的榮譽感，他所重視的原則，都讓他無法容忍不公不義的現象，所以他選擇了維斯佛人這一邊。骨頭沒那麼硬的人，沒那麼愛管閒事的人或許可以活得久一點，但是海狼才不管。這就是我父親，這也是我從他那裡學到的最寶貴的一課。戰士必須要為自己的信念而戰，不是為了可以劫掠多少黃金，不是為了可以征服多少土地，不是為了可以搶奪多少牛群，也不是為了沾滿了血跡的財富。這些都不是海狼的動機。他是為了他認定是真理的事情而戰，是為了他個人行為的價值而戰，是為了彰顯他的名譽而戰。有些國王沒有這類情操，他們死後，後世記得的也只是那一間間富麗堂皇的房間。我父親總說這種名聲不會持久，因為那都是假的。海狼以身作則，讓我知道得到名譽只有一個辦法，就是為真理而戰。縱使真理有很多種面貌，最終還是只有一個真理：也就是自認有骨氣的戰士真正的奮鬥目標。

在海狼同意領導維斯佛人之後，他來找我和布拉吉。

『安格思，』他說：『我要你跟布拉吉知道我的心願。』

我一個字也沒說，只用眼神同意。但布拉吉卻微笑起來，像是早就知道海狼會說什麼似的。

『我為了我的榮譽和名聲而戰，』海狼繼續說：『所以我才會參加這場戰役。現在我必須要更深陷在自己的戰役裡了。史旺・韋格是個撒謊的孬種。他像毒蛇一樣誘惑，把獵物催眠，等到萬無一失了才出手攻擊。他不是說話算話的人，他是個撒謊的鼠輩，只會在背後傷人。他不會像男子漢一樣面對我，就跟他不敢面對蘭德一樣，因為他知道明著來他不會有一點機會。所以他會想盡辦法避開我丟給他的挑戰，而會從背後殺掉我，這就是他一貫的伎倆。萬一他得逞了，安格思，我要你負責為我報仇。唯有你幫我報仇，我的靈魂才能到「諸神國度」去。』

『不會的，』我說，心裡充滿失去父親的恐懼。『戰士之神奧丁不會允許這麼英勇的戰士死得這麼不明不白的。』

『奧丁是眾神的甲爾，卻不是唯一的神，』海狼回答道：『「騙術大師」洛奇非常強勢，他專門挑撥離間。看看蘭德・拉森是怎麼死的。』他說完後就向布拉吉提出請求，要求老詩人用盧恩字母來占卜他的未來。我從沒見過有人用這種方法占卜，因為儘管許多挪威人來自凱特，我父親也是其中之一，但他們仍信仰祖先的宗教，我母親布麗姬從不許我參加他們的儀式，她總嫌那是『異教徒』的玩意。

布拉吉從腰帶上拿下一個小皮質荷包，捧在手中，默默誦經。後來他告訴我他在家鄉跟一名死亡天使學會了占卜未來，他把這些懂占卜的女人稱做『司巴寇那』，意思是『知道未來的女人』，也就是女先知。她們通曉算命術，也懂得醫術，通常不會讓外界知道她們的身分，不過偶爾也會收養一名少女當學徒，延續傳統，保存她們的魔法秘密。布拉吉跟我說很少人能獲得這類知識，而他年輕的時候為了要學盧恩字母，不得不變成死亡天使的情人。等他誦完了咒語，布拉吉搖晃小荷包，把裡面有刻字的小塊木頭搖晃得很均勻，然後打開荷包，遞到海狼面前，要他隨便抽出一個字母。海狼閉上眼睛，有一會兒動也不動，連呼吸都不太明顯，然後他伸進一隻手，拿出一小塊木頭，睜開眼睛，直接遞給布拉吉。老詩人用左掌接住，仔細檢查上頭刻的字母。最後，他開口了。

『這是「愛颯」，主冬天的字母。她是帶來冰封的人。雪下有生命，只是在沉睡。種子在黑暗的大地裡休息，必須等到較好的時機萌芽。目前你不該行動，海狼，除了等待之外，你是一籌莫展。』

海狼閉上眼睛，又睜開來凝視地平線。我能感受到他身上散發出的混亂，一個行動的人突然癱瘓掉。他關閉心房，什麼也沒說就離開了我和布拉吉。我們兩個看著他的身影愈來愈小，最後消失在村裡的屋舍間。布拉吉又看了字母一會兒才放回小荷包裡，說：『這個主冰的字母告訴我們，這會是一個漫長的冬天。』

他說對了。

艾瓦也知道在村寨裡過冬這段期間很難讓大家團結在一起，他覺得必須要趕在嚴寒的冬天阻撓我們的攻勢之前，再向內陸推進。我們需要補給馬匹來執行征服計畫。艾瓦也知道不能走漏消息，讓敵人知道有一支強大的維京艦隊抵達了東盎格魯領土，否則的話就失去了奇襲的效果。因此，就在海狼找布拉吉算命的同一天，艾瓦派出了探子去熟悉地形，順便找出可以攻打的其他村寨。其餘的武士都忙著加強工事，以防有盎格魯人來襲。我們帶了很多的鐵匠，他們立刻就動手打造長劍、斧頭、匕首、長矛等武器。

三天之後，探子回報。他們發現在半徑百哩的範圍內有四座村寨。消息很快在營地裡傳開來，戰士們全都躍躍欲試。這些戰士以排為單位，每排大約二百人，由各自的頭目指揮，指揮官大概都是由兩、三名甲爾擔任。艾瓦在攻下目標之後會帶著其他部隊一起行動，他會負責糧草，建立過冬的基地。總共加起來五所村寨，再加上一路奪下的農舍，還是不夠供養這一大批人馬，但起碼可以稍微平撫一下這些激動的維京人。

海夫丹帶著手下加入海狼這一隊。我們同時出發，各有各的方向，一共是一千五百人。馬匹數量不夠，只有部分人騎馬。這一次布拉吉跟我一道，一路上老詩人都在講述過去的戰役。他不停的說故事效果很好，消除了我不少的緊張。我倒不是因為覺得盎格魯人難打，對我來說，最大的敵人來自內部，因為海夫丹的人跟我們同一路，儘管史旺・韋格看起來不在其中，我還是放心不下。史旺・韋格那個懦夫不計代價的想躲開海狼。

我們還沒走很遠就看見一間小農舍。他們沒有及時發現我們的人馬，所以也沒有機會逃跑。海夫丹的人向前衝，餓狼似的撲向農夫一家人，一個活口也沒留。海夫丹似乎因此而大樂，海狼卻勃然大怒。

又遇見一個農舍，這次由我們的人進攻，海狼保護了農舍的主人，告訴海夫丹和維斯佛維京人饒了農夫一家人的性命比殺死他們要有價值得多。他們似乎不怎麼信服，但起碼稍微鎮定了些。然後我們繼續前進，半天的功夫就拿下一個農舍又一個農舍，戰利品逐漸累積，也得到更多馬匹。黃昏的時候，我們已經到達了村寨外圍，村寨是當地伯爵的城堡所在，比我們奪下的那一個村寨要大，裡面的屋舍工房更多。防禦工事也比較好，更難進入。海夫丹和海狼命令我們等到拂曉，那時沒有人守衛，表面上看來平安無事。我們的王牌就是出其不意，因為盎格魯人跟撒克遜人一樣，都是裝備精良、很有組織的武士。畢竟他們比挪威人更早征服這片土地，現在他們是為了保護成果而戰，再者，他們的家都在這裡。他們把自己的武裝單位叫做民兵，成員有農夫、地主、自由人，都是由伯爵招募訓練的，而伯爵則負責組織領地的防禦事宜。他們的裝備包括馬匹，用來運輸以及追擊潰敗的敵人，但民兵其實都是在地面戰鬥。民兵雖然出身農夫階級，但他們並不是生澀笨拙的農人。在經過多年的訓練之後，他們都具備了相當的戰力，成為了不起的戰士，尤其是那些駐紮在城堡所在的村寨裡的人。我們很清楚這一點，也很尊敬他們，所以我們要盡量發揮我們的兩種優勢：攻敵於不備以及陷敵於驚慌。

拂曉一到，我們的甲爾決定出擊時刻已到。他們選擇的戰略是放火，造成恐慌，同時全面發動攻擊，企圖攀爬柵欄。因此有些人就帶著弓箭搶佔柵欄四周的戰略位置，其他人數較少的小隊則把村寨包圍起來。一支六十人的先鋒部隊準備攻打大門，這個任務派給了我們，海狼的人。這是最不利的攻擊位置，最容易遭到敵人反撲，因為盎格魯人的防禦會集中在大門。就因為如此，海狼很驕傲能夠獲得這項任命。我們把從最後一個農舍搶來的馬車準備好，裝滿了柴火、乾草、亞麻仁油。等到人人就位之後，海夫丹下令攻擊，弓箭手紛紛射出點燃了的箭矢，專門瞄準茅草屋頂和街上的木板人行道。盎格魯人的木屋都是一間緊挨著一間，所以火勢一發不可收拾。海狼下令前進，我們像瘋子一樣一擁而上，盡快推動馬車，藉馬車掩護躲避盎格魯人的飛箭，然後把馬車撞上大門，點燃乾草，立刻後退。有些人給敵人的長矛射中，有些在第一波的攻擊中送命。熊熊燃燒的馬車冒出濃煙，嗆傷了防衛大門的敵人，有些

羅斯格是從卑爾根村一路跟著海狼的老戰士，武藝高強、有領導力，
而且是個最佳的探子，史旺・韋格就是被他找到的。

人身上也著了火。這時，許多維京人已經爬上了柵欄，進入了村寨，抽出長劍，逢人便砍。村民驚惶失措，我們讓村寨陷入了大混亂。

海狼下令第一次攻擊，這一次我們用的是攻城木槌，是我們在等待拂曉攻擊時到森林邊緣砍伐的一棵大松樹。防衛大門的弓箭手現在忙著阻擋進入村寨的敵人，所以撞開大門並沒花多少功夫，反正大火也已經把門毀了一部分了。海狼帶領我們到村寨的中央，那裡的地勢比較高，比較容易防禦，也是伯爵的重兵所在。海夫丹也帶著他最好的手下往同一個方向逼近。佔了地利的伯爵利用長矛石頭攻擊，甲爾們下令要我們全面猛攻，我們有很多人因此犧牲了。不過，我們終究翻過了矮牆，把戰鬥推進到市鎮裡。沒多久，我們的長劍、斧頭就突破了所有的防線，村寨在我們下方燃燒，殺昏了頭的維京人聞到了死亡的味道甚至更加的亢奮。海狼舉起長劍，大喊我的名字。哈格斯和薩葛斯加入我們。我們一起衝入混戰中，眼前的景象讓我想起我的基督徒母親說過的地獄。兒童哭喊，曾經是家的地方燒成了一片灰燼，地上到處是殘肢斷臂。大多數的人還來不及起來戰鬥就死了，而那些起來奮戰的人也給砍成了兩半。現在這群人狼的目標是婦女，女人的尖叫哭喊響徹雲霄，聽得我悚然心驚。我們看見一名赤裸絕望的女人渾身著火從屋子裡跑出來，卻又落入了一幫色中餓鬼的手中。

海狼一秒鐘都沒有浪費，他用上全身的力量往前一跳，撲向那些強暴犯，有個傢伙根本都還不知道是給什麼東西打中，就已經死了。另外五個人同時攻向海狼，這時我、薩葛斯、哈格斯也已趕到。這些粗野的海盜沒有我這些戰友的經驗，也不像我一樣受過我父親這種戰士的訓練，所以我們輕而易舉就解決了他們。解決掉他們之後，海狼環顧四周，對海夫丹其他的手下大吼，他們都憤怒的瞪著我們。

『統統給我住手！』我父親大喝道：『我們已經征服了目標，用不著殘殺無辜。我們破壞得愈多，冬天就會愈難過。誰敢有意見，誰就來試試我的劍。』

這時海夫丹正好抵達，聽見我父親的挑戰十分驚愕，不過他不敢反對。他把手下召集到一處，命令他們搜索每一間房屋，要他們把村民集中到某處，還有牲口和財物。之後，他才轉身對海狼說：『我很佩服你的勇氣和武藝，』他說：『可是你的態度讓大家很迷惑。也許你在陌生的土地上待得太久，受了基督教的影響了……』

『該做的我就會做，不管是受哪種影響。我向來就是這樣，我也向來就這樣用劍！』海狼反駁道。

海夫丹什麼也沒說，只露出譏誚的笑容，一看就知道是笑裡藏刀。

『我怎麼相信就怎麼行動！』海狼再次強調，似乎看透了海夫丹的卑鄙心眼。『我不用像什麼牙齒都掉光的無能老頭一樣逢人就叨念自己的價值，我的榮譽完全表現在我的行為上。我相信什麼就做什麼，所以，海夫丹，我並不害怕命運。』

海狼的話像火箭一樣直接射在海夫丹臉上，海夫丹不想面對海狼，只是譏諷的附和，假裝很欣賞他的態度，然後就帶著部下離開了。我、哈格斯、薩葛斯都站在海狼旁邊，我們四個看著火焰吞噬了房舍，村寨一直燃燒到早晨。

第二天天黑前，我們獲知另一隊也攻下了一個村寨。征服了這些基地讓我們的人很欣慰，但同時我們入侵的消息也傳了開來。我們都知道必須要快速行動，因為冬天就在眼前，無論我們有多習慣北方的嚴寒，還是有一段相當長的時間不適合戰鬥。帶頭的甲爾們決定要供給五個村寨的糧草，另外村寨之間還有營寨，方便互通消息。他們還決定派前鋒部隊佔據其他地點，搶奪更多的補給馬匹。至於我們凱特人和維斯佛人就駐紮在我們攻下的最後一個村寨，在那裡過冬。海狼認為很快會有一場大決戰，所以我們必須要集中力量。

冬天過去了，沒有什麼大事發生；維京前鋒部隊征服了足跡所到之處，這表示我們有充足的補給、裝備、馬匹。戰士都鬆懈了下來，確信我們的勝利指日可待，而且在過了養精蓄銳的一個冬天之後，他們已準備要把戰果延伸到更北邊。所以一等雪融，整個部隊就開始移動。這一次大家都騎馬，因為之前搶來了許多的馬匹，我們的速度也因此增快。有些挪威人傭兵替撒克遜人作戰，現在他們成了我們的嚮導，帶領我們抄一條羅馬古徑，殺到了恆伯河，我們輕鬆的涉過了淺灘，朝約克城逼進。部隊像一隻巨大的動物一樣移動，宰制了所經之路。愈接近約克，土地就愈荒瘠。農舍村寨都已經毀於大火，什麼也不留給我們。就如同我們拋在身後的東盎格魯綠野一樣，我們也領教到往後的仗已不像先前的輕鬆，因為我們已經失去了攻敵不備的優勢。等著我們的會是最牢固的城池，我們知道抵抗一定很激烈，因為他們也有充足的時間可以招募訓練士兵。然而，我們的人還是一派的自信快樂。對挪威人來說，再也沒有比在戰場上證實自己的價值更重要的事情了。不屈不撓、堅毅忍耐是挪威人的標記，而且很可能就是他最有力的武器。

終於，我們抵達了約克。我左顧右盼，只見滿山遍野都是我們的戰士。我想像約克城裡面的人正在觀察著我們的一舉一動。我感覺到他們看見這麼一支龐大無敵的軍隊，一定是害怕得瑟瑟發抖。跨在馬上，武器齊備，父親和同袍就在旁邊，我很肯定約克城會在我們腳邊倒下。而且我真的料對了，只不過還得先經過一番苦戰。

半夜一點到三點我們趕完最後一段路，黎明時分抵達了約克，立刻投入戰鬥，攻約克城一個措手不及。我們攻打大門，可惜徒勞無功。他們的防禦工事非常牢靠，阻擋了我們。一計不成二計再生，我們決定用火攻來造成混亂，這次比較有效，但是起火的地方很快就控制住了。儘管攻城不是很順利，我們的戰士卻一點也不浮躁，因為我們雖然還沒攻進去，卻控制住了情勢。最壞的打算就是把約克城團團包圍，等敵人彈盡援絕出來投降。約克城的人心裡也很清楚，他們抵抗得愈久，換來的懲罰就會愈嚴厲。

那晚，我們又一次攻打大門，這次也是用著火的馬車。我們想要用大火把敵人趕出來，在當前狀況下，火攻是最有利的策略。哨兵和諾森伯里亞弓箭手據守的塔樓很快就陷入濃煙中，濃煙整整一個鐘頭不散。我們想趁濃煙掩護用木樁攻破城門，可惜風向轉了，換成我們被裹在一團濃煙中，飽受敵人的流矢長矛攻擊，最後我們不得不放棄。

後來幾天，我們又試了各種方法攻城，比方說有一群狂戰士自願摸黑爬過敵人的防禦工事，結果全數被殺，幾個爬上頂端的人最後屍體也被吊在城牆上。我們的戰士勃然大怒，卻是無計可施，無論我們試過多少攻勢，他們就是有本事把我們擊退。最後我們只能把約克城包圍得滴水不漏，不准裡面的人出來，也不准補給品送入城堡。雙方就這麼僵持下去。

好幾個禮拜就這麼過去，沒發生什麼特別的事，我們的攻擊也沒有一次成功。艾瓦和海夫丹相信諾森伯里亞早就分裂，分屬於艾萊以及奧斯伯兩個國王，所以用不著害怕會有增援部隊來協助約克，因為他們認為這兩個各自為王的死敵是不會聯合起來的。坦白說，我們這邊的人普遍都有同樣的看法，但事實證明我們錯了。挪威軍隊橫掃東盎格魯到諾森伯里亞的土地，引起一片驚慌，尤其是艾萊知道艾瓦和海夫丹是為了他的頸上人頭而來，所以兩個國王忘掉了彼此的不和，聯合起來抵抗維京人。於是誰也沒有料到，某天早晨地平線湧出一大片銀色鎧甲。我們沒有時間組織，海狼、海夫丹、艾瓦、其他甲爾匆匆集會，決定對策。

『我們得出奇兵才贏得了。』海狼說。

『你有什麼意見？』艾瓦問道。

『我們先分散開來，假裝撤退，讓他們的隊伍分散。等到他們的隊形一亂，我們就衝進去反擊。』海狼提議道。

『這個法子好。』海夫丹附議，於是大家就開始討論各種戰術。他們緊皺著眉頭，各甲爾不停的撫摸下巴，拉扯鬍鬚，咬嘴唇，但他們的眼睛，極度渴望攻下城池可以得到的戰利品，沒有一個的眼神裡透出猶豫。

眾人把很多事安排妥當，把戰士分配到某些甲爾麾下，以便執行戰略。

兩個排擔任槍騎兵，抵擋約克士兵的攻擊。在諾森伯里亞人重拾信心，企圖從兩翼攻擊我們之後，我們才發現槍騎兵是我們作戰以來最有道理的安排。所以我們就拿這最有道理的安排來當陷阱。我們把大批的步兵分成四隊，佯裝戰敗，分別朝不同方向撤退。另有三個騎馬大隊，由他們先逃，讓敵人誤以為他們是首領，將是戰役中最重要的俘虜。第五隊必須抵擋衝鋒陷陣的諾森伯里亞人，以便拖延時間。一等命令下達，號角就會吹起懦夫之歌——我們佯裝撤退的信號。

四個步兵排向四個方向撤退，形成了四個巨大的半圓形，對方只看見敵人潰散的尾巴，萬萬料不到我們的前鋒已經繞回來準備正面攻擊了。

諾森伯里亞人發出勝利的吼聲，向前猛衝。攻勢凌厲，看似勝券在握。我們聽見約克城裡也傳出興奮的歡呼，圍城裡的人也一樣感覺到勝利在望。

我們的騎兵逐漸後撤，諾森伯里亞人緊咬住我們不放。殿後的一排戰士似乎在為我們的撤退背書，因為他們正死命的抵擋阻撓諾森伯里亞人的攻勢。這場鬧劇演得很好，兩齣假戲交織：步兵後撤，誘敵深入；騎兵迂迴，欺敵進擊。

我們的策略可以說再成功不過。敵方主力衝鋒，只有少部分和我們的殿後部隊激戰。約克城的大門終於打開了，城內守軍蜂擁而出，我們的槍騎兵都埋伏在城牆邊，趁著一團混亂沒人看見，一起撲向守軍，頓時像面石牆阻擋了守軍的去路，不讓他們適時增援。

戰場上的諾森伯里亞人隊形變得更加分散，而我們已經開始繞向敵人後背了。看著我們在戰場上行動一致實在是非常美的畫面，因為四個步兵排就像四條毒蛇一樣圍著敵軍繞圈，而且包圍圈愈收愈緊，諾森伯里亞人慌了手腳。我們全力猛撲，攻擊他們的盾牌，大地也為之震動。我看見敵軍臉上的恐懼，而我們的人則像餓壞了的猛獸。

我們的槍騎兵到來了……他們將摧毀一切。

艾萊和奧斯伯這時才明白落入了陷阱。從這一刻開始，什麼也阻擋不了維京人的怒火。諾森伯里亞人既困惑又失落，風水輪流轉，換他們撤退了。只不過他們的撤退是真的，而且他們的軍心渙散。但我們沒有重蹈他們的覆轍，我們的步兵繼續追擊，先前分成了四股，如今合而為一，成為一頭所向無敵的巨獸，整齊劃一的攻擊，粉碎了敵人殘餘的隊伍，直逼約克城城門。我們是一部高效率的戰爭機器，犀利精準，就如同我們的武器一樣。所有擋路的東西一概摧毀，切成碎片。憤怒痛苦的喊聲，劍斧交擊的金屬聲，長矛飛射的颼颼聲，為這場大屠殺交織出恐怖的背景音樂。我們在城堡入口碰上了最堅強的抵抗，前進速度慢了下來，直殺到血流成河，土地成了紅色的爛泥巴。最後我們終於殺了進去，逢人就砍見人就殺。約克城在痛苦之火中燃燒了好幾天。

這次的戰利品是大豐收。想要什麼就有什麼，人人都很高興，因為知道參加這場戰役為自己掙來了大量的白銀，而且還會有接連幾天幾夜的慶祝，美食無限量供應，還有喝到飽的蜂蜜酒。不過最高興的人還是艾瓦和海夫丹，他們做到了夢寐以求的事：復仇。我們俘虜了艾萊國王，就是他殺害了艾瓦和海夫丹的父親拉格納・洛布克。從我們蒐集到的情報來看，另一名國王奧斯伯已經喪生，所以艾萊就得一個人承受我們的怒火，尤其是艾瓦的怒火。我們的人都知道這場戰役最主要的戰利品是什麼。

報仇有一定的形式，兒子為了給父親報仇雪恨可以有不止一種辦法來處決兇手。艾瓦當然不會輕易饒了他。他舉行了一個祭祀奧丁大神的儀式，叫做『血鷹祭』。老拉格納・洛布克的冤仇就這麼平反了。

就在約克城陷落後幾天，某一個明媚的春天早晨，艾萊被帶到一個特別為了處決他而建造的木製絞架上，說是絞架其實只不過是一個木頭平台，可以把一個人呈大字形綁起來。艾萊面無表情，穿著白色及膝外衣，兩手反綁。他早給狠狠毒打過，但眼睛仍閃動著怒火，暗色的鬍鬚也兀自帶著驕氣，看來是個不怕死的傢伙。說真的，所有的武士訓練都是要你有一天在戰場上面對死亡，而現在就是艾萊的死期，他自己也知道。身為國王，他更得有國王的樣子。

『你知道我是誰嗎？』艾瓦問道。

『北方來的癩痢狗，就跟這裡所有人一樣。』艾萊咆哮道。

艾瓦用刀刃痛打他的嘴，打斷了他幾顆牙齒。然後海夫丹揪住艾萊的頭髮把他拉起來，朝他臉上吐口水。

『我們是艾格瓦・拉格納生和海夫丹・拉格納生，拉格納・洛布克的兒子，就是你把他給丟進蛇窟，只有你是聽見他最後唱歌的人，』他說：『現在，該我們來聽你唱你的死亡之歌了！』艾瓦說完。海夫丹把艾萊摔在地上，用力踢他，但艾瓦不讓他再踢下去。

『我們要讓他醒著受刑，』他說，一面用冷冰冰的眼神怒瞪艾萊。『當國王的人應該為自己的子民犧牲，他得要願意為自己人送命。』然後他就下令把艾萊綁在木頭平台上，讓他背對著劊子手。他命令獻上五名兒童的鮮血，這五名兒童都是為了他這場血鷹祭犧牲的。艾瓦親手把艾萊的上衣撕破，然後命令他的詩人把艾萊的血鷹祭完完整整寫在附近的一小塊巨石上，而在他們刻下盧恩字母的時候，兒童的鮮血就用來灑在石頭上。然後，艾瓦準備妥當。

『艾萊，我應該讓你死得像這座陷落之城一樣，毫無光彩，』艾瓦咒罵道：『不過算你走運，你這隻癩痢狗竟然還能拿來奉獻給萬能的奧丁大神。但願你的鮮血能夠安撫我父親的靈魂，讓他得到安息。』

說完，艾瓦動手繞著艾萊的肋骨切割，片開了肋骨上的肉，露出骨頭。艾萊起初還想表現勇氣，但沒多久就不行了，剛開始是因為痛苦，後來是因為恐懼，他開始尖叫。海夫丹朝他臉上潑冷水，不讓他在行刑結束前暈死過去。艾瓦手腳俐落的切除他胸腔的肉，接著用匕首鋸他的肋骨。艾萊拚命抗拒，仍然沒有失去知覺，因為艾瓦是箇中高手，動作非常之快。最後，兩個兄弟，一左一右，把艾萊鋸斷的肋骨向外拉開，就像他的背上長出翅膀一樣，接著他們就用一雙手把苟延殘喘的國王仍在跳動的肺臟給扯了出來。艾瓦面向我們以及那些被帶出來親眼目睹行刑的俘虜，興奮的尖叫，抖動艾萊的肺葉，鮮血從他手上不斷的滴落。

『奧丁！奧丁！』

北方來的人用力的高喊，用劍斧拍打盾牌，空氣中填滿了他們的憤怒，而那些俘虜，無論是男人女人還是兒童，都低垂著眼睛，喪失了希望，不敢面對敵人，相信他們的神已經拋棄了他們。

挪威人在鮮血內臟中到處打滾，而艾瓦，尤其是艾瓦，那個眼神死氣沉沉，像是永不見天日的海洋似的枯澀老頭，看見這麼一幕，對自己的復仇滿意得不得了。

我不知道哪樣比較糟，是親眼目睹艾萊遭受血鷹祭的凌遲之苦，還是看見他給倒吊起來，看著他亂糟糟的頭髮，他肥胖的臉脹紅，兩頰的肥肉像狗一樣下垂，而且自始至終，都不忘他是個國王。一個頭下腳上的國王。狗臉頰國王。蓬頭國王。紅臉國王。頭下腳上看著自己的王國陷入火海的國王。血鷹祭之後，他掙來了這麼多的新綽號，這就是他的榮耀。

約克城的的確確陷入了火海。我父親多少阻止了海夫丹的一些人，但艾瓦的手下就肆無忌憚的燒殺劫掠。已給打劫一空的修道院現在也付之一炬，成了廢墟。

海狼憤怒的咆哮，抗議平白犧牲五個孩子——可能是受了我母親的基督教信仰影響。

一切都被撕成碎片，大地好似翻了過來，成了血海。

諾森伯里亞就這樣落入了我們手中。我感覺到那種混亂逐漸穿透我們，而我們的手或許控制不了我們自己造成的這片混亂。

因為史旺·韋格的卑劣行徑，海狼和艾
瓦結下怨仇。後來羅斯格找到史旺，海
狼殺了史旺，和艾瓦打鬥起來。

安格思被追殺時，一位巨大的天使揮舞著一把火焰劍來保護他，據修道院的艾弗隆說，天使顯靈完全是為了可貴的內尼厄斯。

關特城裡美豔絕倫的關妮絲公主，安格
思被打傷期間，關妮絲常來探望他，兩
人日久生情，譜出浪漫的戀曲。

關妮絲告訴安格思自己以前曾和關娜拉
公主被挪威人俘虜。如此坦白、勇敢的
女子，讓安格思更敬愛她了。

迎接死亡

艾瓦和海夫丹不只是報了殺父之仇，還把這座翡翠島的權力地圖永遠改寫。我們的勇猛大膽懾服了所有盎格魯撒克遜、不列塔尼眾王國的國王，因為戰勝而大受鼓舞的我們繼續推展我們的征服計畫。約克攻城戰大逆轉（大功臣是獻計的海狼），攻下了約克城，一座堅強的堡壘，整座島嶼上數一數二的城堡，我們因而相信眾神之父奧丁大神真的在庇佑我們。我們感覺所向無敵。相對來說，諾森伯里亞人的防禦則不堪一擊。他們孤立無援。那富饒的土地，生機勃發的森林，魚蝦豐富的河川湖泊，都對我們開放，讓我們可以不受限制的盡量利用。我們的戰士沒有一個察覺到我們給這座島嶼留下了什麼樣的記憶。約克城會是我們的基地，我們會引進維京文化，以後這裡就會稱為丹麥區⑲。至於諾森伯里亞人，他們也知道他們的文明已經被命運之風吹走了。

我們聽過傳言說這些土地經常遭受皮克特人和蘇格蘭人的攻擊，他們是我母親的族人，也是我的族人。我知道肯尼斯・麥克亞賓的故事，他統一了皮克特和蘇格蘭兩個民族，然後率大軍攻擊諾森伯里亞，大大削弱了王國的力量，現在又被我們夷為平地。雖說蘇格蘭人是我的母族，但我卻能體會蘇格蘭人的威脅時時刻刻在我們心上，就好似我們現在慶祝的勝利十分短暫，不知何時就會給粉碎。這種感覺很奇怪，因為我們是這座島嶼的主宰，我們有最強大的軍隊。不過我對蘇格蘭的軍力強弱毫無概念，所以在夢想著冒險榮耀之外，也時時幻想一支戰力完全不詳的民族到底能夠發起多麼猛烈的攻擊。

我也不禁奇怪在我們大獲全勝的時刻，我怎會有這麼特異的感覺，有這麼多的懷疑，有這麼悲觀的看法。我不懂自己怎麼會有這麼嚴肅的感受，讓我止不住背上一陣冷颼颼的。

有一陣子我以為只有我一個人在懷疑，在擔心會有大敵出其不意攻擊我們。我自己的推論是，我的恐懼不是庸人自擾，也不是隨便就能忘記。我們的戰果確實十分卓越，尤其是諾森伯里亞也不是泛泛之輩。我覺得要是諾森伯里亞這麼經常遭受蘇格蘭人的攻擊，他們一定很害怕，所以絕對不會反過來去攻打蘇格蘭人的土地。我繼續推理，想停也停不下來，腦筋似乎有了自己的意志。萬一蘇格蘭人正密切觀察我們的動向，現在就會是攻擊的最佳時機；諾森伯里亞的防禦工事都毀了，我們正忙著分配戰利品，大肆慶祝……一點戒心也沒有……而且我們的人馬也折損不少。這下子我的背上更是冒出一片冷汗。我覺得孤單到了極點，因為我明白我是唯一一個心中有懷疑的人。我也對我們的領袖產生了一股鄙視，因為他們要真是謹慎的人，就應該會想到這些，就會好好照顧他們的人馬，照顧我們的人馬。我自覺像個孤獨的作夢人，一個年輕人，沒有多少經驗，而且八成是想太多。我在想要是未來我當了首領，我就會比我的同袍更謹慎更敏銳。到後來我決定不去想了，該幹活了，很多事都還沒做呢。

我跟其他維京人忙著把俘虜都聚集在一起，這時我注意到有個僧侶不停的哭。我們聽不懂他在叨念什麼，幸好有一名操維斯佛語的挪威戰士把他囉囉唆唆的話給翻譯了出來，艾瓦的人聽了大樂。僧侶叨念的是：

『艾德溫的諾森伯里亞，羅馬太平盛世在不列顛的再現，女人可以帶著孩子安全的從東岸走到西岸。公正的國王，艾德溫，恭敬的諦聽大修道院院長波里尼亞斯的傳道，皈依了基督教之後，讓整個廣大的諾森伯里亞都信奉上帝。他為了旅人的方便，在整個領土內都佈置了船隻。他的戰士打著他的旗幟造訪城市，其中包括王國之珠約克城。索爾和奧丁起來叛亂，代價驚人。基督教給可怕的月蝕征服了。啊，可敬的畢德！啊，聖阿昆！你們的作品從此蒙塵了！你們照亮無知的光芒從此黯淡了！』僧侶哀痛的嘮叨著，我們的戰士則無情的大笑。『我們為了我們的主創造的藝術，如今在這些野蠻人的手裡燒光了……』

我們的戰士無情的嘲笑他，僧侶忽然火冒三丈，氣昏了頭，開始臭罵我們。

『北方狗！屠夫。看看你們造的孽！但願上帝的怒火降臨到你們頭上，骯髒下流的東西！』他高聲喊叫。

不用說，維京人覺得他罵得太過分，所以用雷神之鎚懲罰了他。我沒辦法阻止戰友的殘忍。在我知道之前，僧侶的腦袋就已飛了起來，嘴巴還兀自罵個不停，而挪威人則又笑又鬧，拿固執的僧侶開玩笑，說他連腦袋瓜都掉了嘴皮子還不忘記動。

戰士的士氣高昂，因為他們相信絕不會發生什麼事。對我們的力量愈來愈有自信，貪婪的甲爾們把貪心的眼睛又對準了諾森伯里亞教堂裡的金銀器和聖物箱。於是這些維京領主又把絕大部分的目標鎖定了教會。我們橫掃諾森伯里亞，所到之處血流成河。教堂僧院都毀於大火刀劍，等到挪威人離開後，原本的建築除了一些牆壁之外，什麼也不剩。諾森伯里亞輝煌的文明就在我眼前變成一陣陣的濃煙烈焰，而我一直擔心的蘇格蘭人攻擊則始終沒有發生，我們似乎真的是刀槍不入。

毀滅之火團團圍住，我看見僧侶，那些終身奉獻給他們的上帝，創造美好詞章歌頌祂的人，奄奄一息，為的不是搶救他們用來禮拜上帝的金銀器，為的是搶救他們基督教上帝的榮光，因為在他們心裡，上帝才是被洗劫被侮蔑的人。這些孜孜不倦的虔誠僧侶不是用武器對抗我們，而是用言語。他們心裡既沒有恨也沒有懼。年輕一點的，比較沒經驗的，還有那些不夠成熟的，因為一時的血氣之勇，拿起農具充當武器來對抗我們，一個個就像鐮刀收割農作物般倒下。而那些年長的、睿智的都跪下來祈禱，眼神迷離恍惚，鎮定的迎接死亡，就如同奧丁大神的戰士欣然迎接女武神一樣。生平第一次，我隱約了解勇氣還有別種形式，和武士的勇氣不同。我習慣了在戰場上看見無畏無懼的勇氣，而在婦女僧侶身上看見軟弱，因此總以為僧侶都是怕死的懦夫，這下子我才知道女性的堅毅是用希望打造出來的，女人的勇氣在於她們的耐性，而服侍上帝的人則是在信仰中表現大勇。

在攻擊諾森伯里亞的大小戰役中，挪威人像燎原之火無堅不摧，海狼對艾瓦和海夫丹的統馭方式頗多異議，連帶的所有在海狼麾下的武士也有很多怨言，而這種情況也比以前更明顯。我父親開始以自己的方式劃清界限，其他人看在眼裡心裡都大呼慶幸。他從不允許手下濫殺無辜，清楚的界定出那些行為他認為是懦夫的行徑。他覺得敵人已經失敗，土地在我們的掌握之中，根本就沒有必要用上焦土政策。人人都可以把家眷從挪威、丹麥接來定居，還有廣大的空間可以給諾森伯里亞人居住。他們有很多知識可以傳授給挪威人，當然他們也有很多事情必須向挪威人學習。當初他就是這樣率領人馬到蘇格蘭領土攻佔了我們的村子，用節制的方式來運用他的力量。只是戰士的嗜血和血腥帶來的快樂蒙蔽了整支軍隊的理智，就好像烏雲蓋頂。

眾甲爾利用這股怒氣讓鄰近的王國也遭殃，這又是海狼極力反對的一件事。依照我父親的看法，我們攻佔的土地已經太大，挪威各部族加起來也沒有足夠的人口可以殖民，但是其他的領主都因為欲望而盲目了，他們只想儘可能佔據他們要的東西，拿不走的就全部摧毀。

我父親的另一樁心事是為蘭德・拉森復仇。海狼到處找史旺，那個奪走了蘭德・拉森手鐲的卑鄙俄斯人，可是怎麼找就是找不著。史旺・韋格好像平空消失了。或許他在約克攻城戰中陣亡了，也可能是逃走了。那人是個鼠輩，鼠輩總是暗箭傷人。我相信就是為了蘭德報仇這件事才讓我父親沒有從這場戰爭中抽身而退，因為他既不尊敬也不欣賞艾瓦和海夫丹。他不認同他們的手法、行動，他認為這兩人是自以為是的屠夫。每次他們碰面，海狼總是用挑釁的語氣公開的表明他的看法。我猜想要不是他在蘭德・拉森的屍體前發過誓，他早就整理行裝回凱特了。但這位年長有經驗的戰士是個威望卓著的人，言出必行，而且他想盡了辦法要履行對遇害友人的承諾，所以才會忍耐下去。就因為這場個人的戰爭，他在更大規模的衝突裡進行一場私人的戰鬥。至於我們，他的部下，我們也把他的使命當作是自己的，支持他說的話，擁護他的行動。在我父親把我訓練成一名戰士的課程裡，最重要的一課就是為自己的信念和命運對抗，逆流而上得到上游的寶藏。在很久以前的那一個夏天，海狼讓我知道失去理智的力量就像是沒有標的的流矢；成為自己命運的主宰才是值得一戰的大事，即使我們知道命運永遠也不會聽我們的宰制，仍應該奮起而戰。

回顧當時，我知道那段時間眾人的行為太過火，戰士感覺他們有絕對的選擇權，他們相信——後來證實錯了——沒有人膽敢和我們作對。那一整年裡，我們的部隊在諾森伯里亞肆虐破壞，最後終於沒有一座教堂仍屹立，沒有一本法書經書逃過火劫，沒有一處農舍村寨再生產作物，沒有一個反抗者還留著性命，貪得無饜的北方人，錯把精神上的空虛當成戰士榮譽的北方人，又把矛頭對準了麥西亞。

在從前麥西亞出現過許多足以興邦建國的人才。高齡一百多歲的歐法國王就是個中翹楚，他激勵了麥西亞人，讓他們以自己的部族為傲。隨便哪個智者就可以告訴我王國興建的故事，和辛瑞人⑳的奮鬥血淚。聽智者說有一名國王叫奧斯沃，他皈依了天主教，因此他的王國每戰必勝，不過他還是死於沙場。奧斯沃被視為聖人，後來繼位的統治者也都和教廷有密切的聯繫，有很多國王甚至在晚年變成僧侶。有許多國王甚至捨棄王位，到羅馬去當僧侶，以便死後能夠葬在聖彼得的墓園旁。

麥西亞國王的事蹟讓我很迷惑，尤其是那些國王的行事作風。挪威的眾神脾氣都很壞，行事衝動，比較像人，不太像神。但這個基督教的上帝既然能讓那麼多國王放棄王位，一定很有力量。而麥西亞就在這樣一個上帝的保護下繁榮興盛。麥西亞人很有組織，也一直讓辛瑞人不敢犯境，太平歲月正是他們能夠繁榮的先決條件。麥西亞的行政劃分單位是郡，每一個郡都有一個郡守，負責收稅以及保護他在地方上的權利，比方說招募工人造橋鋪路、營建工事，或是戰時徵召士兵。所以國王控制整個王國，尤其是控制稅收。麥西亞是隻大肥羊，他們的商業十分發達，統治者鑄造了上百萬的銀幣，他們叫做『便士』。我們的甲爾和武士覺得自己打遍天下無敵手，哪能白白放過眼前這頭肥羊呢！所以，在約克過冬之後，我們和諾森伯里亞人簽訂了所謂的『和平』協定，我們答應離開他們的王國，條件是他們必須要付一大筆財富。不過在離開前，艾瓦和海夫丹從當地的貴族裡挑選了一個傀儡國王，那人是個不知羞恥的傢伙，隨人玩弄，只要能滿足他自己的欲望，隨便命運怎麼擺佈都可以。那個懦夫叫艾格伯。艾瓦和海夫丹把他給放上了王座之後，我們就朝麥西亞出發了。

還是一樣，我們所經之處都像是鹽酸侵蝕過，飢餓、疾病、戰爭、死亡和我們如影隨形，在我們的鐵蹄踏過之處播下毀滅的種子。諾森伯里亞陷落的消息傳遍了斯堪的那維亞，很多挪威人也聞風趕來加入我們的戰鬥行列。所以我們的陣容更加龐大，士氣更加高昂。我們的目標是麥西亞最大的城池諾丁罕。我那些戰友的胃口並不因為已經搶奪到手的大批戰利品而滿足，正好相反，他們反而因為食髓知味而成了填不滿的無底洞。其實他們發的戰爭財已足夠養活好幾代的子孫了。而這支遠征軍的領導人物

艾瓦所到處，所有士兵瘋狂的屠殺人民，一心想奪得更多金銀財寶，連教堂、修道院都不放過。

艾瓦和海夫丹更可以回農莊退休，安享晚年，不用怕會沒錢用，就只怕壽命不夠長，因為他們都已經是六、七十歲的老人了。話是這麼說沒錯，但這些人已完全奉獻給了戰爭女神，一天不打鬥都不可能。雖然他們野蠻善變，看在我眼裡讓我更欣賞盎格魯文明，但他們都是勇敢的人，誰也不會為了老死在舒適的軟床上，周圍有美麗體貼的奴隸服侍，而放棄戰鬥征服的快樂。挪威人就是得戰死，戰死才是進入天堂的大門，是武士之旅的光榮終點，他顯耀的墓碑，他到英靈殿的旅程。但我忍不住像海狼一樣開始質疑，我們真的需要把這麼精緻堅強的文明給摧毀嗎？儘管如此，我們仍一路摧毀劫掠，朝諾丁罕出發。

海狼和其他甲爾愈來愈格格不入，他們一心一意想著財寶鮮血，那些有榮譽心的戰士不該念念不忘的東西。我認為戰士絕對要能夠掌握住自己的道路，不能因為到手的寶物而沾沾自喜、喋喋不休。需要拿什麼，他就拿什麼，但他必須要能夠控制自己的激情。當時在那些環繞我們的噪音裡，我相信我聽到他們彼此竊竊私語，當然不能讓我父親聽見，因為他們都害怕他的怒火，他們說海狼似乎已經被基督教收買了，對戰俘那麼好，又不願意燒掉教堂修院，尤其不願燒掉經書。『他到底是怎麼了？』他們彼此互問。甚至懷疑海狼也和那些攻佔法蘭克人土地的挪威人一樣給恐懼嚇破了膽，以為自己在搶劫法蘭克人當作聖徒骨骸的那些東西時受了詛咒。在行軍中，其他甲爾都盡量避開海狼，要不就想盡辦法拖延他，不讓他進入慘遭破壞的修院農舍，以免跟他發生正面衝突。這就是那些挪威領主的做法，在我們抵達諾丁罕的時候，似乎已經沒有人記得打敗艾萊和奧斯伯，攻下約克城，完全是海狼的計策。也沒有人記得在最危急的時候是他的勇氣鼓舞了所有的人。沒有人聽他的意見，連考慮都不考慮。艾瓦和海夫丹鬼鬼祟祟的把其他頭目對我父親的效忠一點一點的消耗掉，於是我們這些海狼的人馬在攻打諾丁罕的時候孤立無援，我們就跟被我們擊敗的敵人一樣沒有盟友，不過我們這些凱特人是絕不會坐視不管的。

諾丁罕城比約克城小一些，卻也相當大，而且非常繁華。當地人管它叫『斯諾塔印罕』，意思就是斯諾塔之村。這位斯諾塔是在很多很多年以前第一個帶著族人到此定居的撒克遜人。諾丁罕城有護城壕環繞，還有一道土堤，土堤上有木柵欄。城牆內的居民不到六百人，看起來倒不難攻打。不過帛海德國王可不會輕而易舉的獻出他最寶貴的城池。他早料到我們會來襲，已經加強了城池的防衛，派兵增援，但什麼也擋不住我們，我們人多勢眾、銳氣正盛，而且我們的人都急著想嘗到征服的光榮滋味。

就如攻打約克一樣，沒有辦法靠奇襲，因為城池在山頂上，而且我們的人馬數量太多，對方老遠就可以看見。麥西亞人的武裝也很齊全，甚至還有投擲器可以發射石頭。他們覺得很安全，因為城裡補給充足，城外還有一道加高的土堤，土堤上還有大柵欄，他們可以撐過長期的圍城戰。我們安營紮寨，把諾丁罕城團團圍住，擺明了要打持久戰。這一次又是海狼想出的策略——攸關勝利，他們倒是會聽他的話。

我們包圍了幾天，發動了三次攻擊，都沒有成功。其實這三次攻擊都只是試探，我們並沒有使出全力。我們連續三個晚上用火箭攻擊，派了一些人去攀爬柵欄，無功而返。無數的挪威戰士到諸神國度去見他們的祖先，成了奧丁大神在英靈殿的貴賓，為的就是要誘敵入甕。夜色漆黑，他們分辨不出我們是否全力出擊，這一招似乎很管用。城池裡的盎格魯人愈來愈有自信。終於到了破城的那天，我們的人馬分成四隊，人數最少的一隊，也就是我們這隊，由海狼指揮，負責虛攻。其他三隊人馬則由艾瓦、海夫丹、其他丹麥甲爾率領。

攻擊必須在白天發起，好讓圍城裡的守軍看見我們的人馬明顯變少，另外三隊分別在三個不同的位置埋伏。我們以緊密的隊形前進，正面攻擊，很多戰士被飛箭、長矛、石頭擊中。就在我們想辦法爬上土堤之時，城門大開，全部的麥西亞守軍都衝出來攻擊我們。他們確實是準備非常充分的一支勁旅。

我們立刻撤退，而艾瓦和海夫丹麾下的戰士也立刻蜂擁而上，搶攻城門。原本負責掩護我們、追擊麥西亞人的接戰丹麥甲爾們沒有出現。我覺得這是我們對艾瓦和海夫丹的遠征最後一次也是最偉大的一次貢獻。麥西亞部隊聽見城堡裡響起警鐘，趕緊折回去保護城堡。如果這是艾瓦的計畫，乘機把我們趕盡殺絕，那他就得失望了。不過在戰場上誰也說不準會出什麼狀況，這是我早就學到的一課。

我們猛烈攻擊那些急於衝回去解救城堡，或急於回到柵欄保護之內的麥西亞人。我們的部隊已經用攻城木槌把城門撞開了，大隊人馬已經殺進了城堡。我們從後面攻擊，大批的麥西亞戰士急迫的往諾丁罕跑，但我們的人已經擺好了陣仗，很多人已經佔領了柵欄頂端，和矯健勇敢的麥西亞戰士混戰。

有一大群麥西亞人想攀爬柵欄，沒有一個活命。我們人多勢眾，所以能守住在城堡裡的地盤，和敵軍打了一個平分秋色。在城門停滯不前的大批士兵在兩股勢力夾攻下都潰不成軍。我們這一隊從後面攻擊，海夫丹那一隊堵死城門，艾瓦的人已經殺進了城裡。同時丹麥甲爾的部隊則攻擊城堡的另一邊，製造恐慌，牽制住留在後面的守軍。我們的作戰計畫十分成功，勝利已在我們的掌握中。

我們勝利了，這一戰更與眾不同，因為麥西亞部隊不但人數眾多，而且裝備精良，我們可以從陣亡的士兵身上獲得許多武器。城牆高聳的城池似乎是很難征服的目標，然而它也倒下了。許多麥西亞人逃入了森林，趕在他們逃光之前，艾瓦的人抓了一些俘虜。以他們那種銳不可當、爭先恐後的氣勢來看，居然還有那麼多漏網之魚，說起來艾瓦的人也真丟臉。

一名不列塔尼老人在給砍掉腦袋之前還大喊：『諾丁罕完了！諾丁罕完了！』

艾瓦的一名甲爾，波拉克，對他指揮的狂戰士吆喝：『留些活口來重建柵欄，修理城門！』

做。

他說得對，我們應該把未來的工人囚禁起來……如果我們需要工人、鐵匠、奴隸的話就必須這麼做。

可是艾瓦正在興頭上，或者我該說他已經殺紅了眼。他的狂戰士像吃了毒菇似的，完全沒了理性。這些人大家都叫他們『熊襯衫』，因為他們以前會披著熊皮，生吞活剝那些城池淪陷的居民。兒童從他們母親的懷中給奪走，摔死在石塊上，而母親則被屠殺，丟棄在她們還在抖動的孩子屍體旁。

我太過震驚，忍不住大吼：『沒種的狗！艾瓦你沒種，洛奇的走狗。』我吼得太厲害，差點把喉嚨喊破。我撲向某些狂戰士，他們壓根就感覺不到我的攻擊。有兩個人把我推開，腳步不停，照樣去撲殺獵物，我就像一袋麥子隨隨便便就給打發了。我跌倒在地上，羞愧難當。在這些巨人面前，我不過是個小不點，要是我能再壯一點，就不會讓這些野獸胡作非為了。

『起來，安格思！起來，小子！』

哈格斯伸手拉我，我東張西望，想看看父親是否看見了我丟臉的模樣，幸好他不在附近。

『傻小子，快點起來吧！艾瓦的人已經失去控制了，我看就連他自己也一樣。』哈格斯說，注意到我驚嚇的狀態。

『來吧，安格思，太陽下山之前就結束了。』他說，留意著四面八方，似乎在為我們的安全戒備。

哈格斯說對了。黃昏降臨之前，他們就已經殺累了，不再把怒火發洩到諾丁罕的人民身上了，大屠殺也停止了。不到一天的時間，這座屹立數百年的城堡就片甲不留。而我，一個被訓練成戰士的人，卻完全看不出這種大破壞有什麼道理。我走在諾丁罕的街道上，到處是鮮血，到處是斷壁頹垣，我的胸口壓了重擔，怎麼也感受不到戰勝的喜悅。

我不再以身為這支軍隊的一分子為榮了。無論我走到哪裡，我都聽見失去自由的母親們傷心欲絕的哭泣，因為她們找不到自己的孩子。地上像鋪了一層屍體做的地毯，陰森恐怖。我一面走著，被眼前的慘狀嚇得說不出話來，忽然想起了布麗姬和她的愛好和平。我想起了在凱特村祥和的生活，想起了母親想教我的東西。我一向受海狼的影響較深，總是瞧不起母親教我的道理，我覺得太婆婆媽媽。那種開口閉口都是憐憫的宗教不是男人的宗教，更不可能是戰士的宗教。現在戰爭清清楚楚的擺在我的眼前，它已經不再是訓練，不再是遙遠的未來才會碰上的事，不再是我自己憧憬想像中的畫面，這時我才明白我母親的教導，什麼尊敬，什麼同情，都是在教我從另一個角度來看事情。她極盡耐心的把一點溫柔，還有更多的正義感慢慢的滲透到我的戰士宇宙裡。從我目睹諾丁罕的毀滅所產生的感受來看，她真的成功了。戰鬥可以塑造一個人的意識，自從這一場浩大慘烈的戰役之後，我也不再是以前那個天真的人了。

攻下城堡之後，奴工在挪威人的監督下重建了柵欄，加強了防禦工事。海夫丹和艾瓦知道帛海德手上仍有軍隊，他也不會乖乖的讓出自己的權位。不過帛海德國王的實力已大不如前，無法與挪威人對抗，尤其是諾丁罕的新領主不但防衛堅強，而且補給充足。所以帛海德的希望就放在南方的威賽克斯，撒克遜人抵抗挪威人的最後一個王國。

威賽克斯和麥西亞近幾年來一直是死敵，麥西亞人曾想入侵，反遭擊敗，從此威賽克斯就成了盎格魯和撒克遜土地上最強大的王國。威賽克斯佔據了優越的戰略地位，高山連綿，峭壁絕谷，形成天然

僧侶被殺害，經文被毀壞，戰爭帶來的慘
狀讓安格思愈發體驗到宗教宣揚的理念。

的屏障，讓北方的入侵者一籌莫展，就算敵人想從水路攻擊，也沒有一條航道明朗的河流可以利用，不像麥西亞，從前有一支維京艦隊從水路就一路殺進麥西亞的核心。威賽克斯的行政區域也是劃分為郡，郡守有地方武力，整個王國都可以動員起來組織成一支裝備精良的強大軍隊。

東盎格魯和諾森伯里亞連續失陷，現在帛海德也只有威賽克斯可以求助。而他果然也這麼做了。他派使者去向艾瑟雷德國王討救兵，艾瑟雷德立刻答應。他很清楚北方人，尤其是丹麥人，必須要狠狠吃一次敗仗，以免戰火延燒到威賽克斯來。於是他動員了龐大的軍隊，和他的兄弟艾弗列一起領軍增援帛海德。

當時我並不知道，但命運為我和艾弗列在戰場上預留了一面之緣。如果命運不是那樣安排，我就會和他在血腥的戰鬥裡兵戎相見。有天早晨灰濛濛的，我走在環繞諾丁罕的土堤上，看見地平線上佈滿了士兵。那就像是一營又一營穿戴鎧甲的戰士從土裡冒出來，怒氣勃勃的揮舞著刀劍。面對這一支毀滅之師，我心裡一點也不害怕，反而為那壯盛的軍容感動不已，整個人充滿了一股寧靜的感覺。

沒多久，所有甲爾都在柵欄上觀察敵軍。城堡城牆後的維京人用長劍斧頭敲打盾牌，向麥西亞和威賽克斯聯合大軍挑戰。艾瓦看起來毫不擔心，他知道挪威人非常勇猛，而且諾丁罕城固若金湯。撒克遜軍隊把城堡團團圍住，等待我們出城接戰，但挪威人卻按兵不動。艾瓦和海夫丹十分狡猾，他們知道該用什麼方法來嚇破敵人的膽子。他們現在玩的伎倆就是和敵人比耐性，他們把帛海德和艾瑟雷德、艾弗列兩兄弟牽制在城堡前，同時一點一滴的把恐懼散佈到他們的陣營裡。海夫丹和艾瓦利用攻城時搶來的投擲器，把一些俘虜斬首分屍，然後把屍塊射向撒克遜人，想要達到震嚇的效果。海狼並不知道艾瓦他們下了這道命令，因為他早給派去負責西翼的防務，但他注意到有投擲器朝敵軍拋射，

戰火延伸到諾森伯里亞，艾瓦大軍拼命燒殺劫掠，
一切都被撕成碎片，大地好似翻了過來，成了血海。

而帛海德的聯軍陣營裡傳出一陣陣的噁心恐懼聲，立刻明白了剛才拋射的並不是石頭。

『安格思，哈格斯，薩葛斯，跟我來，』他命令道：『其他人留在這裡，守好位置，暫時由羅斯格指揮。』他又加上一句。我們匆匆趕往投擲器那邊，我一看見立刻火冒三丈又噁心想吐。五名俘虜的屍體躺在投擲器旁邊，好像備用的彈藥。兩名維京人砍得正高興，長劍一起一落，切下屍塊裝到投擲器上，然後把屍塊朝敵軍發射。海狼像道閃電一樣欺到他們身前，赤手空拳把一人推開。這人立刻把長劍對準海狼，刺了過去，海狼輕輕一閃就躲過他的攻擊，順手一拳擊中他的頸背，他當場昏倒在地上，不省人事了。接著海狼鎮定的抽出長劍，指著另一名戰士。『滾，王八蛋！』他大喝。『不准再折磨這些手無寸鐵的俘虜了！』海夫丹冷眼旁觀，什麼也沒說，只向那個總是不離開他半步的大個子畢恩瞟了一眼。畢恩從後面用斧頭攻擊海狼，我大喊警告父親，他及時舉起木盾牌擋住這一擊，盾牌裂成兩半，但是衝擊的力道太強，他失去了平衡，讓敵人又有機可乘。海狼又一次躲開，撲倒在地上，畢恩以為逮到了破綻，卻不知海狼是故意的。等到畢恩把沉重的斧頭高舉過頂，海狼立刻矯捷的跳起來，長劍向前送出，插入畢恩的胸口。就在這時，艾瓦來了，下令眾人不准和海狼作對。然後，他質問海狼。

『你的態度已經像叛徒了，海狼。』艾瓦說。

『而你則像孬種，艾瓦，』我父親反駁道：『我不能眼睜睜看著你們殺害沒有反擊能力的人。躲在城牆後面，用這種手法挑釁敵人，一點尊嚴也沒有。為什麼不像有骨氣的戰士一樣打開城門和敵人硬幹，死了也有臉進入英靈殿？』

『幼稚，神經病，』海夫丹反駁道：『我們佔了優勢。麥西亞人最怕正面對決，艾瑟雷德跟他兄弟艾弗列只會聽帛海德的。』他深思熟慮的說道。

『哼，我看害怕正面對決的人是你跟艾瓦吧。我提議早上就和撒克遜人決一死戰！』海狼說。

『不行，海狼，』艾瓦插嘴說：『我們佔了優勢，我們要慢慢等。』

其他甲爾帶人來殺氣騰騰的圍住海狼、哈格斯、薩葛斯和我。海狼揮舞長劍，但沒有攻擊的意思。他或許是為了我著想，因為我們只有四個人，寡不敵眾。坦白說，他不退讓也不行，這是生平第一次，也是唯一的一次，我看見海狼沒有為自己的信念堅持到底。他收起長劍，一言不發，掉頭就回防區。他的自尊受了傷，他不能忍受自己竟然也在這一支他認為是孬種的部隊裡，他的挫敗只不過是遲早的問題。我了解父親是哪種戰士，也了解這次退讓對他的影響。不過，投擲器不再把屍塊拋射出去了。

最後被艾瓦和海夫丹料中了。沒多久麥西亞人就有條件投降，帛海德派使者來提出雙方簽訂合約的請求。貪婪的甲爾們在一陣談笑之後，同意收下一大筆銀幣，離開諾丁罕城。海狼沒有得到開會通知，反正就算通知了他也不會去。這對海狼來說是莫大的恥辱，他戰士榮譽上的汙點。

那年秋天，在諾丁罕合約簽訂之後，我們撤回約克城，打算在那裡過冬。在得到這麼豐盛的成果，連續贏得這麼多場勝利之後，挪威人更加堅信自己戰無不勝，攻無不克。但是海狼對這支部隊的所作所為卻是絲毫不敢苟同。不懂事的我當時還渾然不覺，但我父親很清楚等待著他的命運。那寒冷而勉強的行軍就是那年冬天的惡兆，即將要落在他頭上、推倒他的惡兆。

譯註

⓳九世紀左右丹麥轄下的英國地區。

⓴西姆如的居民，亦即今之威爾斯。

6 比瘟疫更致命

山坡變了顏色，冷風吹過遙遠的樹林，白色馬匹身形隱沒。毛毛細雨已經停了，花崗岩色的天空正凝聚力量。讓孩子的臉開心變紅的夏日驕陽，讓奇妙故事四處傳說的春天，如今已成了回憶，退位讓路給冬天無窮無盡的雪白，人人只能像蛇一樣盤捲起來，尋找溫暖。

冰雪覆蓋了通往約克的道路，同時也悄悄滲透了我們的五臟六腑。勝利的滋味竟是這般苦澀噁心，我真是想都沒有想到過。當初離開凱特村的我，一心渴求著光榮，被參戰的激情所蒙蔽，全然不知勝利的代價居然這麼高。我以前所依循的原則在這次遠征中重重的壓在心上。奇怪的是我開始相信戰士在面對戰鬥時的態度比最後的結果更加重要。我非常訝異的了解到，一名赤手空拳上戰場的士兵比起全副武裝、盔甲盾牌樣樣齊全的敵人更有勇氣。我明白誰勝誰敗沒有那麼重要，勝利的人也沒有什麼光榮，因為勝之不武。真正的戰士會放下武裝，和敵人在同樣的條件下公平的戰鬥。我終於了解我母親的宗教裡的一句格言了：『愛你的敵人』，以前我總覺得這句話太荒唐，現在我才真的體會到我們的確該去愛那些和我們敵對的人，因為我們真正的力量就是他們激發出來的。只不過很少有人能去愛自己的敵人，大多數人都喜歡用犀利的言詞和矛盾的態度當盾牌，想要操縱所有的人、所有的事。為榮譽而戰的人，像海狼，知道他可以不用仰仗太多武器，不用保護。這樣的戰士，像我的父親，他的力量就在於言行合一。當然，這讓他變得很強大，可以一次擊敗十個人，但仍不足以擊敗一支軍隊。海狼清楚這點，殘酷的現實就像籠罩大地的冰冷雲朵一樣飄過他的心頭。

一天早晨，雪下得幾乎比平常還大，海狼召集我們。

『羅斯格、哈格斯、安格思，跟我一塊去追殺史旺·韋格。薩葛斯，你把大夥帶到約克去，在那裡等我。』

『你打算到哪裡找他？』羅斯格問，他也是個沉默寡言的大個子。

『史旺·韋格不可能在很遠的地方。』海狼說。

『他可能已經死了，父親。』

『不，安格思，他那種懦夫是不會在戰場上冒險的。』

『你覺得到哪兒可以找著他，海狼？』哈格斯想知道。

『最可能在諾丁罕，他很貪心，到手的鴨子絕對不會白白放過。我相信他就在某個支隊裡，想辦法混入其中，也許已經得到了他們的庇護也說不定。』海狼回答道。

『他八成混在艾瓦或海夫丹的人裡頭。』薩葛斯說。

『有可能。不過那樣子未免太招搖，也太惹人懷疑，』海狼說：『無論如何，我們都得分開來。安格思，你到奴隸那裡去找，那個孬種原本就是奴隸販子，貪心會讓他疏於防範。羅斯格，你跟那些殿後的部隊一塊走，哈格斯跟上那些前頭的部隊。至於我，我會循線追蹤。』

就在那一片戰士組成的海洋裡，我往一群衣衫襤褸、踉蹌前進的奴隸那兒前進。有一批士兵負責押送奴隸，不讓他們拖延了行程。奴隸都鎖著鐵鍊，被押送的士兵拖著走。又飢餓又害怕又恥辱，他們很難跟上部隊的速度。他們絕望無助、頭暈眼花、驚嚇過度，好似在惡夢裡，失去了自由的惡夢。對我來說，到這裡面找史旺・韋格實在不是什麼好差事，可是有很多人就喜歡看俘虜受苦。押送的士兵裡有一個年紀跟我差不多，所以我就過去搭訕。

『大豐收啊？』我主動搭腔。

『馬馬虎虎啦，大部分的人質都換了贖金了，』年輕人答道：『不過，我自己還是得到了一個奴隸。』他吹噓道。

『我知道那種滋味，』輪到我吹噓了。『我以前也有一個奴隸，我拿她換銀子了。』

我其實在撒謊，因為我的歐絲柏嘉在史旺・韋格偷襲蘭德・拉森的同時也失蹤了。我不敢跟別人承認，只怕聽起來太可笑，可是在我們相聚的短短時光中，我已經非常喜歡她。我也很驕傲她對我的信心，像我這樣一個生手想要當她的保護者……而且她非常感激。士兵沉默下來，不知該如何接腔，於是我繼續說。

『你知道嗎，買賣奴隸利潤可不少呢。我倒想認識幾個人，看能不能把我帶進這一行。你跟著這種人一起走，難道就沒有認識的？』

『我們的頭目是甘拿・史奎摩，就是那邊那個光頭，滿身都是刺青的人。』

我朝他指的方向望過去，看見一個身體大半裹在披風裡抵擋寒冷的人，他控韁的那條手臂是裸露的，上面刺滿了龍紋。

『喂，甘拿！』年輕人大吼。『這個陌生人不知道從哪裡冒出來，問東問西的。』

甘拿讓馬停下，等我們靠近。我不記得在眾甲爾裡面見過他。也許他是後來才來的，跟著增援諾丁罕攻城戰的部隊一塊來的。

『你是哪一隊的？』他詢問道。

『我們是斯堪尼亞來的，一共十三個人，可惜有三個人死在基督徒口中的「人命收割機」那種投擲器之下，另外四個在諾丁罕攻上土堤爬柵欄的時候陣亡，還有五個死在城堡裡。連我們那個塞爾特族的詩人阿伊德都陣亡了，只剩下我一個。』我說。

『你要不是運氣好，就是膽子小，一看打仗就躲了起來。』甘拿奚落我道。

『我們是第一批攻進城堡的，我給盾牌打暈了，就這樣撿回一條命。等我醒過來，我才發現只剩下我一個人，可是我沒跑，我又跟著別的隊伍繼續作戰……』

『所以現在你在想下一步該怎麼做……嗯……買賣奴隸？有何不可。女人到處都抓得著，賺得輕鬆……』甘拿打斷我的話。

甘拿脫掉皮帽，搔了搔光頭。

『我是個好戰士，而且我真的很想入這一行。讓我跟著你們，你不會後悔的，甘拿・史奎摩。』

『我戰死了一些手下，讓你跟到約克也沒什麼關係。要是你贏得了我的信任，搞不好我還會讓你跟著我們回諾夫哥羅呢，』他答應我說：『不過，不准你去碰那些奴隸，這些都是艾瓦親手挑選的。』甘拿威脅道。

實際上我的打算是混入奴隸販子這個階層，看看史旺・韋格會不會像纏著這些人類獵物的蒼蠅一樣突然出現，我也想看看我的歐絲柏嘉會不會也在其中。再者，甘拿跟我說他們是從東哥特蘭島來的，所以我認為他們和俄斯人應該有聯繫，而史旺・韋格就是俄斯人。或許他們互相認識，知道他的下落。所以我決定和他們一塊走，繼續假扮別人，一直到我能確定史旺・韋格會不會出現為止。我這麼做很冒險，萬一史旺・韋格要真的是這些東哥特蘭人的朋友的話，他會認出我來，到時我就會給這些人亂刀砍死。我得小心謹慎，在最短的時間裡儘可能蒐集最多的情報。於是我就開始表現得像個被老兵接受而感激莫名的年輕小夥子。我請甘拿跟我說他的冒險經歷，盡量把他引到斯莫蘭的戰爭或齊格・懷瓦特的手被蘭德・拉森切掉的那件事上。連續兩天，我聽了一大堆不可思議的冒險，多到讓我相信史旺・韋格不可能跟這些人是一夥的，雖然他們也跟史旺一樣崇拜洛奇，玩弄陰謀的神祇，可是甘拿心高氣傲，相信自己是我這樣的年輕戰士的好榜樣。對我來說，我已經受夠了他的吹噓，所以在我們一大早抵達約克後，我就趕在他們都還沒起床前，回去和我的同袍會合，也算是鬆了一口氣。

『你發現了什麼？』薩葛斯看見我後就問。

『他不在那些押送奴隸的人裡。根據我的調查，他們甚至不認識他。其實他們是在攻下約克之後才來的，是他們的老戰友艾瓦和海夫丹叫來的。』我回答道。

中午左右哈格斯也到了。海狼認為他和羅斯格是他最好的探子，但他也是無功而返。

『我連那個孬種的鬼影子都找不著。』哈格斯嘟囔道，十分挫敗。

下午很晚的時候羅斯格也到了，一樣沒有結果。我們大家嘴裡雖然不說，但心裡都知道海狼也是白忙了一場。但他就像真正的戰士一樣，不達目的絕不干休，就算到死也不會鬆手，所以我們才會在薩葛斯的帶領下進入約克。等眾人都抵達之後，海狼才回來，一副筋疲力竭的模樣，彷彿從出發就沒有休息過。沒有人問他問題，也沒有人出言安慰。他朝我們掃了一眼，表示詢問，立刻就了解沒有人找到史旺・韋格。事實上，海狼也是後來才發現的，我們根本是白費力氣，因為史旺・韋格躲在殿後的部隊裡，離我們遠遠的，海夫丹特別派了一名精銳保護他，以免給我父親逮到。

我們抵達約克後不久，艾瓦就派了使者來召喚海狼去開會。海狼雖然已經被領導階層孤立了起來，但他不會把自己的地位拱手讓人，為的是保衛自己部下的權益，所以他就叫我和羅斯格陪他一塊去。

會議在艾格伯的大廳舉行，艾格伯就是給我們推派出來掌控諾森伯里亞的傀儡王，現在他為了要保住自己的腦袋，什麼都肯幹。會議的目標是要訂出接下來我們應該有的行動，大多數甲爾想要留下來，於是決定我們該把約克建設成永久的挪威人基地。

『約克應該永遠屬於我們，』海夫丹宣布道：『以前不列塔尼人管這裡叫凱爾艾布羅，這個名字不存在了，我們已經用鮮血給它受洗，改名叫約爾維克了。』

大家都同意，為海夫丹的提議喝采。有少數人心裡想的不只是個人的利益，而是了解到我們正在建立丹麥區，正在永久改變不列顛的面貌。除了這點之外，會議還決定要派出更多使者，到處去散佈艾瓦和海夫丹遠征成功的消息，並且招募人手以備來年的征討。之後，甲爾們決定把約克城劃分為幾個營區，讓各方人馬安營過冬。海狼奉派到城北去防衛，防區就跟他本人一樣和其他甲爾隔絕開來。不過幸運之神很快就會眷顧，海狼很快就會得到非常重要的盟友。

艾瓦和海夫丹派出的使者四處去傳播入侵東盎格魯土地大獲全勝的消息，愈來愈多想要冒險犯難的維京人也聞風而至。有些人一心想得到黃金和戰功，一聽說諾丁罕陷落了，連等待天氣轉好都等不及，立刻在隆冬之際穿越冰冷的海洋，從挪威各地趕赴不列顛。這些大膽無畏的先鋒部隊裡很多是伯卡來的，還有四名甲爾，兩名從維利耶諾夫哥羅來，兩名是奧岱尤伯格人。他們都是俄斯族，所以海狼格外留意他們。現在他眼中的神色不同了，重新燃起復仇的希望，他不再自我孤立，反而又重新加入其他的統領，跟眾甲爾一起開會，也一起歡宴。除非他幫蘭德‧拉森報了仇，否則海狼是不會罷休的。

整個冬天，增援部隊都受到無上的禮遇，數不盡的邀宴。什麼理由都可以拿來狂歡慶祝一番。烤肉、各種麵包、油炸根莖類食物、蜂蜜酒，還有挑選不完的女人。那些滿嘴天花亂墜的人整天大言不慚，於是每天晚上的歡宴裡，都有兩、三個甲爾高談闊論他們最驚險刺激的事蹟。有些故事又點燃了古老的敵意，有幾個場合甚至還為了正義之名而鮮血飛濺。不過沒有人會蓄意挑釁，也沒有人怯懦。海狼出席了每一場宴會，他的敵人認為他是因為受不了被孤立才想要和解。其實海狼是在跟敵人下棋，他從沒有片刻忘記自己的目標。他仔細聆聽宴會中的談話，聽到在場人提到的所有航線，他打聽人、事，所有可能和史旺‧韋格有關的線索。就在海狼向阿斯高特敬酒的時候，這位來自遙遠的窩瓦河沿岸的維利耶諾夫哥羅的俄斯族甲爾說了他的故事。海狼認為他既然也是俄斯族，應該聽過史旺‧韋格這個人。

『據說俄斯族人非常的勇猛善戰，』海狼讚美道：『你們的英勇事蹟漂洋過海傳到北方來，吟遊詩人一再的傳唱。阿斯高特，跟我們說說你來的那個城市維利耶諾夫哥羅吧。』

這時阿斯高特已經喝得差不多了，話也多了起來。挪威大軍裡主要的領導人物竟這麼注意他，讓他歡喜得昏了頭，立刻逮住海狼提供的機會。阿斯高特身材非常魁梧，就算在挪威人裡也是一條大漢，他也和其他俄斯人一樣，剃了光頭，全身都是刺青，刺的都是很奇幻的動物。他拿起牛角杯喝了一大口，把坐在他大腿上的奴隸推開，然後才開口，把聽的人逗得哈哈大笑。

『在索爾生的偉大遠征之後第三年，有些斯拉夫部落自己打得昏天黑地的，他們就要求偉大的甲爾魯瑞克跟他的兄弟希尼斯和楚佛來統治他們，重建當地的秩序。魯瑞克跟他的兄弟都在窩瓦河沿岸落腳，他們的部下都是驍勇善戰的武士。所以他們就同意了土著的請求，建立了三個王國。後來希尼斯和楚佛先死了，魯瑞克繼承了整個地區，在窩瓦河沿岸蓋了一座城堡，城堡叫做「諾夫哥羅」，也就是新城市的意思。』阿斯高特解釋道。

『你怎麼會大老遠的趕來這兒呢？畢竟你們已經在斯拉夫族的土地上建立了殖民地，也興建了城市了，你還想從挪威人航線的這一頭得到什麼呢？』一名挪威領主問。

『其實我是魯瑞克派來的使者，』阿斯高特說：『我是來追捕逃犯的，好償還一筆舊債。魯瑞克國王有一次有兩艘船被一個海上的害蟲搶劫了，那個害蟲是我們俄斯人之恥，他叫做史旺·韋格。那個渾蛋綁架了魯瑞克最喜愛的奴隸，一個摩爾人，她是傳奇人物「鐵拳」歐格瑞布為了紀念兩人的友情所送的禮物。魯瑞克派出了四艘船追捕那個下流的史旺·韋格。所以我們才會來這裡。我們根據線索追到了這裡，誰能幫我們逮到那個鼠輩，誰就能得到魯瑞克國王終生的感激。』

聽見阿斯高特這番話，海狼好似癱瘓了。他的體內有股電流激盪，從他眼睛迸射出憤怒的火花，但他卻不動聲色。而海夫丹一來是為了掩飾他和史旺·韋格的關係，二來是顧忌海狼不知會如何反應，趕緊改變話題。

『請你說說攻陷密克拉加的事吧。』他請求道。

其他甲爾已經喝得七、八分醉了，很快就忘記剛才有人提到過史旺·韋格，一聽到海夫丹的建議，立刻就跟著起鬨。海狼沒有追究下去，彷彿沒聽懂阿斯高特的任務是什麼。而這名虛榮的俄斯人似乎也把史旺·韋格忘了，在椅子上穩穩的坐定，以便重溫舊夢。他準備要述說攻打拜占庭帝國首都的英勇事蹟。阿斯高特又喝了口蜂蜜酒潤喉，開始了他的冒險故事。

『大概是十年前，俄斯族全部都到維塔宏集合，那是在維特契夫堡，維特契夫的意思就是「火的符號」。我們的目標非常大膽，從來就沒有人試過：我們打算要侵入我們所聽過最富饒的城市，密克拉加。很久以前羅馬皇帝遷都到那裡，把整個帝國的財富都搬了過去。所以我們從維特契夫堡出發，走聶伯河，走了六個星期，每一個鐘頭都會遇上危險挑戰。沿途有個地方是一連串的峽谷，河道變窄，一連有七個瀑布。好不容易過了三個瀑布之後，我們不得不停下來。到了第四個瀑布，「蠻子」埃佛逼著我們上岸，抬著船走。不過我們還是留下了幾船的殿後部隊，因為那裡有佩切涅格人出沒。佩切涅格人是那個地區最兇殘的部族，老是暗中埋伏偷襲來往的商旅。我們把自己的東西從船上搬下來，把奴隸用鐵鍊鎖起來，扛著船隻，拖著奴隸，沿著河岸走，一直到過了瀑布，才又把東西裝上船，一路划船，總算到了一個很大的河口，就是多瑙河的出海口，在那裡我們才裝好帆、桅杆、舵，準備橫渡黑海到密克拉加。』

『你們的艦隊有多大？』艾瓦很識時務的問。

『兩百艘德拉卡攻擊「宏偉之城」。』阿斯高特答道。室內響起一片驚異的喃喃聲。他們的艦隊規模之大嚇到了每個人，尤其嚇到了艾瓦，覺得自己的霸主地位受到了威脅，不由一陣冷顫，因為他知道萬一讓俄斯人發覺他在保護史旺・韋格，那他就等於是給自己招來可怕的敵手。對他這樣一個想要在不列顛稱王的人來說，和魯瑞克國王一戰只有百害而無一利。

阿斯高特不管他的故事大家是否早已經耳熟能詳，照舊大吹大擂他們俄斯人在攻打密克拉加時有多英勇多剽悍。

『幸運之神站在我們這邊，』他繼續熱切的說：『我們攻擊的時間正好，皇帝率領艦隊去攻打東方的阿拉伯人了，留了一座空城給我們，我們不眠不休的搶了十天，在皇帝帶兵回來之前就帶著最豐厚的戰利品走了。』阿斯高特一陣大笑作結。

效忠艾瓦和海夫丹的甲爾們也跟著哈哈大笑，想要掩飾尷尬的場面，因為阿斯高特仍然渾然不覺剛才提到要追殺史旺·韋格，正踩到了艾瓦和海夫丹的痛腳。有些人鬼鬼祟祟的偷瞄海狼，怕他會告訴俄斯人海夫丹和史旺·韋格頗有交情。不過我父親什麼也沒說，他仍舊在和敵人下棋，他現在是在觀察敵人，研究他們的每一步。所以海狼才會注意到艾瓦悄悄喚了一名手下到跟前來，對著他的耳朵說了幾句話，之後那名戰士就離開了房間。海狼對『軟骨頭』的態度起了疑心，就要羅斯格去跟蹤那名戰士。羅斯格比艾瓦的人要來得謹慎，離開房間的時候沒有人注意到。我的視線和海狼交會，他用眼睛對我笑。我當下明白他報仇的時候到了。

隔天晚上，羅斯格到我們孤立的北城防區找我們。他悄沒聲息的出現，但他眼裡閃動的勝利卻預告了好消息。我注意到海狼身上散發出愉快的氣氛，雖然外表上還是看不出喜怒，但感覺上他好似突然輕了許多。

『在哪裡？』海狼問道。

『讓你料中了，海狼！』羅斯格說：『艾瓦的人真的是去警告史旺·韋格說阿斯高特在追捕他。我跟蹤他找出了那個孬種的藏身之處。他躲在約爾維克南邊一個村子裡，帶著一些奴隸，還有艾瓦的精銳侍衛。』

『有多少侍衛？』海狼追問道。

『那個下三濫沒本事保護自己，起碼需要三個人來照顧他。』羅斯格說，很高興自己打探得這麼清楚。海狼凝視著壁爐裡的火，心情很愉快，捋著泛紅的鬍鬚，撫摸著劍柄，過了一會兒才開口。

『羅斯格、哈格斯跟我來。薩葛斯，這裡暫時還是交給你指揮。』

海狼的決定讓我非常詫異，我以為他會叫我也一起去，我正要開口，卻見他很嚴厲的看了我一眼，我不敢再說什麼，只好像個戰士一樣乖乖聽令。不過這倒是第一次他一直盯著我，然後下令。

『我們走！』

這一刻我感覺他把我當作一名真正的武士看，就跟他的手下一樣，就跟他這個團體裡的每一分子一樣。這是我這輩子最珍惜的一刻。

我們接近史旺・韋格的藏身之處，小心謹慎，彷彿是要圍攻村寨一樣。村裡的人都很懶散輕鬆，只有寥寥幾人站崗，我們聽見大笑的聲音比說話的聲音多。我們靠得更近，想找出奴隸的位置以及艾瓦的侍衛如何部署。他的精銳部隊十分鬆懈，但海狼仍堅持我們趁他們吃飯的時候攻擊，因為食物飲料不斷的供應，他們會因為蜂蜜酒的影響而行動遲緩。我認為這個決定有點奇怪，但哈格斯提醒了我。

『對象是艾瓦的精銳部隊，安格思，要攻擊他們就不能不格外小心。』

他的箴言的確是再有道理不過了。我們慢慢的摸近，兩名警衛出現，擋住我們的去路。

『你們是誰？』其中一個質問道。另一個人也沒閒著，立刻抽出長劍，對上了羅斯格。他的動作太快，羅斯格來不及抽出武器，只能靈巧的閃避，同時拔劍揮舞。第一名侍衛用斧頭追擊羅斯格，他的同伴剛才因為一劍砍空失去了平衡，現在也乘機穩住身體。事情從發生到結束只有一瞬間：羅斯格站穩腳步，等著斧頭揮下，眼睛卻盯著拿劍的人。拿斧頭的戰士剛把斧頭高舉過頂，他的同伴就已經轉身舉起長劍準備攻擊了。就在這時候，就在敵人的斧頭落下的前一秒，羅斯格原地旋轉，長劍為直徑，劃了一個圈子，斬斷了拿斧頭的腦袋，一眨眼功夫又刺中拿劍的肋骨。其他精銳部隊從一棟屋子裡出來，有些已喝醉了。全裸半裸的女人像被狐狸追獵的兔子一樣從屋子裡跑出來。那些戰士看見了這場打鬥，非常佩服羅斯格的武藝，所以都沒有干涉，眼看著我們通過。最後，我們根本不用費神去找史旺・韋格，他自己倒送上門來了。剛才的打鬥聲把史旺・韋格從巢穴中給引了出來，跟個好奇的孩子一樣。

『海狼！』他一看到我父親就驚叫。

『沒錯，史旺・韋格，我說過我們早晚會再見。記得嗎？我發誓我會把蘭德・拉森的手鐲從你身上奪回來，現在我來了。』海狼回答道。

史旺・韋格一臉慘白，知道大禍臨頭了，但還是不改他的老奸巨猾。

『哎唷，海狼！我一直都想找個好奴隸，愈像妓女愈好，最好就跟那個幫你生孩子的蘇格蘭臭婊子一樣！』他拿話刺激。我一聽，不知從哪裡生出一股力量，整個人向史旺・韋格撲了過去。

『住手，安格思！』海狼命令道：『史旺・韋格是我的，我才是那個把他的腦袋擰下來的人！』

『哼，那就動手啊！海狼，要我腦袋的又不只你一個，你也會跟其他人一樣，最後是你自己掉了腦袋。』史旺・韋格撂下狠話。

海狼抽出長劍，朝史旺・韋格走去。

『等我解決了你，』史旺・韋格嘶聲說：『我會把你兒子也宰了。你知道嗎，那小子的品味還真不錯，歐絲柏嘉確實很特別。我跟你的小奴隸玩得可樂了，而且她還幫我賺了不少呢。』

他的話證實了我的猜測，我不由得一愣。歐絲柏嘉失蹤的時候差不多也是史旺・韋格失蹤的時候，現在我才知道她是被綁架後又給賣了。海狼先前就注意到她對我來說不僅僅是戰利品，這讓我更侷促不安。史旺・韋格從屋子裡出來的時候沒有帶劍，而且也已經醉醺醺的，海狼似乎有些躊躇。他抬頭直視史旺・韋格的眼睛，史旺・韋格忍不住發起抖來，感覺女武神的騎馬行列捲起了一陣風，掃過他的頭髮。他知道自己的大限已至，然而他還是選擇戰鬥，但戰鬥得很狡猾。他一直用盾牌抵抗海狼的攻擊，眼見盾牌破碎不能再用，他又假裝很累，無力再戰，看我父親會不會因此而輕敵，露出破綻。但我父親看破了他的用心，反而加倍的留神。史旺・韋格雖然是個孬種，但用劍的技術卻著實不壞，身手也相當靈敏。兩人繼續打鬥。海狼佔了十成的攻勢，但史旺・韋格守得很好。不過時間一長，史旺・韋格疲態畢露，海狼逮住了敵人的弱點，長劍如雨點般落下，重創了他，讓他只能束手待斃。我父親頓了頓，凝視史旺・韋格的眼睛，他也看回去，兩人這短暫的眼神交會不一會兒就給海狼的長劍給切斷了。他就這樣復了仇。史旺・韋格的腦袋跌到地上，砰的一聲巨響，聽在我父親耳朵裡有如仙樂。

兩天後，又有一場宴會。艾瓦、海夫丹連同其他甲爾為了要討好阿斯高特和他的手下，想盡辦法奉承阿諛，努力不讓他們想起到不列顛來的真正任務。薩葛斯跟我也出席了，我們緊盯著艾瓦和海夫丹的一舉一動。宴會已經開始了一段時間，人人都喝得差不多了，高聲談笑，嗓門很大。這時候，誰也沒料到海狼帶著羅斯格、哈格斯闖了進來。他來得很突然，打斷了所有人的談話，他威風八面的站著，把史旺・韋格的人頭拋到桌上。

『阿斯高特，』他說：『把這當作是送給俄斯人和魯瑞克國王的禮物好了。史旺・韋格是孬種，孬種不配像戰士一樣活著。』

室內一陣沉默。海夫丹和艾瓦驚駭的互望了一眼，其他甲爾則目瞪口呆，蘭德・拉森的人笑逐顏開，最後還是驚愕的阿斯高特率先打破沉默。

『史旺・韋格！』他結結巴巴的說，酒還沒醒，不相信自己的眼睛。

『他在這裡有非常有權勢的盟友，』海狼說，逼視著艾瓦。『不過現在已經無所謂了，』我父親說，仍舊一瞬不瞬的盯著艾瓦。『他欠的債還清了，現在是我戴著蘭德・拉森的手鐲。』他最後說。阿斯高特這才明白史旺・韋格在這裡也曾樹敵。

『我非常感激你，海狼。我跟我的人非常佩服你的態度，我們以魯瑞克國王之名和你永結同盟。』他宣布道。

阿斯高特的話讓艾瓦和海夫丹非常的震撼，他們的反應沒有逃過海狼的眼睛。他知道他將了他們一軍，而他們絕對嚥不下這口氣。基本上為了不和魯瑞克國王兵戎相見，他們有兩種做法：一個是表明中立的立場，否認自己曾保護過史旺・韋格；另一個做法是一舉殲滅凱特的人、維斯佛的維京人，以及俄斯人。海狼相信他們會選擇中立，而事實上他們在剛開始的時候也的確假裝中立，儘可能的表明魯瑞克國王能夠報仇雪恨，他們也是歡喜異常，可是到頭來卻急轉直下。即使我父親一直留意艾瓦和海夫丹這兩兄弟的動靜，事實證明他們的邪惡卻遠遠超過了海狼的想像。所以就在我們誰也沒料到會發生這麼骯髒齷齪的背叛的時候，災難就像晴天霹靂一樣落到了我們頭上。

當時我正從倉庫裡領到了我們營區的補給品，阿斯高特帶著人上氣不接下氣的趕來。

『出了什麼事，海狼？幹嘛十萬火急把我們叫來？』他問我父親道。

『什麼？』海狼反問他。『我沒叫你們啊。』

『可是……』阿斯高特一臉的茫然。

『到底是怎麼回事，兄弟？』海狼不耐煩的問。

『有個信差來跟我說要我帶著全部的人盡快趕到你這裡，他說你需要援手，所以請我們幫忙。』

海狼立刻明白是圈套。

『馬上擺開陣勢！我們馬上就會遭到攻擊！組織一隊後衛部隊，推倒柵欄，準備撤退！』他當即下令。大家都能感受到空中戰雲密佈，就像隨時會爆發的烏雲，所以人人跑向自己的防守位置。不到幾秒鐘，我們住的營房前面院子裡就擠滿了艾瓦、海夫丹、其他甲爾的部下。他們緩緩前進，把我們圍在核心，把我們的戰士驅趕到柵欄的一角。我們一個人起碼得打三十個，但海狼的戰士佔據了土堤高處，也就是柵欄所在的地方。除了這個優勢之外，敵方攻擊有些猶豫，給了海狼片刻的機會，我們的後衛部隊推倒了部分柵欄，開了一道撤退的口子。這時海狼下令全軍穿過柵欄，逃出約克城。

『組成方陣！』海狼大聲吆喝。『哈格斯、安格思，組一個小隊！阿斯高特，把你的人分成三個人一組！』

大家逃出約克城，海狼的目標是把整個部隊拆成小隊，好分散海夫丹和艾瓦的武力，維斯佛的維京人也依照海狼的指示分成許多小隊。

海狼的策略讓我們能夠把龐大的敵軍部隊分散，他們搞不清楚該聽從哪一個命令，是去攻擊海狼的部隊，還是去包圍維斯佛的維京人，因為維斯佛人都非常害怕，應該是最容易攻擊的一環。俄斯人當然不能留一個活口，結果艾瓦和海夫丹的命令彼此衝突，兩個兄弟吵起嘴來，底下人因此群龍無首，亂成一團。

『能夠逃出去的人就到雅德利恩的老圍牆和東海會合的地方集合。』海狼大聲呼叫，命令全部的人組成緊密的方陣，羅斯格護衛在他身邊。我特別注意到拉爾斯自動參加我們這邊，負起防衛我父親側翼的艱鉅任務。這名體格龐大的狂戰士是一座不得了的障礙物，配合上羅斯格的力量和海狼的勇氣，他們形成了一個堅固的堡壘，阻擋了許多追兵。從遠處我看見艾瓦一臉擔憂，甚至害怕，因為這場戰爭是對抗他所見過最優秀的戰士。所有的方陣都分成了小隊。雖然眼前就會有場大屠殺，但這一幕確實是十分壯觀：金鐵交迸，傷者哀嚎，垂死呻吟，血腥味撲鼻，戰士奮力求生。海狼和羅斯格花了一會兒功夫才突圍，他們想掩護我們撤退。兩個人背靠背，好比無敵的大熊，兩個人抵擋六、七個敵人，寸土不讓。艾瓦和海夫丹的部下幾乎不敢進攻，對海狼和羅斯格的武藝懼怕不已。他們比瘟疫還要致命，而他們的武藝加上流露的勇敢氣勢，讓他們看來像不朽的神祇，彷彿奧丁大神和雷神索爾從諸神國度下凡來與人類並肩奮戰，就算是眾神看見了這麼剽悍的戰士也會引以為傲。我想回頭去加入他們，但給哈格斯攔住，他帶我從倒下的柵欄那裡撤退。海狼的命令非常清楚，哈格斯這名盡忠職守的戰士是不會違背他的命令的。我轉過身，穿過柵欄，盡快跑下土堤，最後看見的就是這兩名戰士揮舞武器，砍瓜切菜般殺得敵人潰不成軍，血濺五步。

我跟哈格斯跑下了土堤，爬過護城壕，沒有碰到什麼困難。但在我們朝約爾維克附近的樹林逃跑時，一隊槍騎兵從我們右翼攻擊，阻斷了我們的去路。

『安格思，注意看我！』哈格斯大吼道，當下就行動了起來。他向一名槍騎兵叫陣，騎兵朝他奔來，舉著劍，準備攻擊，但哈格斯卻在敵人揮劍的一瞬間跳開，往敵人攻擊的相反方向閃躲，敵人反而露出了空隙。哈格斯把握良機，從背後攻擊艾瓦的部下，把他敲下馬來。之後，他翻身上馬，朝我奔來，給我掩護。接著就輪到我模仿哈格斯的手法了。我暴露自己的位置，看似送上門來的獵物，一名騎兵向我衝來。我照著哈格斯的方法做，只不過我跳開的動作慢了一點，馬蹄踢中了我的左肩，把我給踢倒在地上，等我爬起來，我疼得直發抖，而那名槍騎兵已經掉轉馬頭，準備再次攻擊我了。但哈格斯忽然像閃電一般罩住了我的敵人，武器互擊的聲音震耳欲聾，戰馬拱起，跳舞似的，有如窒息的霧般籠罩戰場的怒火刺激著馬匹。哈格斯繞著敵人策馬，連環進擊，最後傷了他的手臂。驚愕的戰士回頭去看他的傷勢，這一看實在是大錯特錯，哈格斯輕易的繞到敵人的馬後，只一揮就剁下了敵人的腦袋。我迅速騎上馬背，和哈格斯朝樹林奔馳。艾瓦和海夫丹的部下讓開不攻擊我們，因為還有很多步行的戰士，他們比騎馬的要好欺負多了。說真的，我的肩膀痛得要命，真要打起來，我也不知道自己行不行。有一名槍騎兵朝我衝來，但哈格斯擋住了他。

『往樹林裡跑，安格思！別停下來！』他在攻擊的空檔大喊道。

我繼續狂奔，一直騎到樹林的邊緣，然後我闖進了灌木林深處。我一直騎、一直騎，最後植物實在太茂密，樹枝太糾纏，我不得不用斧頭砍出一條路來。這時才明白我只有一個人，我和戰友分開了，尤其是不知哈格斯的下落。我的肩膀愈來愈痛，也許是因為沮喪所以疼痛才增加。現在我只能靠我自己，沒有命令可以遵循了。什麼對什麼錯完全看我自己怎麼判斷了。我必須要用我自己的方向感趕到會合點，我得靠自己的能力來誤導追擊我的敵人。我得要一個人來治療傷勢，我得要自己求生。我凝視保護我的茂密灌木林，彷彿想看穿自己的未來。四周的聲音我一點也聽不見，後來下起雨來，冷雨突然掃過我的馬、樹林，還有我，像是冰冷的激流，沖走了我的恐懼。世界並沒有停止，傾盆大雨照舊展現著生命，什麼也阻擋不了下雨，什麼也阻擋不了落葉。大雨安撫了我，給了我繼續的力量，和我一起哭泣，把它的悲傷和我的融在一起。世界並沒有停止，我也不會停止，我也不能灰心喪志，我會面對所有的橫逆，就算只有我一個人，我也會完成我的宿命，不管那會是怎樣的命運。天空的藍會褪色，大海會變灰，哭泣的雲會淹沒早已浸濕的土地。灰色會是我的哀悼，為海狼，『冰血』，我的父親及領主，為他的殞落而哀悼。

現在我的責任就是讓他像國王一般到英靈殿去。我需要給這名戰士中的戰士一場高貴的葬禮，把他放到他的船上，伴著他的馬、他的狗、他的奴隸和所有物、他從勇士之鄉征討來的戰利品，和一艘能夠載送他去見奧丁大神的龍船。但這一切只是空想，艾瓦的背叛害得海狼無法享有光榮的戰士應當得到的禮遇。我絕不能原諒艾瓦，我要讓他嘗嘗同樣的滋味，就算是在遙遠的未來我才會成為甲爾，我也絕不會忘掉這個深仇大恨。時間並不會靜止不動，殺父之仇非報不可，而且是用我的斧頭來報。

內尼厄斯

渾渾噩噩中，我愈騎愈遠，漫無目標，感覺到體內深處的傷口痛得厲害，不過比傷口更為劇痛的是我為自己父親的死感到不值。我為他的死深深哀悼，不僅因為他是我父親，也因為他是海狼，既是英雄又是戰士，既是男子漢又是磐石，一面真正的盾牌。是的，他是一面堅固牢靠的盾牌，可以抵擋世上一切的艱難險阻，抵擋自然的憤怒，抵擋狂風暴雨，抵擋在人們心中萌芽的邪惡。他給我的安全感如今只剩一場回憶，不再是現實。而無論回憶有多麼生動，我知道我已是孤零零的一個人。孤零零的一個活在冷酷侵略的世界裡，處處是可怕的意外、連年的征戰屠殺，而唯一可以保護我的東西就是我自己的勇氣和戰鬥的意志。

晚上我停下來休息，仍不斷自問為什麼我父親可以同時那麼勇猛又那麼冷靜。我生起了火，以星空為被，我覺得每一顆星都是一位戰士，活在天空裡，而我父親想必是無垠星河中最閃亮的那顆星。

躺在草地上，我明白我不會是唯一一個緬懷海狼的人。那些一直不離他左右的勇士也會為了再也聽不到他指揮的聲音而哀悼，那充滿了威嚴保護的聲音，在戰鬥中跟打雷一樣響的聲音，讓他們知道他們在戰鬥中一定會受到保護，保護他們的人或許是海狼，或許是眾神，而戰死的榮耀會引領他們到勇士的故鄉去。

眾星作我的明證，孤寂當我的同伴，我終於肯讓一點一點咬嚙我胸口的痛苦發作，控制不住的哭了起來，像是關在籠子裡的孩子一般。那一刻我不只是哭我的父親，我也深深懊悔自己犯下過的殘酷行為。父親不在了，他代表的安全也不在了，我不得不重新檢視自己的人生、參加過的打鬥、我所相信的東西。從胸口湧上來的哭泣讓我更加反省起自己，讓我明瞭就連像我這樣一心一意想成為戰士的人，都會因為深藏在內心的恐懼而崩潰，但比較起那些在戰爭中處於弱勢的人來說，我的感覺又算什麼？等我慢慢看清自己的狀況後，我才恍然大悟，知道我父親也可能面臨過同樣的情況。仔細思索之後，我得到了結論，原來這或許也是真正的戰士偉大的一面，真正的戰士要有勇氣去評估自己的一生，然後讓眼淚來洗滌自己的靈魂。

隔天早晨我就是懷著這種心情醒來的，感覺眼淚洗滌了我的靈魂。現在該我來洗滌我的身體了。我在附近找到一條平靜的小溪，小溪四周都是柔軟的青苔。我把溪水潑在傷口上，痛飲了幾口，隨後就感覺到早晨清涼的微風吹拂到身上，似乎是在叫我重新來過，彷彿另一個生命輪迴就在此時此地展開。這個感覺並沒有隨著一天過去而變淡，反而愈來愈強，因為我想起了和母親的平靜對話。突然間，我不難去相信人生不只是又一個戰場，母親柔柔的聲音曾對我述說過她周遭平凡樸實的東西，山羊、溪流、樹林、峰頂的白雪、與生命的自然邂逅。而讓平和寧靜結合起來的力量就是她的信仰，她對創造萬物的天父的信仰，她總是用『祂』來尊稱他；一位強而有力、心懷慈悲的上帝。等等，是不是還有一個神？因為她老是會提到另一個，她管他叫『耶穌基督』。

這個真理太深奧難以理解，同時又太簡單難以接受。不過與其絞盡腦汁去弄懂怎麼回事，還不如就只要記得我母親總是用安詳仁愛的語氣說到上帝的傑作，說到造物者統治一切，保護一切，祂所擁有的力量是人類作夢也得不到的，雖然祂有無上的神力，祂卻不是個好戰的神，而是充滿愛心的保護者，愛護祂每一個子民，我母親總說祂是『痛苦悲傷時的避難所』。無疑的在我告訴她父親的死訊時，就是這份力量幫助了她，現在也是這份力量幫助她接受這一個無法估量的現實，那就是，有一天我也會戰死沙場。

此刻這些祥和的想法陪伴著我。我感覺到一種不一樣的勇氣，去凝視一切，並且接受其本來面目的勇氣。觀察露水不斷滴落，傾聽附近鹿群鳥群窸窣……這一切似乎都和我母親口中的造物主合拍同調，和奧丁大神的嚴厲、和我花了那麼多時間相處的戰士憤怒的臉龐格格不入。或許我母親的宗教比我父族的要來得堅強……或許唯有這個上帝能夠抹去昨夜我感受到的痛苦，此刻我注意到痛苦已漸漸消失。

暫時拋開這類思緒，我上路了，我知道目的地就在那些深邃的樹林間。我知道我不能害怕，也不能逃走。於是，我騎馬趕了一整天的路。我的傷口仍在流血，而且我知道隨著時間流逝，力量也一點一點棄我而去。一整天我的視線都模模糊糊的，我的眼前有黑點，覺得頭很暈，好像喝了一整晚的酒似的。但我還是掙扎著向前走，不管傷口會有多痛。我的傷口變成深紅色，腫了起來，傷口四周很燙，也開始抽痛。我很衰弱，得吃點東西，否則就會連一點力氣也不剩。

我聽得見遠處有鹿，但我太虛弱，沒辦法打獵。驀然間，我聽見有人模模糊糊的說話，所說的東西我都很熟，卻無法理解，斷續的句子說著什麼食物……雞蛋……海鷗……船上的肥鮭魚……我發現自己的腦筋愈來愈不清楚了，因為事實上說話的人是我自己，我陷入了昏眩狀態，胡言亂語。

凝聚起最後一絲力氣，我決定停下來，靠著樹休息。天氣愈來愈冷，我決定生個火。有一會兒，火焰給了我力氣。看著火真好，看見火的力量，一種幾乎是不屈不撓的力量，沒有辦法馴服，唯有自身的熄滅——與生俱來的權威……

醒來後，我看見火已熄滅，我記得作了夢，夢見了母親。她坐在一艘大船上，船不在海上航行，反倒在土地上行駛，這麼奇怪的情景必定是夢。她看起來又美麗又威風，一身藍袍，高貴得像皇后，眼神很冷漠，非常不像她。她的左右各站了一名彪形大漢，是她的侍衛。我母親一手舉著十字架，另一手一直按在劍柄上。一頭大熊輕蔑的嘲笑她，但不敢靠近。讓牠害怕的不是孔武有力的侍衛，而是那柄劍。兩條蛇潛伏在她的道路上，想不到竟被大熊殺了，牠把蛇高舉到空中，不停的大笑。

我不了解夢的意義，所以還是繼續前進。再休息過一會兒之後，我開始找吃的，幸虧那一箭射得準，打到了獵物。我真的需要恢復體力，因為我的身體在警告我，攻擊隨時都會降臨。我必須準備打鬥，而且也不能又浪費一天不練習斧頭。一想到打鬥我就想起父親，忍不住又哭了起來。『諸神國度的惡魔！』我大喊。難道我在一夕之間成了懦夫，像個老太婆一樣哭個不停？我必須要找回以前那個戰士的我，可是什麼戰士？哪一個戰士？

有父親在，我曾是勇敢的戰士，但如今，孤零零一個，我什麼也不是，只是個空殼子。幸虧有這片森林暫時掩護，沒讓世人看見我的羞恥，可是我卻騙不了我自己。就在此時此地，完全一個人，一支軍隊也沒有，我面對了一個試煉，看我是不是男子漢。我告訴自己絕對不能讓父親失望，想著他，我忍不住大喊：『父親，我需要變成一個戰士，幫助我，父親。』遠處傳來回聲。『奧丁！奧丁！』我又大喊，像別的戰士一樣，感覺聲音變壯，不過肢體上還是覺得很糟。

我覺得愈來愈冷，忍不住發起抖來，牙關格格響。我的傷口好似巨大的昆蟲幼蟲，黃黃的，在乾掉的血塊上蠕動……剛才消化的食物給了我片刻的氣力，現在卻在胃裡作怪，餓了好一陣子，肚子已不習慣食物。死亡已經在追求我，就像縱情淫蕩的女人，野蠻的眼神在邀請我投降。不要再抗拒……放開自己……她會不會就是我的老戰友常常談起的的女武神？

等我醒來，有名老人站在我面前，跟我在白日夢中見到的女人迥然不同，他看起來就像我們在艾瓦那個懦夫麾下所殺害的僧侶。他的表情，雖然嚴厲，卻不含譴責。他拿了塊濕布很輕柔的擦拭我的額頭。床旁邊有碗看似熱湯的東西。等我的視線比較清楚後，我看見老人後面還有一個僧侶，個子很高，大約和我同歲，像是捧著一只有蓋深碗。

『艾弗隆，看看他肯不肯吃東西，』老人說：『要是肯吃，那就好得快了。』

『神父，他好像是個挪威海盜耶！』艾弗隆說，不太肯定是否應該要行善。

『艾弗隆，上帝的愛無所不在，對這個只剩一口氣的人我們當然也要一視同仁。』老人驚訝的說，口氣隱隱帶著惱怒。

『照顧自己的敵人，這算哪門子的道理？』艾弗隆仍然堅持己見。

老僧侶仍然和氣的回答：『親愛的艾弗隆，有很多事你這個新人還有得學。就像我說的，在打鬥中保衛自己是公正的行為，因為糾正敵人，藉著摧毀敵人的驕傲來羞辱他，到頭來都是為敵人好。不過，一定要記住這個道理，這樣我們自己才不會受到驕傲和報復的引誘。我們贏的時候，是為上帝而贏。我們在上帝面前折辱虛華的人，其實我們是擊敗了虛榮，那才是我們敵人最大的敵人。在戰鬥中，我們的任務僅止於此。離開了戰鬥，我們就應該愛我們的敵人，不只因為他們跟我們有相似之處，也因為我們從他們身上學到了自負是沒有用的，我們學到了如果我們要服侍上帝，就得要把自身的驕傲給拔除乾淨。所以和敵人對抗也可以提醒我們，最大的敵人其實在我們自己心裡，也就是我們表現出來的軟弱，而我們絕對不可以向一時的軟弱屈服。這才是對上帝的信仰。』

『感謝上帝讓我有您這樣的老師。』艾弗隆說，從他馴服敬佩的語氣可以聽出來他對這位老僧侶十分的敬重，而且這份敬重還不是一天兩天的事。

於是他們持續照顧我，日復一日。

從生鏽的大木架上拿下一本書對住在修道院的修士來說，就像是儀式一樣，我後來才知道這位修士名叫內尼厄斯。每一次都一樣：他會閉上眼睛，深呼吸三次，然後仍閉著眼睛，一隻手在架上摸索，每次都抽出他最喜歡的書或手稿。這個儀式像是獻上某種敬意，對那些得到上帝啟蒙而寫下古老經典的僧侶致上崇高的敬意。

有時我想幫忙，但他會說：『不，安格思，別插手。你還不夠高，我來拿！』

他的身高比我矮，不過他口中的『高』，我得等到跟他一塊生活了一陣子之後才了解是什麼意思。那是靈魂的高度、智慧的高度，這種高度使他成為一名巨人，散發著上帝的恩典，站在我面前，教導我。在那一刻，他伸手拿另一份手稿，準備讀出來，我只是一個小學徒，大師面前的小男孩。

『我如何配得上這樣的恩典，院長先生？』我問老僧侶，知道我不曾為基督教出過力。正好相反，我攻擊過劫掠過許多僧院，我知道海狼曾經為此非常不安。尤其是之前我的腦子裡還裝滿了老詩人布拉吉跟我說的那個不怎麼中聽的故事，說那些挪威人攻擊法蘭克人的土地，只要搶劫了僧院裡的聖人遺骸就會倒楣。

『若我以前曾是你的敵人，院長先生，我很慚愧你們這麼照顧我；你們救了我的命，讓我不會沒有榮耀而死去，我永遠不敢忘記。其實，從這一刻開始，我請求你讓我來保衛你們。』

『我親愛的安格思，有時候你做了什麼並不重要，因為上帝能夠看穿他的子民的靈魂。最重要的是從現在起你打算做什麼，信仰會在你心裡生根，美德會在你身上茁壯。』內尼厄斯回答道，表情嚴厲，卻充滿了憐憫。

老院長緩緩翻頁，我則思索著他的話，思索著這些話隱含的挑戰。比起透視自己的內心、重新給自己的價值觀定位來說，和神志不清的戰士打鬥實在是輕鬆得多。我彷彿需要重建自己，不但是身體上的重建（我的身體已經在漸漸康復），也是本質上的重建。找出我真正相信的東西，在對我仍具意義以及逐漸學習到的新原則之間作抉擇。這時老院長開口了。

『為了要有美德，孩子，你必須要先了解什麼是美德，這就是我必須教你的道理。你看，我選擇的手稿正是聖吉爾達斯的作品，是聖人的話語，充滿了性靈的力量。等以後你的理智和心靈都準備好了，我就會唸給你聽。』

好奇之下，我很有一股衝動，想叫他把這些寫滿了智慧的書頁唸給我聽，不過半是疲倦半是尊敬，我選擇沉默。等到時機成熟，老院長自會把這些秘密告訴我。

日子一天天過去，幾乎沒有一天不下雨，因為現在正是雨季。我的身體開始有反應，力量逐漸恢復。因為如此，再加上我想謝謝僧侶們的照顧，所以我開始幫忙廚房裡的雜務。廚房裡除了做麵包、做牛奶燕麥餅乾那些傳統的料理之外，最重要的調味料似乎是僧侶的快樂，他們不但是真心的快樂，彷彿給什麼強大的力量激發出來似的，而且他們的快樂不會因為任何事情而動搖。而在他們開心的時刻，無論年紀老幼，他們都很像是我在凱特村裡的朋友，大孩子一樣，連我也覺得像個孩子起來。每天早晨天剛破曉，身體仍未完全康復的我就聽見了晨禱，感覺那深奧的音樂。晚上，他們吃過營養的一餐，是加了煙燻雞肉的蔬菜湯，我能復元都是拜這營養豐富的湯所賜。

除了食物增強我的體力之外，僧侶們還滋養了我的靈魂。我開始加入他們祈禱，差不多同時內尼厄斯也開始給我上課，教導我什麼是永恆的價值，什麼只是過眼雲煙。我發現他的課很奇怪，很難理解為何我父親捨命奮鬥的東西並不重要。於是我問內尼厄斯。

『你們說物質享受沒有價值，可是你們又說你們的上帝會提供物質享受，為什麼？』

『物質享受並不是沒有價值，』老院長回答。『就是因為這些物質享受是上帝的恩賜所以才是一種莫大的神恩。不過要是耽溺於物質享受，那就成了另一種形式的奴役。』

我一聽完他的解釋，立刻就想起害死我父親的人在奪取別人財產時那種貪婪喜悅的嘴臉。我想起他們為了一只小胸針小手環就吵架，發瘋一樣的玩女人，最後在灌了幾杯蜂蜜酒下肚，壯了膽色之後就開始殺戮。

老院長繼續說。

『安格思，我要告訴你沙漠僧侶的教誨，』他用更溫柔的聲音說：『有個名字叫做安東的聖人為了要讓天堂的祥和氣氛包圍住自己，拒絕了短暫的富貴，把自己的財產都送給了窮人，自己隱居到沙漠裡。結果有些人跟了去，其中有個年輕的學徒也問了跟你一樣的問題，安格思。聖人要年輕學徒把幾塊生肉綁在身上，然後離開，到沙漠去流浪個兩天。兩天過後，年輕學徒回來了，筋疲力盡，而且全身都是傷痕。「大師！」上氣不接下氣的學徒一面喘一面說：「我被最可怕的猛獸攻擊，兀鷹在我頭上盤旋，等我終於累得睡著了，有兩隻兀鷹張著利爪俯衝下來。要不是我命大，我就回不來了！」要是我們捨不下物質享受，我們也會這個樣子的，年輕人。』

『請您再解釋清楚一點，院長先生。』我請求道，對這故事很感興趣，很想了解他究竟想用這個教誨來告訴我什麼。

『孩子，你就像匹馬，可是你得多像駱駝一點。那種動物生長在遙遠的地方，像是康士坦丁堡。』

『駱駝是什麼樣子？』

『駱駝跟馬恰恰相反，馬只會吃會排洩，駱駝卻會咀嚼很長一段時間，然後慢慢的消化。等到把食物吞進肚子裡，駱駝會反芻，也就是說食物會回到口裡，然後駱駝又開始咀嚼，把每一份營養都吸收進去。』

『駱駝跟我又有什麼關係，院長先生？』

『你得像駱駝一樣把我說過的話一點一滴的消化，一次吸收一點！』他用非常決斷的口氣說，然後就走了。

躺在床上，我盯著輕輕落下的雨，沉思了很久，想著想著睡著了。後來突然被一場夢驚醒，這場夢整個晚上不斷的浮現。夢裡面，有一條巨大的紅角蝰蛇㉑吐出很多小綠蛇，先是吐在一棵巨大的樹上，後來整個樹林都是。小綠蛇變化成人形，唱著可怕的詩篇，刺激紅角蝰，角蝰吐出更多小綠蛇，小綠蛇變成更多的人。突然間，這些人不再是普通人，而是挪威武士，就跟我和我父親的族人一樣。他們殺氣騰騰的攻擊，燒掉了四周的一草一木，殺死婦女兒童，毀掉了現在收容我的這種地方。夢境一而再再而三的重複，連環不息。

我思索著這個夢，覺得可能是某種懲罰，因為我也曾幫著摧毀城池，摧毀像現在收容我的修道院。除了夢境的恐怖之外，我也因為夢境喚起了對父親的回憶而心緒不寧。我想起了北歐神話中，被海洋環繞的『中庭』世界，以及毒蛇約蒙加德。我記得『中庭』的中心有一棵大梣樹『世界之樹』，由於毒蛇約蒙加德無法撼動梣樹伸入冥界的樹根，所以毒蛇便嘔吐在樹上㉒。老布拉吉曾教導過我這些傳說。願他在英靈殿得到安息。

隔天過得很平順，精采之處都是日常生活最簡單同時也是最珍貴的東西，比方說到附近溪流去挑水，用水瓶裝好送回修道院。到晚上同樣的夢又出現。也是一樣重複不斷，可怕之極。我決定要把夢告訴老院長。他雖然聽得很仔細，卻沒有給我祝福，也沒有任何的評論。

於是每天晚上這個夢都糾纏著我不放。只不過上一次我作夢的時候，夢裡有一聲巨吼驚擾了大紅角蝰。巨吼愈來愈響，然後角蝰看見了一頭巨獸，是一頭有四隻腳掌的巨獸，比馬還要強壯。牠有皇冠似的鬃毛，顏色像黃金，光芒四射，看起來跟火焰一樣；牠的體型非常龐大，腳掌上生了利爪，牠朝角蝰大吼，音量有十個打雷加起來那麼響，神威凜凜，毫不猶豫的對上了角蝰，逼迫角蝰離開。我也看見這頭巨獸守護著一把長劍。

隔天我把夢一字不漏的告訴了老院長，這次他有了評論。他用很嚴肅的語氣解釋給我聽。『角蝰是上帝的敵人，牠吐出異教徒，散佈到全世界，為的是要把上帝寵愛的子民給趕盡殺絕。』

『您以前為何不告訴我？』我問道。

『我沒說，是因為上帝的敵人那些勾當我不感興趣。現在我會回答是因為上帝的正義出現在你的夢裡了，就是那頭獅子。那是一種生長在非洲沙漠附近的動物，非常勇猛強壯。這點就跟你有關了。』

老院長又一次讓我出乎意料之外。

『獅子代表勇氣以及堅定的信仰，因為獅子是上帝喜愛的一種動物。牠的力量和雄偉象徵著上帝的力量和意志。

『你就該像這頭獅子，安格思，服膺上帝的話，堅定不移，無論毒蛇把多少邪惡吐到世界上，你都能夠面對毒蛇不斷的攻擊。』

晨禱給了我安慰。聽著經文，看著新的一天誕生實在是非常恬美的事。我的身體愈來愈強健，不禁很想回報修道院給我的恩惠。

每天，老院長都會給我一些教誨，一點一點慢慢來，免得我困惑迷惘，我才能去細細思索學習到的東西。『像駱駝一樣反芻，而不是像馬一樣吃了就拉掉。』他說。

冬天靜靜的籠罩了修道院，大地鋪上一層雪白，我們穿上厚重的毛衣，小溪的河面變窄，屋簷垂下冰柱，壁爐整天燃燒，我們不斷搓著手，呼出一團團的白煙。這時我已經完全康復，開始幫忙做比較粗重的活，像是砍柴火，捕鮭魚，甚至去打獵。

有一天內尼厄斯來跟我說：『就連自動自發去祈禱的人也應該有段時間聆聽，應該要專心注意，因為如果你是在性靈上得到啟蒙的狀態，如果上帝對你的心說話，你就應該中斷一切，仔細聽祂的啟迪，伏身敬領祂的話語。因為不聽上帝說話就像是從內心放棄上帝，祂的話就會成耳邊風，從天堂跌下落入塵埃。』

內尼厄斯真奇怪……他不解釋意思，就任由他的話懸在半空中，可是我注意到其他僧侶用非常尊敬的態度在傾聽。而且隨著日子一天天過去，我比較能夠理解他想說什麼了。他的教誨彷彿在我腦海裡回響，在我的身體內成形，建構出一個真理，就連我也知道很難轉化為理想的字句。換句話說，憑我那點不起眼的知識，我是沒有能力表達出這些真理的。

在修道院住了一陣子之後，內尼厄斯問我願不願意受洗。我很感激他們那樣慈善的對待我，立刻一口答應。他說他會是我的教父。我問他教父是什麼意思，他解釋說從此之後我們的關聯會非常密切，彷彿有血緣關係。不過，他又補充說，實際上這份關係比血緣還親，是神聖的聯繫。能有他當我的教父，我覺得十分的榮幸。

但首先，他要讓我有受洗的準備，他還要讓我對其他那些我完全沒有概念的東西有準備。接著，他提到一名武士，這名武士是個軍閥，後來成為國王，擊敗了不列顛的撒克遜人。老院長說因為我的夢，所以他要跟我說這名武士的故事。他半閉著眼睛，彷彿想起了什麼在記憶深處燃燒的東西，緩緩開口了。

『安格思，不列顛島上有遼闊的海岬和數不盡的城堡，城堡用磚和石頭營造得很堅固，城堡的居民分成四種人：蘇格蘭人、皮克特人、撒克遜人、古老的不列塔尼人。不列顛的名字是從一位羅馬大臣布魯托衍生來的。』

『我在凱特出生，靠近瑟索村，蘇格蘭領土的北方，我外祖父跟我說我的祖先就是你剛才提到的皮克特人和蘇格蘭人……而我父親這邊是挪威人。』我對老院長說，回想起遙遠的過去，不由得產生一股混雜了痛苦和恨意的感覺。

『小夥子，我看得出你有戰士的血統，』老院長用微帶諷刺的口吻說：『皮克特人佔據了奧克尼群島，以奧克尼為基地，向四面拓展疆域，佔領了不列顛左岸的土地，在那裡定居了很久，宰制三分之一的島嶼。很久之後，蘇格蘭人從西班牙抵達了愛爾蘭。在此之前，不列塔尼人口十分稠密，勢力擴及東西南北。』

我專心聆聽，因為我喜歡了解自己的祖先。看見我興致勃勃，老院長又繼續說下去。

『不列塔尼人在三世紀的時候來到不列顛，到了四世紀，蘇格蘭人佔領了愛爾蘭。不列塔尼人並不覺得蘇格蘭人是永久的威脅，所以沒有任何的防禦工事，從此西北兩方就永無寧日，蘇格蘭人和皮克特人總是不斷的入侵滋擾。』

『您是說他們從來就不反擊嗎？』

『他們想反擊，可是皮克特人和蘇格蘭人太驍勇，他們不是對手。不過你也別忘了有一段時間是羅馬人統治，你一定聽說過他們。』

『我知道羅馬人的力量來自於他們軍隊的紀律，我聽過一些故事。』

『好幾世紀前，羅馬統治世界，也征服了不列顛。為了保護這些省份不受蠻族侵犯，羅馬人建了一道圍牆，把不列塔尼人、蘇格蘭人、皮克特人隔開，那道牆從東岸延伸到西岸，總共有一百三十三哩長。』

『哇，』我很訝異。『那一定很長很長。』

『那是當然，』老院長說：『這麼說吧，如果一個人想要走完這段路，他起碼得走上一個禮拜，

皮克特戰士的裝扮。皮克特稱得上是最剽悍兇殘的民族，曾被羅馬統治，聖哥倫巴使他們皈依基督教。

每天都走，不能休息。』

這樣解釋讓我印象非常深刻，然後他又接著往下說。

『在長期統治，連年征戰之後，羅馬人的勢力在不列顛也慢慢沒落了。那時暴君沃提根在位，蘇格蘭人和皮克特人不斷犯境，本土居民苦不堪言。所以當有三艘船從日耳曼尼亞遭到放逐，抵達了不列顛之後……』

『日耳曼尼亞是什麼地方？』我打岔問道。

『那是海洋另一邊，靠近法蘭克王國的地方。那是一塊非常遼闊的區域，有許多王國、民族，都很好戰。其中有三個民族來征服了這裡的島嶼，組成了今天的撒克遜和盎格魯王國。』

『院長先生，我以前都不知道，我還以為他們本來就是島上的人呢。』

『他們在不列顛定居已經有三百年了。第一批來的人是由一對兄弟率領的，這對兄弟叫做霍薩和亨吉斯特，是魏克斯特吉爾的兒子，據說魏克斯特吉爾是日耳曼人的戰神渥登的子孫。』

我覺得有人會是奧丁大神的後裔簡直就荒唐可笑，不過我沒有打岔。

『不列顛國王沃提根把他們當朋友一樣歡迎，還把珊內特島送給了他們。交換條件是他要他們幫忙抵抗皮克特人和蘇格蘭人。』

『這一招管用嗎？』我問道，本以為他們全都敗給了蘇格蘭人，現在很高興聽見了作戰的事。

『一點也不管用。聽聽聖吉爾達斯寫的東西，你就會有概念了。』

於是他翻開手裡的書，唸了起來。

『「於是，剛愎自用的暴君沃提根以及大臣們盲目無知到自以為是在保衛領土，其實是引狼入室，叫剽悍無情的撒克遜人去擊退北方各族的入侵，他們等於是親手簽下了死亡契約。撒克遜人對上帝和人類心懷怨恨，讓他們定居下來就跟在羊群裡放了一匹狼一樣危險。我們的家鄉從來沒有發生過這麼可怕、這麼不幸的事，人民的心裡必然是給伸手不見五指的黑暗所籠罩了，那是多麼絕望冷酷的黑暗啊！首先，他們應這個愚蠢國王的邀請，在島的東岸登陸，從此他們的魔爪就緊抓住那裡不放，表面上是為了不列顛島而戰，骨子裡根本就是為了自己！他們的祖國看見了第一批子民的成功，又派出更多的餓狼橫渡海洋來加入他們可惡的戰友。」你聽聽，聖吉爾達斯在這裡記載了當時基督教的不列塔尼王國所陷入的精神蒙羞狀態，不但淪於魔爪，還把王國拱手奉送給浩劫。』

『我猜他們確實是犯了大錯，』我說：『他們實在是太不小心了。』

『沒錯，安格思，既不小心又懶惰！』他倨傲的說：『於是有些幸而逃過一劫的不列塔尼人在山區被逮，大批人送了性命。活著的人，因為飢寒交迫，冒著會當場送命的風險，不得不向敵人投降，成了奴隸。但上帝並沒有放棄這些敬重祂、遵從祂，從祂的美德凝聚力量的人。』

這時，艾弗隆端著飲料進來了，這種飲料是用大麥、薄荷葉、蜂蜜浸泡出來的，沒有經過發酵，而是煮過之後放涼，味道甜甜的。他喝的時候，我想著面向修道院的樹林，和這些使人平靜的僧侶作伴，喝著這種飲料，總是非常愉快的經驗。我這個一心想體驗冒險的人（實際上體驗的卻都是不幸）在這些一點也不古板的僧侶之間感到無比的快樂。沒錯，內尼厄斯是有點嚴肅，但他所到之處仍是一片的寧靜祥和。

『謝謝你，艾弗隆，我都沒注意到我也渴了。』我謝過他。

內尼厄斯繼續說故事。

『就在撒克遜人還是異教徒而且在不列塔尼人裡燒殺劫掠的時候，有一位將軍聯合了不列塔尼其他的國王，起來反抗撒克遜人，他的反抗既猛烈又艱辛。他的名字叫做亞瑟。據說他擁有眾多美德，所以能夠聯合不列塔尼所有的國王來對抗撒克遜人。』

我說過，戰爭故事總是深深吸引我，所以我對這位亞瑟非常好奇，我猜他必定是一名勇猛的武士。內尼厄斯又接著說。

『亞瑟在格萊河口打了第一場勝仗，不但震動了不列塔尼人，也讓撒克遜人大感意外，因為不列塔尼人的土地正岌岌可危，而撒克遜人則相信他們已是這座島嶼的統治者。大大小小的戰役接踵而來，第八次戰役是在基尼恩堡，亞瑟肩膀上扛著聖母瑪利亞像，異教徒大敗潰逃。』

這時我已經知道聖母瑪利亞是誰了，我母親提起過，而根據內尼厄斯的說法，她是基督的母親，而基督是上帝的兒子，既是凡人又是天神。內尼厄斯注意到我聽得很起勁，於是又接下去說。

『有了我們天主的力量，敵人死傷慘重。第十二次戰役在貝登峰，敵軍在一天之內陣亡了九百六十人，全都死在亞瑟的劍下，因為亞瑟顯然有天使相助。無論是哪一場戰役，都是亞瑟勝利。』

聽到這裡，我的眼睛都亮了，內尼厄斯猜出了我的想法，就說：『不要以為基督的鬥士只要有武器和勇氣就行了，年輕人。』

乖乖，突然間儼然是布拉吉站在我面前了……我心裡想著，忍不住輕輕笑了一聲，惹惱了老院長，就跟我以前老故意去逗布拉吉那位老詩人一樣。他嚴厲的瞪了我一眼，說：『我要來教你那些美德，年輕人，因為只有具備了這些美德才能夠有最堅定的信仰，才能剷奸扶弱。這七大美德就是活在上帝恩典之中的果實。』

收起玩笑的心情，我嚴肅的聆聽他的話，因為我知道我跟這位僧侶還有得學呢。他先從信仰說起。

『安格思，信仰是中心的支柱，你整個人生都應該建構在這上面！你走的每一步都應該要根據信仰。光是相信自己，你什麼也做不到，因為一個人的能力有限。只有上帝是萬能的。造物主會指引你的腳步，你會在祂的庇佑下邁步前進。』

內尼厄斯的音量變大，聽起來像雷鳴，他的兩眼也射出火光，彷彿突然有了神力。他的表情挺嚇人的，他的話在我心裡迴盪。

『你不是萬能的，安格思，你只能處理人類的邪惡。不過，只要你有信仰，你就會和上帝同在，祂就會指引你超越你的人類弱點。你會是上帝的鬥士，可惜的是，很少有人會放棄自我來全心信仰上帝。但拯救世界的人就是這少數的幾個人，安格思。世界需要拯救，因為驕傲會蠶食信仰，也會荼毒人心。所以，要有信仰，安格思，信奉上帝，祂就會把祂的偉大交託給你，你就可以變成上帝給人類的好榜樣，孩子，你的一言一行就會影響四周的人，因為他們會認出上帝是你的嚮導。』

『我不懂，院長先生……這個上帝怎麼可能是唯一的神呢？祂怎麼能一個人創造出太陽、月亮、海洋、閃電、打雷這些東西來呢？』

『孩子，理智所不能了解的真理，信仰可以讓你了解。信仰是希望、慈善、正義、謹慎、堅忍、節制的守護者，所以才會有七大罪的引誘，因為魔鬼想要剝奪信仰存在的功用。因為魔鬼想要摧毀美德和信仰，於是他誘惑人類，讓人類心裡起疑，就像你現在的感覺一樣；懷疑是思想的果實，但是和上帝步調一致的人是不會有懷疑的。』

『那祂為什麼創造這些東西呢？為了什麼？還有，信仰有什麼用？』我追問道。

『親愛的孩子，上帝創造世界不見得是為了要對自己有用，就像仁民愛物的國王願意禪讓他的權勢、表達他的善意一樣，上帝也願意創造世界，發揚各種美德，達到真善美的境界。』

『可是院長先生，祂到底是怎麼創造一切的呢？沒有一個神能有這種力量，就算祂有，創造了那麼多東西，祂的力量一定會衰竭。祂一定很久以前力量就衰竭了，祂怎麼產生後續的力量來創造我們周遭的事物？』

我知道我問得很好，可是對我來說這一切真的是荒誕不經。這跟我母親用她樸實的方法教導我的基督教也完全不同。

『安格思，太初之始就有上帝，這個世界也已經隱隱存在。宇宙的上帝，祂自己本身就是一切的支柱，在萬物創造之前只有祂自己一個人。祂雖然兼具了無形和有形的力量，卻仍把一切贍養在祂自身之中，而福音就從福音本身的淳樸意志之中產生，散播出去，生育了聖父。』

『你說祂自己創造了自己？不，我不懂，我永遠也不可能搞懂！』我的腦子好似龍捲風吹過，因為沒有一句話有道理，一句都沒有。

『祂是世界的開端，不過祂不是用分割的方式來製造自己，而是用衍生的方式。分割出來的東西到頭來都會和原始的母體分離，但衍生出來的則不會削減母體，這道理就像用一支火炬可以點燃許多火把，但不會減弱原本那支火炬的光芒一樣。就像此時此刻我在跟你說話，即使我的話轉渡了給你，在你的腦海裡創造了新的想法，但我不會因此就變得無話可說。藉著把我的聲音發送出來，我可以把你心裡的千絲萬縷給整理出一個頭緒來，而這千絲萬縷根本找不到起頭，就像上帝一樣，不過卻是祂這位萬物的創造主一手創造出來的。』

日子一天天平靜的過去，但我的心裡卻一點也不平靜，因為老院長的教誨說簡單很簡單，說難又難死人，我整個人好似陷入了暴風圈。每次我把他的教誨在心裡重複一次，我的感覺都不同，我的思緒飄到了遠方……

往後的早晨我繼續學習。我洗耳恭聽內尼厄斯說的話。我的位置面對教堂樹林，我知道平靜的風、清涼的微風、鳥叫，都會給他的話打斷。我得要習慣……基督教教義讓我覺得很奇怪，倒不會反感，因為我母親用她淳樸親愛的方式跟我說過。

內尼厄斯走過來，拖著腳走路，樣子怪怪的，看起來很不悅，一面擦嘴，因為他剛吃完麥片粥。

『今天我要教你另一種美德，孩子……就是希望。希望就像是母親把我們呵護在懷抱裡，所以上帝之母幫助我們最大的地方就是給予我們希望。那麼我說的希望究竟是什麼呢？就是母親的希望。』

內尼厄斯現在平靜的凝視著樹林，彷彿想起了什麼愉快的事。他面露微笑。

『你注意過世上當母親的人嗎，安格思？注意到她們是如何為兒子操心？』

我立刻就想起了她……我的母親……布麗姬還好嗎？村子還好嗎？有沒有遭到侵略？也許可怕的人一把火把村子燒光了……

『安格思？』內尼厄斯的叫聲把我心裡的恐怖想法給驅散了。『你有沒有注意到她們是如何的操心我們的健康，我們的教養？看著我們和兄弟姊妹開心的玩耍，彼此分享，她們有多麼快樂？那種喜樂是什麼也奪不走的。』

不想打斷他，我只用點頭的。

『沒錯，親愛的安格思，孩子給予母親的希望是圓滿的。孩子有一點點小擦傷，母親就會趕緊跑去照料，而且充滿了愛心。上帝也是這樣看待我們人類的墮落的，孩子，所以就算是輕輕的摔了一跤，祂也會溫柔的協助我們，而這份溫柔是世上的母親所無法比擬的，因為母愛是祂所創造的。所以，隨時要保持希望，安格思。跌倒了，爬起來，仰望上蒼，不要俯視地面。仰望上蒼，安格思，保持潔淨。好色淫亂害我們向自己的欲望屈服，讓我們不去思索天堂。情慾產生的不淨引你走上岔路，看不見上帝，惡魔就會來敲關緊的大門，所以你要牢牢關緊大門，把自己囚禁在裡面。』

老院長有些得意洋洋，眼神慷慨激昂，他接著說。

『上帝的第一條戒律就是對祂的愛要超過萬事萬物，這裡你就該小心了，安格思。第一戒應該是人類第一個也是唯一的一個意向。我把這一條戒律稱做「真正的意向」，因為這就是我們的目的，是我們被創造出來的原因。昨晚，躺在床上，我在想就因為世人忘掉了「真正的意向」，所以世界才會陷入了多災多難的境地；因為世人不了解，而世人之所以不了解，是因為世人少了那份勉強自己去記住、去理解的意志。再者，因為有太少人跟那些折磨世界的人可以相提並論，有些人的所作所為並沒有上帝之愛，對我來說，今天的世界缺少這種感覺實在是事態嚴重。那些上帝要我去愛的男人女人，來到人世吃苦受罪，因為他們頑固的拒絕上帝。所以我才寫了這些書，讓大家明白自己的原始意圖，然後或許可以喚醒他們去愛上帝、去服侍上帝的欲望。所以我才會寫，安格思，要讓所有人都明白美德的重要。』

內尼厄斯固然還是一貫的平靜，但很顯然他說的話對他很重要。他的語調隨著講話改變，真的很可以感受到他想要把他所信仰的真理和那些美德的力量，都散播給眾人。我自己就不得不承認內尼厄斯的話讓我的內心平靜，而且我不只一次有那種我被『重建』了的感覺，而且他說的每一句話都是組成這個全新的我的重要物質。內尼厄斯繼續說。

『安格思，希望就存在於愛上帝超過一切的意向裡。它是來自上帝的正義、慈悲、憐憫，而且也與其他美德有關。所以，孩子，如果你是罪人，因為犯了許多錯而絕望的話，你就受了引誘，就吃了敗仗，最後不由自主的和堅忍、慈善、正義作對。因為，有了堅忍，你的心無論如何都不會動搖，於是慈善就會帶領你去愛上帝的慈悲，去畏懼上帝的正義。』

說了這番比較像命令或審判而不像教誨的話之後，內尼厄斯靜靜的離開了。彷彿一切的東西，平靜的教堂、步態安詳的僧侶、小鳥，徐徐吹過輕拂林間樹梢的微風、遙遠聳立的山巒，一切東西都籠罩在他的話語中。而且不僅是大自然給籠罩了，連我自己也被他的智慧所折服。有時候，我和上帝之間逐漸建立起來的聯繫也嚇壞了我。不久之前我還覺得非常奇怪，現在突然就坦然接受了。我的疑問是我這個兇猛的戰士，什麼偉大的美德都不懂，是否能夠得到上帝的接納？

隔天早晨，鐘聲急驟，驚醒了我。某人去世了，修道院為此舉辦了一場儀式。

『埃德蒙國王駕崩了！』他們又喊又叫。『東盎格利亞最偉大的國王被異教徒海盜殘忍的殺害了！盎格利亞陷落了！』

我看見僧侶十分哀痛，像一群孩子失去了親人。漫長的追悼會無比哀悽，但我沒有參加，只在附近的樹林漫步，一來是我體會不了他們的感受，二來是我不認識這名國王。儀式之後才開飯，每個人都為過世國王祝福。

老院長走過來，我看得出他有多難過。

『基督教在這座天佑的島嶼上又蒙受了一次莫大的損失，就在我主第八百七十年。埃德蒙國王是東盎格魯人的國王。殘暴的異教徒把東盎格利亞王國夷為平地……上帝啊，誰能為我們抵擋這些野蠻人啊？』他低聲說出最後一句話，一手按著額頭。我看得出他有多沮喪，因為他垂著頭。

他們說埃德蒙國王不願用大筆的貢金換來和平，於是異教徒狂攻猛擊，摧毀了一切。而這位以信仰和正義聞名的國王以身殉國，死得非常不光彩。異教徒用他的身體當靶子，把他射成了刺蝟。聽說在他人頭落地的時候，一匹黑狼出現，叼走了他的頭，把那些北歐異教徒嚇了一跳。

我猜他大概是死在『血鷹祭』之下。要是海夫丹跟艾瓦是攻擊的一方，這名戰敗的國王絕對難逃此劫，不過我什麼也沒說，以免讓這位好院長更加的難過。

我們默默的走了一會兒。大地看起來一片哀悽。風在哀悼，似乎也在輕撫樹林，安慰他們。

『有很多重要的事你需要學習，安格思，而教導你就是我的責任。』老院長用幾近嚴肅的語氣說。

『謝謝你耐心的教導我，院長。自從我來這裡之後，每個人都對我很和善，而我卻沒做什麼來回報你們。』

老院長對我的話沒多說什麼，只是繼續說下去。

『今天，我要教你美德之母，希望她可以用她的智慧來教導我們什麼時候實踐這種美德。我說的是慈善。我們對待他人的時候第一個就該想到慈善。有很多時候，我們擁有太多，而這些正是我們的兄弟所缺少的。慈善也就是提供旅人和需要的人食宿，照顧傷者病人，教化無知的人，讓不信上帝的人有信仰。慈善有各式各樣的方法，將來你會知道，安格思。而慈善的報酬不是來自外在，而是內心裡無可言喻的喜樂！』

再也沒有人能比我更能證實慈善的價值了。今天我能夠活著，能夠聆聽老院長平靜的教誨，就是因為他的慈善以及所有僧侶的慈善。慈善給了我肉體上的生命，如今又為我開了扇門，讓我在精神上也有了生命。

『孩子，』內尼厄斯接著說：『一個人真正的意向是去愛上帝，愛他自己，愛他的鄰居，慈善就存在他的心中。慈善所代表的勝利會粉碎你的錯誤，提升你的美德。』

內尼厄斯用佈道的口吻說。

『孩子，要知道，你之所以會有同伴有友誼，就是要你對他表現慈善。如果你愛你的同伴，你就有了愛、正義、謹慎、希望：正義是因為你表現了慈善，所以才給你同伴；希望是因為你表現了慈善，所以你得到了報償；謹慎是因為你知道自己有資格得到光榮，而且你相信希望是因為你當之無愧。』

『那麼罪人就有可能被上帝接納了。』我說，想起我自己的情況。

『別把罪人和罪惡搞混了，』內尼厄斯說：『愛罪人，幫助罪人，但是要痛恨罪惡，根除罪惡，因為上帝愛祂的子民，就像慈母愛子女一樣，為了要讓子民的靈魂美麗，祂要他們有真正的意向。世上有種種的困難，這都是上帝的慈悲，如此一來就算有人泥足深陷，也不會迷失自己。慈善的相反，安格思，就是貪婪，也就是自己為王，而臣民卻貧窮挨餓。那種富貴沒有歡樂，因為他只會看見哀鴻遍野，無論躲到哪裡都躲不掉，就算他用奢侈豪華的東西圍裹住自己，也逃不掉四周的悲慘。』

說到這裡，我們就休息了。這是我第一次陪同老院長祈禱。雖然我不懂祈禱文，但我似乎是用我的安靜和尊重同老院長一起祈禱。我想起了老布拉吉，他實在是個大好人，但我現在才逐漸明白，起碼有一點明白，他們所謂的異教徒和非異教徒有什麼差別，因為我聽見的一切，還有我得到的善待，都讓我知曉那些死於我們刀斧下的無數僧侶是多麼的有深度，多麼的認真。唉，我們究竟殺掉了多少的內尼厄斯？拋棄了多少的教誨？剝奪了多少人類學習智慧的機會？就因為金條銀塊，我們摧毀了人類的傳承，害人類得不到面對生命所需要的教誨。我們放縱自己的意願，結果毀了世界。現在該是我的責任了，該是我這個了解像艾瓦和海夫丹那種人的意願的人，來想辦法結束這種毀滅了。但該怎麼做，我一點也不知道。

祈禱過後，我回到臥室，睡得很沉。我夢到自己航行到遙遠的土地，我是個甲爾，正在追蹤艾瓦，他已經是這座島的領主，卻還是嫌疆域不夠大，冒了不必要的危險去開疆闢土。我感覺他會給自己的野心擊敗。我站在德拉卡的船頭，乘風破浪，心頭十分愉快。等我醒來，我很高興置身在這群僧侶之中，而不是與那些我認識的卑鄙傢伙為伴。那些人，像一群烏合之眾，只知道仇恨和貪婪，羞辱了自己，也羞辱了自己的同袍。

我一醒來就聞到李子黑莓蛋糕的香味，是艾弗隆兄弟在掌廚，香味瀰漫了整個修道院。這種蛋糕非常之大，大家都急著想吃……真的，好吃極了。艾弗隆說這是他的驚奇食譜，他還說他很喜歡弄些讓大家驚喜的東西，而且他喜歡把食譜寫下來，這樣每個人都可以學著做，而這種歡樂期待的氣氛就會再次重現。他說他自己沒有神的啟迪，只能寫寫食譜，不像內尼厄斯可以寫出那麼偉大的經典。老院長聽見艾弗隆這麼說，笑得像個孩子一樣。

『偉大的啟迪，艾弗隆！美味極了！』老院長舉杯祝賀道，吃得很高興。

就連蛋糕的芳香都能夠引發奇蹟，葛瑞哥里斯兄弟竟然給引得下了床。他貪心的吃著蛋糕，還不忘轉向大師傅說：『艾弗隆！上帝保佑你的蛋糕！』

雖然吃得很高興，葛瑞哥里斯兄弟多少還是有點尷尬，因為他早上總是沒辦法起床參加晨禱。不過內尼厄斯院長卻很容忍他，根據老院長的說法，到了晚上抄寫手稿、謄錄典章，沒有人像葛瑞哥里斯一樣做得又快又好。而內尼厄斯願意原諒葛瑞哥里斯打破修道院嚴格的紀律，理由是上帝八成把他創造成夜間動物，就跟祂創造狼一樣。『我憑什麼來干涉上帝的創造呢？』他說。這就是內尼厄斯，善良到無以復加的程度，而且非常睿智，知道該善加利用每個人的長處。

當天下午，老院長來喚我去上課。

『來吧，安格思，今天下午我們來談談謹慎這個美德。謹慎是你該學習的第四種美德。就連在戰場中都會是你的指揮官，因為你一定要戰鬥，不但是你的精神需要戰鬥，你還要和那些異教徒海盜戰鬥，以免他們消滅了基督教。就算在堅忍的時刻也需要謹慎。如果你是勝利者，你也需要謹慎，這樣才能做一個公正的勝利者。謹慎的相反是分歧和割裂，不列塔尼人的王國就是因此而衰敗不振的，因為他們總是勇於內鬥。將來你就會知道這段歷史，安格思。以後我會把不列塔尼人的錯誤以及他們是怎樣變成敵人的殂上肉告訴你，就是因為他們不團結。』

『院長，叫戰士謹慎不會很奇怪嗎？』我問道：『我這一輩子學到的都是要我勇往直前，不讓恐懼阻撓了我的行動。現在你卻叫我要謹慎？』

『孩子，一個人知道如何擁有美德，如何運用上帝的愛和知識來閃避邪惡，然後去愛自己的同胞，愛自己和鄰居，這樣的意圖就是謹慎。人類經常受到引誘，偏離了真正的意向，反而走上了歧路，讓無知及瘋狂有出頭的機會。』

『如果無知是謹慎的相反，那麼謹慎是不是也算一種智慧？』

『親愛的孩子，謹慎和智慧幾乎是一模一樣的東西。』

我開始覺得很難理解了，但他仍自顧自的說下去。

『安格思，謹慎這種美德需要意志力，而意志力則需要理解力來闡明，需要正義來判斷，所以希望、慈善、堅忍、節制都把謹慎保存在它的意向裡，也就是提升最大的善，迴避最大的惡；在說話中，在沉默中，在冥想中，在工作中。』

這時他注意到我有一些困惑，於是決定就此打住。

『你累了，該休息了，孩子。』他笑著說。看著他的微笑，我很確定打從這一刻開始，他變成了我的良師。我很開心我們能是朋友，也很感激他給我的照顧教導。

那一天我跟艾弗隆談內尼厄斯。艾弗隆的年紀跟我一樣大，我們已經是好朋友。我們倆有一個共同點，那就是對內尼厄斯的欽佩。艾弗隆告訴我說他是孤兒，是內尼厄斯一手帶大的。我也跟他說起我父親去世的事，說他是一個多麼勇敢公正的人，一個好戰士。艾弗隆叫我祈禱，懇求上帝之母幫我向上帝說情，這樣我的喪父之痛就能減輕。我不知道如何祈禱，更不曉得該如何向上帝之母祈禱。他跟我解釋說上帝之母就像是眾天使的將軍，然後他又說了更不尋常的事：他說他和內尼厄斯一起在森林裡發現我，當時我身上有傷，昏迷不醒，後面還有三個挪威人在追我，他們都全副武裝，可是在他們看見了我們，朝我們殺過來的時候，他們突然停了下來……因為害怕而裹足不前……似乎是看見了什麼可怕的東西。接著艾弗隆告訴我，他親眼看見我們的頭頂上有一道光芒四射的人影。

『一位巨大的天使揮舞著一把火焰劍保護我們。他神威凜凜的瞪著挪威人。換作平常情況，他們

天使是個巨大光亮的男人，
眼神很嚴厲，揮舞著火焰劍。

要殺我們根本易如反掌，可是那天看見了那麼宏偉的影像，他們卻嚇得逃走了。我這個從沒想過可以親眼看見天使的人，每天都感謝上帝那一刻有幸和內尼厄斯在一起，因為天使顯靈完全是為了可貴的內尼厄斯。天使是個巨大光亮的男人，眼神很嚴厲，揮舞著火焰劍。我這一輩子都不會忘記，我的信仰也因此而更堅定了。』

艾弗隆說他沒有跟內尼厄斯談論這種事，因為老院長不喜歡談。

內尼厄斯跟我討論堅忍的時候到了，我們又一次在修道院裡的老地方見面。我已經有需要聆聽他教誨的感受了，因為我已經習慣了接受他的智慧，那是那麼的珍貴，而他又那麼大方的教給我。他的智慧就像一只永遠不空的酒杯，我可以一直喝，無論多口渴都可以獲得舒解。所以我把握良機，因為我怕再也不會有類似的機會了。他開始說話，語音輕柔，但是卻總含著最堅定的信念。

『堅忍就是抗拒上帝和人類之敵所設的陷阱。你一定得要有毅力，絕不能灰心喪志，無論使命有多麼偉大，都需要堅忍才能貫徹始終，所以要有毅力。』

這點在我聽來大有道理，恐怕出乎了內尼厄斯的預料之外，因為我老是在思考我需要做什麼，還有我要做的事是多麼的可望而不可即。我繼續豎著耳朵聽。

『孩子，堅忍的存在是為了要人心把意志力變得堅韌而且受制於正義、慈善、謹慎和希望，這樣人才能夠有堅定的內心來對抗惡行、邪惡、欺騙。這些邪惡引誘著堅忍，以便讓無望、偏頗、無知、仇恨滲透人的意志，為驕傲、懦弱、虛假、憤怒、貪婪、嫉妒打開大門。』

『可是美德最後會勝利嗎？』我大著膽子問。

『安格思，有了堅忍，美德就足以抵抗罪惡；沒有堅忍，罪惡就會凌駕於美德之上。記住，堅忍會受到的誘惑有威脅、貧窮、憤怒、惡意、財富、美貌、世俗的享受，甚至還包括榮耀和其他無可名狀的東西，唯有信仰虔誠、意志堅定的人才能夠堅持到底，擊敗誘惑。』

『這麼說堅忍就是這世界上抵抗邪惡的工具了？』

『好孩子，要是你有堅忍的美德，你就可以不受邪惡侵襲，你就會在真正了解了自己的意向之後才會開口，你也會在正義和慈善許可了之後才到正義和慈善要你到的地方去。而且如果你，我的孩子，有了堅忍，你就能征服自己，征服敵人，你就會鄙視欺騙、驕傲、惡行、壞事。』

『那麼堅忍的相反是什麼呢？』我問道，興趣愈來愈濃。

『堅忍的相反是怠惰，常被用來阻撓你的使命，可能會導致你這個信仰的戰士心灰意冷，你的性靈破產，也可能讓你畏懼別人的想法，那些人都是拿你的欲望開玩笑的人。你的欲望就是上帝的欲望，無論有多偉大。所以，面對個人戰鬥時的害怕，最後反而會變成堅忍的大敵，你必須無時無刻不和它戰鬥。所以，千萬別給你精神上的敵人任何喘息的機會，安格思，你要帶著雄獅的怒氣，堅忍不拔的行動。』

我立刻想起了那個夢，那頭獅子……我也開始注意到內尼厄斯其實是用他的教誨來給我鋪路，前方有個嚴肅的任務在等著我。不過，此刻我的印象是他很久之前就知道了我的出身，搞不好他就跟我父親族裡的某些女人一樣天賦異稟，在戰士出征之前就能預知他是否會戰死沙場。反正最起碼他一定有點不同，因為我根本沒有提起我的夢，就聽見他大喝：『記住你的夢，孩子！長劍和獅子！慢慢的你就會清楚，孩子！不過首先你一定得像那把鋼劍一樣好好鍛鍊！』

我真的很佩服老院長，但他仍然靜靜的離開，無視於我的驚訝。我一整天都在思索。究竟是怎麼回事？他為什麼可以詮釋我的夢？

這一天他都忙著撰寫不列顛島的歷史，有許多僧侶和見習修士幫忙，這些見習修士耐心的描繪精美的圖案。親眼看見他們的專注以及他們的成果，真的是非常美妙的經驗。

我有一次聽見他們談到些威脅不列顛的民族，也就是我父親的族人，而因為我是半個挪威人，所以也算是我的族人。說話的人是兩名年長的僧侶。

『要是那樣就好了。』有一個說。

『什麼？讓異教徒皈依嗎？』

『對呀！』第一個回答。

『可是要怎麼做呢？他們根本就脫離了正途，又犯下那麼多獸行，比大火還有破壞力。』

『只要記住聖哥倫巴是怎麼讓皮克特人皈依的就行了。還有哪個種族比皮克特人來得兇殘呢？所以，有什麼不可行的呢，維黎波多修士？』

『有什麼不可行？我不知道，可是這些海盜正在摧毀整個王國，而沒有一個國王能夠登高一呼，抵抗他們。我們全都死定了！』

『他們是最不像上帝的生物，修士。我看要讓豬狗魚蟻皈依還比較容易點。』

『我們可以到水底去蓋教堂，為魚祈禱，再到樹上蓋一間聽鳥告解，我們可以給野豬受洗，幫螞蟻蓋迷你教堂！至於那些人，修士，我不相信我們有辦法讓他們皈依。』

兩名僧侶的談話害我發笑，不過知道艾瓦和海夫丹是什麼樣的領袖、他們的攻擊有多麼兇猛殘暴，我不得不同意維黎波多修士的看法。

晚上我看見葛瑞哥里斯修士和內尼厄斯以及兩名僧侶在忙手稿，就問他們是在寫什麼。他們給我看了一部分，我對那些完美的圖畫又一次讚嘆不已。

他們給我看的圖畫其實並沒有按照文章本身的內容來畫，根據葛瑞哥里斯修士的說法，圖畫的作用是在闡明內容。這些全都是他們在一間叫做繕寫室的房間裡完成的，那是圖書館裡的一區，專供僧侶中的繕寫員和畫師使用。把這些宗教人士的智慧寫下來，把神聖的典籍一字不漏的抄下來，本身就是很精細很費力的工作，但葛瑞哥里斯修士卻堅稱美麗的插圖是在闡明文稿，照亮內容，因為這些典章太珍貴，馬虎不得。對他而言，俯首書案，沉吟內容，具有把這些聖人言談植入心中的功用，他用的詞是『默記』，根據他的解釋，『默記』就是『放入心中』的意思。他還解釋說用來書寫的羽毛都在熱沙裡軟化過，而且是手工雕的。我真的很佩服他們的勤奮和奉獻。

在葛瑞哥里斯修士忙著他的工作時，內尼厄斯乘機教導我什麼是正義。

『孩子，正義就是意圖在兩強之間、一強一弱之間、兩弱之間建立起平等。你會熱愛正義，口出正義，盡力了解自己，熱愛讓你存在的這個理由。你會勤奮不懈的完成你的使命，你會用一顆正義的心去完成使命。勝則寬仁，敗則勇敢。要是你不公正，和邪惡糾葛不清，你就讓正義喪失了它的兄弟，也就是希望、慈善、謹慎、堅忍、節制。如此一來，你就沒有了正義，反而是無知和瘋狂佔據了你的心，因為愛上邪惡就會失去上帝的愛。如果有人既驕傲又邪惡，上帝的正義不會要這種愛邪惡的人擁有希望或任何美德，不會要他有美麗的靈魂。你必須要追求上帝的正義，為它而奮戰，而且要成為一個公正的人，這就是你的任務，安格思，也應該是世人的任務。正義的敵人是嫉妒，嫉妒就會衍生貪心、暴力和戰爭。記住你夢裡的劍，「帶來正義之物」！』

他這次提到我的夢又讓我非常驚訝。

『要是你沒有一顆公正的心，那把劍就毫無價值，安格思。』

『你對我的夢怎麼會知道的這麼多，院長先生？是誰讓你有洞澈人心的力量？』我斗膽的問。

老院長沒有直接回答我的問題。

『你的夢或許是對你未來的預言，年輕人。我知道有一把劍正在等候一名公正的戰士，他具備了七項美德，而且一一實踐，就像戰士劍不離身一樣。如果你就是那名戰士，它會送到你眼前來的，安格思。為了這個原因，我得讓你準備妥當。』

我很用心的思索這件事，有部分的我很想要，有部分的我卻很害怕那些逐漸攤開在我面前的神秘道路。當時我的心底非常不平靜，就像給狂風掃過。

『既然是勢所難免，那就請把第七種美德告訴我吧。』我請求道，因為內尼厄斯揭露的事情還有我謎樣的夢境把我攪得心神不寧，彷彿樣樣事情都和我不理智的意願吻合，我想要變成我的敵人海夫丹和艾瓦在霸業上的阻礙。

『第七種美德是節制，在世俗的享受和虛榮之前適可而止。節制可以給你平衡，讓你享受和平。在和平中你才能聽見上帝對你說話。要是上帝對你說話，無論你走到何處，你的所作所為都能夠帶來和平。上帝把節制給了人，是因為無論什麼東西都可以大用小用，兩種情況都有危險。人在吃飯的時候、說話的時候、穿衣的時候、走路的時候、沉思的時候、需求的時候、理解的時候能有節制，就能夠和所有東西和諧一致。』

『要是我做不到節制怎麼辦？』

『要是你受到了誘惑，沒辦法節制，最好的方法就是尋求其他美德的支持。慈善讓我們熱愛節制勝於享受，謹慎讓我們知道不節制有多麼危險，堅忍可以利用禁欲和忍耐來加強意志。』

『我真的有資格能得到這些美德嗎，院長先生？』

『安格思，我們大家都有美德，我們應該做的是發揚我們的美德，因為美德是我們的城堡。可是誘惑會攻擊你最大的弱點，或是攻擊你最不重視的美德。絕對不要忘了其他的美德，因為你一分心就可能導致敵人來攻擊你的優缺點。所以你才必須小心守護自己的美德，你要當自己的瞭望台，小心守護你最珍貴的資產，為了要愛得更多、愛得更光彩，人心必須要奮鬥犧牲。好好守護神的恩典，安格思，你的城堡才不會被入侵。抗拒所有拿你當標靶的攻擊，你就能成為一位英雄、一位勝利者。』

『敬愛的院長，坦白說，到今天為止我活在罪惡中比較多，活在美德裡比較少。難道罪惡不也是人們生來就有的嗎？真的有可能把罪惡從你心裡和生活中拔除嗎？』

『安格思，只要服膺上帝，就沒有什麼不可能的事。罪惡也有七大項，邪惡會把人類從神的恩典推開的，所以從現在開始，如果你希望有朝一日能夠完成你的使命，你就不能有片刻鬆懈。』

他又說到了使命，好似那是我命中注定的一樣。我自己倒懷疑究竟有沒有這個我一無所知的使命，不過話說回來，這使命好像開始慢慢集結成一個巨大的形體了。

『貪吃是七大罪之首，包括暴飲暴食，不知節制。孩子，為了活下去，是必須要飲食的，但貪吃是過分的縱容口腹之欲。一個人要根據正義來攝取足夠的飲食，有時會想要多吃點多喝點，上帝就會派遣天使來勸告你要記得正義、謹慎、堅忍、自制，好讓你懂得禁欲節制，不會誤犯了貪吃罪。』

我不需要什麼舉例就可以了解貪吃罪，只要回想我的戰友征戰回來筋疲力竭的模樣，或是攻打村寨的情況就可以了。事實上，老院長即將跟我說的所有罪惡都可以拿他們當活生生的教材。內尼厄斯繼續說下去。

『有位國王有一次來找我，跟我抱怨說他非常不快樂，因為他太胖了，而且他的妻子也不再和他同床共寢。他眼睜睜看著自己的王國分崩離析，卻沒有辦法從自身找出什麼力量來扭轉頹勢。我跟他解釋說貪吃還有一種傾向，也就是一心想致富，以便供應自己的飲食。因為他把吃看得最重，結果就會暴飲暴食，連帶的又產生第二種欲望，就是要搜括財富，於是他就偷竊、詐騙，無惡不作。又因為第一個欲望比第二個欲望大，他就會變得貧窮，把所有的財富都花在飲食上，人也變懶，睡得太多，不再勤奮的儲存財富。到頭來，他毀了自己。所以說罪惡像一條鎖鏈，會奴役它的囚徒，毀滅它的囚徒。』

正如我料想的一樣，我的許多戰友都非常符合這些描述。

天色晚了，我們回房就寢。我覺得自己必然是穿上了一件神秘的鎧甲，抵擋住了看不見的危險陷阱，讓我沒有像那麼多人一樣落入陷阱，向卑微屈膝。我獲賜了一件輕盈隱形的鎧甲，攜帶方便，未來在我抉擇錯誤或陷入絕望的時候，就會看出它彌足珍貴的地方。有了它，我才不會失去勇氣，才能活得像個公正磊落的人。

翌晨，內尼厄斯來教導我什麼是淫亂。

『親愛的孩子，貪吃、驕傲、嫉妒、不公都離不開淫亂，所以只要你受到了淫亂的誘惑，你就要記住用節制來對付貪吃，用謙卑來對付驕傲，用忠誠和自制來對付嫉妒，用正義來對待不公。再來，慷慨的相反就是貪財，因為慷慨大方是離不開希望、慈善、正義、堅忍的。』

說真的，我不相信我曾有過慷慨的感覺。對我來說，東西就是拿來用的，而且我也習慣了靠爭鬥去獲取東西。不過，我還是非常注意聽內尼厄斯的教誨。

『親愛的孩子，我要勸你千萬不可以貪財，因為這種罪惡會一點一點的滲透入這種罪惡的人的骨髓。積聚財富並不能滿足意志，危險就接踵而來。就因為如此，貪財的人害怕忠誠和希望。怠惰讓他想要對別人為惡，嫉妒不斷啃噬他的心，所以他的意志不會因為輸贏而滿足。因此貪財絕對無法給你的良心提供解藥。』

我細細咀嚼這番話，同時對自己的人生做了一番全盤的檢討，因為我喜歡去回想那些至今仍困擾我的行為，我忘不了的東西，我在參加的攻擊裡親眼目睹的東西。那些行為，我的敵人……還有那些辜負了我父親的榮譽、忠誠、勇氣的人。艾瓦和海夫丹的手下瘋狂的行徑，簡直就是邪惡的化身，他們的所作所為至今在我的腦海裡輪廓鮮明，我沒有辦法為他們找藉口。思前想後，到頭來我有許多的理由必須要與他們一戰。

在教導我美德的重要之後，內尼厄斯似乎又想讓我知道邪惡能造成多少傷害。所以有一天他從驕傲開始給我上課。

『孩子，驕傲是意志對抗謙卑的結果。謙卑的人會知道他是造物主無中生有的產物，他就會知道在上帝面前理當要謙虛，因為上帝是永恆不朽、無邊無際、無所不能的。而驕傲就是謙卑的相反。人應該在慈善、正義、謹慎、堅忍諸般美德的襄助下盡力學習謙卑，對抗驕傲，如此一來，他才會再次了解他是無中生有的產物，他必須要去敬愛、去了解上帝的偉大。』

謙卑對我來說是絕對嶄新的概念。從來沒有人直接告訴我要謙卑，只有我父親有時候會隱約暗示，但他也從來沒有明說過。不過我在同輩裡最常看見的倒是驕傲。我學習到的諸多美德像是一面鏡子，照出了我父親海狼的一生中另一個面貌。或許這就是為什麼他和艾瓦的敵對終究是迴避不了的，因為他們兩個從骨子裡就截然不同。內尼厄斯接著往下說。

『安格思，萬一你受到了驕傲的誘惑，無論是財富、朋友、力量、美貌、學問、勇氣，或是其他方面，你都要尋求謹慎和堅忍，讓這兩種美德帶領你找到正義，正義可以讓你內心的這兩個意向組織起來，把堅忍用在財富、朋友、力量、美貌、學問、勇氣上，把謹慎獻給上帝，祂平空創造了你又為你犧牲，折辱祂自己，變成了有人性的人。』

『神怎麼可能會謙卑呢，院長先生？神變成人的話不就是放棄了自己的優越，自甘墮落了嗎？就連面無表情的北歐神或是洛奇那樣老奸巨猾的神都不可能做得到。什麼樣的神會願意落入卑下呢，院長先生？』

『充滿了大愛的神，孩子……』內尼厄斯回答道，一臉的慈善，讓我有如沐浴在溫暖的潮水中。我感覺老院長像母親愛孩子一樣愛我，這就足以讓我看出他話語裡深藏的真理，我覺得我似乎被他的愛層層籠罩，要我不改頭換面根本就不可能。

『哇！跟你告訴我的美德比起來，人類的邪惡真是叫人覺得丟臉，而且邪惡的力量還可以徹底毀掉一個人呢！』我有些迷糊的說，因為這種神實在是太偉大了，值得全心全意的奉獻。『要是人人都懂這個道理就太好了……』

『沒錯，孩子，不過人類會表現出邪惡和不公不義，多半是因為他們的正義之心和美德怠惰了，而不是因為邪惡的力量太大。好了，今天就到此為止，去休息吧，孩子。』

有一天我又作了夢，相當的神秘，充滿了不理性的事件，彷彿到了夜晚我們躺下來的時候能釋放自己的瘋狂，如此一來白天站著的時候才不會失常。

在我的夢裡，不同長相的國王穿著華麗的衣服，戴著金光閃閃的皇冠，每個人都披著鎧甲。他們頭上，就在皇冠旁，有一個彩色的發亮的十字架在旋轉。十字架的顏色很特別，閃耀得像顆星。一眨眼的功夫，國王都變成了不同的野獸，對彼此咆哮，挑釁似的，像是狼群為了獵物爭吵。這些前一秒都還雍容華貴的國王突然間不會說話了，只會發出動物般的叫聲。後來他們打得你死我活，吼聲駭人，銳利的牙齒把彼此的肉撕扯下來。

我驚醒了過來，心跳急速，夢裡的景象仍十分清晰。隔天，我仍深受困擾，就去找艾弗隆，他現在已經是我的知己了。我總是會把最荒謬不經的事情先告訴他，我覺得跟他在一起比跟老院長在一起要自在得多。在我把奇怪的夢告訴了他之後，他跟我說：『安格思，你得找內尼厄斯。如果真的有人能解釋你的夢，那一定是他，因為你的夢太獨特了。話說回來，我個人是很懷疑夢究竟能不能解釋，大部分時候夢不過是胡思亂想，沒有什麼意義。可是，聽我說，要是你覺得不放心，還是去找院長的好。』

『謝謝你，艾弗隆，我會照你的話去做。』我回答道。

當天下午我去找內尼厄斯，發現他在祈禱，就等他祈禱完才把我作的夢告訴他。最後，在思索了片刻，彷彿是在找解答之後，他告訴我：『安格思，夢不一定都可以解釋。你不應該太在意。夢並不是真實的，只是有時候我們的守護天使會利用夢來給我們警告或啟發罷了。』

我很失望，我本來是希望得到解釋，以紓解夢境引發的不安。不過，我還是尊重老院長的意見。

我整個下午待在樹林裡，削修一支大十字架，這是我要做來送給修道院裡的朋友的。我全神貫注在手邊的工作上，心裡很愉快，而且做的事又有意義。我想著不管我願不願意，早晚都得要離開修道院，離開這麼祥和、同時在思想感情上又這麼富饒的地方，我真的捨得離開這個讓我懂得了和平生活的地方嗎？

夜幕低垂前，內尼厄斯來找我。

『孩子，過來，我要告訴你我對你的夢的看法。我認為你看見的夢境很簡單，卻非常的重要，可能和你以及你的子孫的使命有關。你說你看見了很多國王，對不對？』

『對。』我回答道，想起了夢境。

『這些國王都長得不一樣是嗎？』內尼厄斯問，抬頭看著上面一點，似乎在想像的畫面上審查什麼。

『對，每一個都不一樣。』

『每個人頭上都有一個發光的十字架？』

『對……』

『他們戴著皇冠？』

『對。』

『發光的十字架……皇冠……十字架很美麗嗎？我是說很亮嗎？』

『非常美麗，而且每一個都有一種顏色。』我回答道。

『孩子，皇冠上的十字架就是美德。每一個國王所具備的各種美德，而且超越了他們身為國王的威權，是他們認為比他們的王位還要優越的美德。每一位國王都有自己獨特的美德，他們的光輝就來自於他們所接受的美德。』

『我懂了。』我說。像以往一樣，十分佩服老院長能夠在看似荒謬的夢裡解析出這麼多連貫的道理來。

『不過，他們並沒有具備所有的美德，所以每個人頭上只有一個十字架。』

『我想我懂了……』

『你看出美德的重要了嗎？安格思，所有的美德？』

『可是他們又為什麼突然變成了野獸，瘋狂的打鬥呢？』

『安格思，這些國王代表的是信仰基督教的王國。要是他們不奉行所有的美德，他們就會落入嫉妒的魔掌，開始墮落，最終變成狂亂的野獸，失去了權威，變成邪惡的妖魔。而這些野獸彼此打鬥代表的是這些基督教國王間的戰爭，因為沒有遵行美德，所以曾經美麗燦爛的東西就衰敗成毀滅與痛苦。』

接著，他直視我的眼睛，又說下去。

『記牢這點，孩子，因為你需要堅強才能抵抗這類的貪婪，你將會親眼目睹你夢中的王國榮耀掃地！』

聽完他這番話，我好似腦袋給人敲了一棍。他指出的事情都是真的……我的夢有了道理。我向內尼厄斯告退。該是沉思的時候了，所以我去加入了其他的僧侶。

除了沉思之外，我和僧侶共度的其他時光也對我有了嶄新的意義。聽了內尼厄斯的教誨之後，我對人生有了不同的看法。和現在比較起來，我以前像是透過一場濃霧在看世界。現在我卻像長了一雙鷹眼。我可以凝視一位國王，根據他的所作所為就可以想像出他的命運，因為他的命運就是他的行為打造的。我不再靠盧恩字母或簡單的魔法來告訴我別人的命運了。那些儀式就像好玩的小遊戲，倒楣的人求神問卜只為了找到早已擁有的東西，或是想去替換不可替換的東西。

在我看來，內尼厄斯似乎已經把我應該知道的基本常識都教完了，儘管我還有很多事要跟他學，他深奧的知識就算花一輩子也學不完。但是，他有一次對我說，我該學的就是我該具備的美德，這些美德會幫助我抵抗邪惡。『這些是你完成使命所必備的工具。』他說，而且要我好好想一想。隔天早晨，我受洗了，儘管儀式很簡單，我卻覺得從這一天開始我獲得了新生的力量，是我面對等待著我的挑戰所需要的力量。我不再感覺孤獨，喪父之痛已經減輕，此刻我有了別的英雄、別的價值來啟發我。

我打理馬匹準備離開，感覺熱淚湧了上來，這是純粹的感激之淚，感謝僧侶們給我的照顧。我會把這份情珍藏在靈魂深處。我在此地得到的轉變會是我一生中最有價值的財產，無論我走到何處，都會一直跟著我。

我後來非常喜歡而且完全信任的艾弗隆修士來找我，帶來了我預料中的東西：用布包起來的蛋糕，其中的滋味一定少不了他的寬仁和對我的尊重。

內尼厄斯走過來，如同父親一般慈愛。

『安格思，』他說，彷彿要給我上最後一課，『你知道人為什麼會受到懶惰和疏忽的引誘嗎？是為了讓那些勤勉、公正、行善的人受到輕視，讓他們的作為不受歡迎，這樣才不會有人跟著去行善。所以，千萬小心。』

說完這最後一個忠告之後，他擁抱了我好久。老內尼厄斯，我最好的朋友、父親、導師……我嚥了口口水，捨不得放開他。他吻了我的額頭，說：『上帝保佑你，孩子。』

他風霜的臉上流下了兩行淚。我跨上馬背，艾弗隆交給我一些手稿，要我帶去給關特的公主。走了幾米之後，我轉頭最後一次揮別。而那最後一幕會永遠印在我的腦海中：修道院、幫助我的僧侶們都成了一個人，在我腦海裡有了全新的姿態，在我心裡有了全新的信仰。

譯註

㉑一種有毒的蛇。

㉒北歐神話認為宇宙分成三層，而貫穿這三層的就是一棵巨大巍然的大梣樹，名為『世界之樹』，巨大的樹萌生於『過去』，繁殖於『現在』，延伸到『未來』。大樹支撐著宇宙，永遠長青翠綠。『世界之樹』巨大的根部分成三條，分別通往『中庭』世界、『諸神國度』和『死人之國』。

8 火之河

我離開了修道院，仍然能感覺到修道院生活的深奧影響。短短的幾天，我對世界的看法全盤改觀，這一切都拜老院長之賜。此外，修道院平靜的生活也是在我打鬥毀滅的生活中一個全新的體驗；僧侶間寧靜的友誼，在那看似平淡有序的生活中潛藏著儉樸豐富的感情。我已經開始想念內尼厄斯了，他就像父親愛護兒子一樣的愛護我，而且還教導了我那麼多。從遇見他開始，我就虧欠了他許多。不過將來報答他和其他僧侶的機會很多，因為現在我的精神力量已經增強，那些真理已經讓我壯大。我正開始我的探索，我即將變成一個男子漢，到時我就能完成我的任務，只是現在談還早了點……

那些僧侶在寫歷史。起初我以為歷史是用數不盡的筆墨寫成的：孤獨的筆，就像我，在外奔馳或同僧侶學習；戰士的筆，征服者，就像我的族人；士兵的筆，農夫的筆，母親的筆，帝王的筆，國王的筆，奴隸的筆。只怕創造了世界的基督教上帝在那些無窮無盡的筆寫完了之後，拿起羊皮紙來一看，會非常的不高興。唉，安格思啊！我心裡想，我們是在做什麼，將來又會寫下什麼樣的句子？

我生命的下一章宣告著終將來到的一戰。我的命運就是面對那兩個邪惡之王，然後親手結束悲劇。海夫丹和艾瓦必定是戒備森嚴，受到精銳部隊和麾下的甲爾重重保護。如今，他們比以前更加富強，當然會從烏普沙拉帶來更強大的艦隊。不過內尼厄斯給了我力量，就算艾瓦找遍了烏普沙拉、斯卡拉、奧斯特高特蘭、他所有的王國、盟友的王國也都不可能會找到我這種力量。內尼厄斯給了我信仰。

可是真的應該由我來結束悲劇嗎？我不由得自問，幾乎是自我解嘲，因為我懷疑我是否真有資格來完成這麼艱鉅的任務。若是我父親，沒錯，他絕對能夠擔當這樣的重任。他是威名遠播的勇士，從卑爾根到特浪斯，他的名字家喻戶曉，布拉吉曾經跟我說過……

我答應了內尼厄斯，所以現在就朝凱爾闕特前進㉓，去尋找闕特的兩位公主，把手稿交給她們。騎馬趕了兩天的路，我順利抵達了歐法堤防。我看著堤防，心裡想要是遊牧民族逼得麥西亞人建造像這樣大的障礙，一定很難攻下。各式各樣的幻想冒了出來，像是這裡王國有多強盛，裡面有多少漂亮的女人，尤其是對兩位公主更是諸多猜測。我看見的草地真的非常美，而我知道我這個人非自由不可……這裡的城市當然不會是我永久的家，因為想到哪裡就到哪裡的感覺太美好，我不可能割捨得下。我這一生會像這次一樣不停的踏上朝聖之旅，只是我的動機太嚴肅，不可能讓我感受到全然的自由，尤其是這一次。

幾天後我來到一個村寨，決定要歇歇腳，畢竟我有僧侶的推薦函，又得要詢問兩位公主的事。我接近村寨，不由得吃了一驚：村子裡空無一人……難道這就是內尼厄斯告訴我的大災難？難道基督教上帝派遣天使來摧毀了一切，只饒過我一個人？我忍不住笑了出來，不過這次不是自嘲。我小心翼翼的進入村寨，村子大門敞開著。

村裡一片死寂，沒有屍體，倒像是人人都逃跑了，匆促間什麼也來不及帶走。我仔細的看了一遍，一面謹慎的前進，因為我知道北方人的陷阱很多。什麼也沒有……不管什麼都荒廢了。究竟是發生了什麼恐怖的事情竟會讓所有人拋棄了村子？要打下這片基業並不容易，前人得流多少的血汗，所以我才很難理解，為什麼會有人就這麼棄之而去？要是遭受攻擊，征服者會佔領房舍，利用村裡的奴隸和一切方便，最起碼他們也會放把火把村子夷為平地。

我看見沒有半個鬼影子的房子，看見一袋袋的小麥拋在地上，一碗碗的食物，一罐罐清水。我拿來飽喝了一頓。我留意四周的每樣東西，用手拂過一張張桌子，幾乎都沒有灰塵，我好像可以感覺到全家人坐在一起，聽著兒童開心的尖叫，想像他們在村子中央遊戲、丟石頭、打架、逗狗，他們的母親則忙著大聲的訓誡他們。我走到一間倉庫，看起來像客棧。裡面還有些盾牌高高掛起，還有幾面旗幟，旗幟上有紅鹿圖案。而在旗幟下……哈！運氣可真好……一桶蜂蜜酒。我到處尋找，找到了一塊肉乾和燻鮭魚，數量不少，對我這個飢腸轆轆的人來說真是莫大的福氣。我抓了一把小麥，生了火，把肉乾、燻鮭魚和小麥一起煮了，連同蜂蜜酒一起送進肚子裡。我坐在餐桌前，主人客氣的請我坐首座，我謝過主人落座，整餐飯由一個叫做安格思的好僕人伺候，他是布麗姬和海狼的兒子。整餐飯他一直陪著我，而且還是個很好的同伴，這小夥子對我的一生似乎頗為熟悉呢。

飽餐了美味的食物和蜂蜜酒之後，我去尋找村裡最好的房子。我發現有一棟屋子的底座是石頭建的，看起來像是羅馬式的建築遺跡，我分辨得出來是因為僧侶們教過我。我找到了一件藍色格子褶裙，圖案很漂亮，質地很柔軟，我就用這幅褶裙作被子，躺下來一直睡到天亮。我在這個屋子裡又睡了好幾天，每天都很早起床去撿柴，也打獵，用我獵得的野味做出佳餚，配上那桶我一人獨享的蜂蜜酒，說有多美就有多美。

我在村裡漫步，一面踢著石頭，一點也不急。我看見紡織機上仍有經緯線，等著織工回來紡織；我看見大鍋裡空著，等著廚子來放進肉、調味料、番紅花，等著加熱沸騰，等著散發出強烈的香氣，等著餵飽圍坐在房間中央大桌子上的那一張張嘴。這個房間在不久之前必定是人聲鼎沸，歡樂連連，英雄豪傑在此高談自己英勇的事蹟、不朽的傳奇，這些傳奇讓後人稱頌不已，而且每經過一位才華洋溢的詩人傳唱，內容就更加豐富。不過，此時此刻只見遍地的冷清，而這些一心期盼主人返回的物品都只是恐懼的等待著。道路懇求著讓人踩，華麗的酒杯盼望著主人的親吻，床鋪渴望著熱情的戀人長夜繾綣，但下午的寒風卻告訴我再怎麼等也沒有用。雖然蜂蜜酒鼓舞了我，夜晚食物給了我撫慰，但我也漸漸的像這些即將消耗殆盡的物品一樣，我的靈魂少了什麼，好似有一種空虛，無論如何也填不滿。我彷彿有種痛苦，就跟這些東西一樣，慢慢的在這一片岑寂孤獨中死去。

有天早晨，我覺得一陣寒意。雖然戶外溫度的確很低，但寒意不是來自外在，而是內在……我決定聽從自己的直覺，盡早離開。一離開那座鬼城之後，我就感覺好多了，感覺活了過來。我希望能及早遇到別人，隨便什麼人都好，只要他能確定我沒走錯路，或是跟我喝一杯蜂蜜酒都行。我離開前特地裝了一袋食物和一罐蜂蜜酒。住在鬼城裡的時候，我一直想不透為什麼會一絲毀滅的跡象也沒有，卻不見一個人影。

我沿著歐法堤防走，據我所知，希文城就在堤防之內，遊牧民族的領土南方。我經常停下來欣賞風景，這片土地實在是平靜祥和，兩邊山巒矗立，山谷連綿。各式各樣的綠色隨風搖曳，爭奇鬥艷，還點綴著繽紛的花朵，襯著背後大海似的藍天，更顯得生氣盎然。放眼望去盡是美景，天氣又風和日麗，我就這樣慢慢走下去，尋找手稿的終點站。

太陽要落下了，天空染上了紫色，地平線出現了一圈橘色火焰，接著是一陣星雨。先前我發現了一片李子林，我決定到那裡去過夜。

醒來看見的第一樣東西就是李子。我把熟透的李子摘下來，每咬一口都感覺到芳香的汁液流到下巴上。林子裡有條蜿蜒的小溪，我用溪水洗臉洗頭。我穩穩坐在馬背上，這一天我一定會找到兩位公主的城堡。而且我也已經開始幻想這兩位公主會是什麼模樣，在我的白日夢裡，她們一定會為了我而搶個你死我活，可惜我還是只能挑一個，那個沒挑上的一定會捨棄自己的王國，傷心欲絕。等我離開了王國，我會找到這位傷心的公主，她見到了我一定會欣喜欲狂。我們會一起策馬離去，我跟我的公主……想得美，不過倒也不是不可能，起碼作作白日夢可以打發時間。

現在還是早上，我發現了蹤跡。仔細的檢查過後，我認出是女人的腳步，步伐很小，成一排，旁邊有三名大漢。我像匹狼一樣跟蹤他們，沒有發出聲音，豎起耳朵判定遠近。我跟蹤了一會兒，突然聽見了打鬥聲，還有女人尖叫，我趕緊策馬奔馳。

我看見的景象大出我的意料之外：四、五名全副武裝的女子正在攻擊三名挪威海盜，海盜正想要運送六名奴隸。我感覺這一刻是給我的考驗，畢竟這是我離開內尼厄斯之後，也是我父親死後的第一次戰鬥，同時這也是在測試我的能力，看我能不能把我戰士的經驗和老院長的教誨結合在一起。

我接近的時候那些女子已經佔了優勢，有一名海盜朝我撲來，我用斧頭狠狠朝他臉上砍去，送他去見閻王。其實有沒有我幫忙都無所謂，女戰士早已控制了整個情況。

一名紅頭髮的朝我過來，手裡拿著長矛，氣勢洶洶的。

『你是誰？從哪兒來？』她詢問道，舉起長矛對準我的脖子。其他戰士只在旁邊看，有人解開了奴隸的繩索。她們都是年輕強健的女人，眼神一點也不友善，似乎忘了我剛才還伸出援手。

『我叫安格思，海狼和麥克蘭之子。』

『挪威人！』舉著長矛的那一個說：『海狼是挪威姓氏，要不然也是撒克遜姓氏！』她對同伴倨傲的說，口氣透著鄙視，像是心裡藏了很深的仇恨。

『我父親海狼是挪威人！』我堅定的說，一點也沒給她嚇到。『我母親是蘇格蘭人。』我儘可能直盯著她的眼睛看，同時瞄了瞄其他人有何反應。

『內尼厄斯託我帶了一份手稿來給關特的公主！』

『內尼厄斯為什麼會託一個挪威人送手稿？』

一個天使和野獸的混合體過來了。她是個年輕的金髮女郎，泛黃的眼睛十分犀利，身體雖然強壯卻很瘦，美得好似一場夢。她很高，可能跟我一樣高，甚至比我還高，她的胸前戴了金屬護胸，遮住了身材，當時我儘可能不去臆測她的身材怎麼樣，唯恐表情變化會讓對方產生誤會，枉送了我一條小命。畢竟，這些女人人數雖然不多，卻是優秀的戰士，而從這一個的眼神看來，她顯然是絕不後退的那種人。所以我在開口回答前仔細的思索了一會兒。

『內尼厄斯是我見過最有智慧的人，他還救了我一命！』我直勾勾的看著她的眼睛。『我父親被挪威人殺了，他們也想殺我，我在逃命。內尼厄斯收容了我，要我把一些手稿帶來，親手交給關特的雙胞胎公主，她們就住在凱爾關特城裡。』

『這兩位公主叫什麼名字？』她問，依然是炯炯有神的逼視我，眼睛一瞬也不瞬。

『希文！』我立刻回答。『她們姓希文。』

『你現在就跟其中一個在說話了，小子！』

我不喜歡她叫我『小子』，好像我是小孩而她是成人似的。站在這位氣勢凌人，媲美女武神的戰士面前，那種我還不是男子漢的感覺變得更加清楚。儘管如此，她那高傲的語氣讓我很惱火。

『我是關娜拉，要是可敬的內尼厄斯要你送手稿來，那應該要交給我的叔叔「偉人」羅德利。』

『他的名號是很響亮，不過我奉命把手稿交給妳。現在我的任務完成了，丫頭！』我也是以彼之道還施彼身。

『那就拿過來啊！』她很顯然也惱火了，伸出了手，嗯，好美的一條手臂。『你得跟我們走，挪威人！』她說，語氣透著更多的鄙視，還指揮手下圍住我。『我要確定你說的是不是實話。』

她的口音很明顯，和艾弗隆的類似，但她的語言跟我母親村裡的語言基本上相同。我沒有遲延，策馬上路，一路上有更多女戰士和一些男人加入，個個都是全副武裝。我們走的這條路一定會到內尼厄斯提到的城堡。我想起自己的浪漫幻想幾乎變質成了開戰宣言，忍不住微笑。多虧有想像力，我們才能把當下要吃的苦頭打扮成甜美的未來。

我們很快抵達了一座宏偉的堡壘。保護城牆的土堤非常陡峭，我覺得就連艾瓦都不能輕輕鬆鬆打下這裡。公主得意洋洋的進入城堡，沒多久奴隸就被其他婦女帶走，換上了格子花紋羊毛衣，細心的照料。

凱爾關特城，宏偉而和諧，其實是有許多非常古老的秘密和傳統的。紋路細緻的手鐲裝飾著纖細的手臂，高聳的檣桅上懸掛著有野豬圖案的盔甲，大老遠就可以看見這個力量的展示。除此之外，斗篷上也繡有同樣的圖案，而且披著斗篷的居民走起路來個個都昂首闊步。根據我的觀察，傳統在此地非常的重要。

城堡第二道防線的大門打開，好像水閘，從中流出一條火河，緩緩的往下，氾濫了整個城堡。火河流經街道，滾燙的火焰包圍住屋舍，就連剛剛抵達的人都不放過。火河像是奔流不絕的火焰，由許多紅髮女人組成，我從沒在一個地方一次見到這麼多紅頭髮的女人。而我顯然是這裡的陌生人，因為我還是給當囚犯看，女人們海鷗似的眼睛猛盯著我看，同時也在評斷我：八成又是一個被捕的惡棍，今天的犧牲品，優越戰士的戰利品，又一次證明了她們的力量，證明她們足以面對任何敵手，而且還高奏凱歌。但是這裡面只有我一個人知道維京艦隊的可怕，只要艾瓦他們傾力一擊，這一座驕傲的城池遲早會城破人亡。

驕傲的公主走向我，像是大火柱裡分出的小火焰，而在緊張的一刻過去之後，我更能察覺她的美。

『讓我們請本地教堂的僧侶來鑑識一下你的手稿是不是真的。』她很肯定的說，隨即就下令把我給關到馬廄兼牢房裡。在馬廄裡有警衛，我還聽見疑心病很重的美麗公主派出探子去打聽內尼厄斯是否仍然健在，如果過世的話，我是否就是兇手。

關我的馬廄相當舒適，或者該說井然有序才對。有一堆乾草，我可以睡覺取暖。這一路上我吃得很好，如果她們讓我挨餓，我應該可以撐一段時間。我現在只能等待，因為我不知道她們打探消息需要多久的時間。所以我沉著的躺下來，想起我到這裡的目的，只不過是轉交一份手稿。好吧，沒別的法子，只有等著瞧了。我想起了內尼厄斯教我的耐性。這時，他的教誨比食物更能讓我支持下去。我睡了一會兒。下午，兩名警衛把我從鬼城帶出來裝糧食的袋子拿來給我，然後他們就離開了。我有了食物、乾草，地上甚至還有個洞可以讓我處理生理需求，還有水槽可以清洗。我又想起了內尼厄斯說的：『像隻駱駝，別像匹馬。』也真好笑，我居然想起的是這句話。

隔天早晨，我一醒來就聽見馬廄外有人在說話。有個女人，聲音聽起來倒像是那位紅髮公主，她正在對警衛很嚴厲的說話。馬廄門打開了，突然的光亮害我眼睛一花。果然就是那位下令拘捕我的公主。

『把這人弄出去，給他一點像樣的招待！』她命令警衛道。

『可是公主，是妳妹妹下令拘禁他的！』其中一名警衛害怕的反駁。這時我才明白弄錯了人，原來她是關娜拉的雙胞胎姊姊。

『你是在質疑我的命令？』她殺氣騰騰的眼睛變暗，嚇得警衛立刻照辦。

『他帶著可敬的內尼厄斯的手稿，除非證實有罪，否則就是清白無辜的好人！如果他是賊，他就會帶著殘骸，而不是文書！』她很有氣魄的轉過身去，大步走掉，留下一陣灰塵。

警衛握住我的手臂，現在待我不一樣了，顯然不是對待階下囚的態度。一路上，人人都嚴厲的觀察我。有一會兒，我還覺得靜靜待在馬廄裡，躲著別人的目光只怕還比較好呢。

城堡第二道城門打開了，更多警衛接近，都是叫人一眼難忘的人，衣服上特別加了編織的皮革，還披著斗篷。這些人可真怕冷，我心裡想。我只不過加件背心就行了。但是城堡的傲慢還不止於此。正中央同時也是一條通道開口的地方擺了兩隻石雕大野豬，順著通道就可以到達居中的宮殿。宮殿無疑是羅馬式建築，有各式的石頭，巨大的柱子，還有高大的拱門。中央的中庭也裝飾著曲線紋路和石雕野豬，在我看來倒像是本地人把羅馬宮殿的入口改造過。我被帶到了士兵的營房，有些士兵正在吃麥片粥，房間中央有爐火。

他們狐疑的盯著我，給了我一根湯匙、一個葫蘆瓢。我二話不說就接受，跟我從內尼厄斯那裡學到的一模一樣。此時沉默才是我堅強的盟友，而且是能夠挫挫這些士兵銳氣的好盟友。我冷靜的吃，注意到我的冷靜讓他們不安。

其中一個，八成是指揮官，從走廊衝過來，人人都立正站好。跟海狼的手下那種放鬆的態度比較起來，他們那副急於聽令的模樣實在很滑稽。

『你是誰，挪威人？』他很神氣的問。

我冷靜的咀嚼，想起每次我父親開門見山的質問海夫丹，海夫丹總習慣這麼做，表現他的篤定。我筆直盯著他的眼睛。

『我叫做安格思。』

『你這麼一個挪威人和可敬的內尼厄斯會有什麼關係？』他的語氣很自大，身體姿態也是。

『是沒關係。』我說，表現出微微的不耐煩，他的部下似乎看得很樂。

『再耍嘴皮子，我就讓你嘗嘗比馬廄更恐怖的牢房。回答我的問話！』

這名隊長是個年輕小夥子，一頭金髮剪得很短。穿著美麗的戰袍，羊毛披風的衣襬上飾有皮草，靴子也是製作精良。他的臉不像戰士的臉，倒像名王子。我決定給他個台階下。

『內尼厄斯救了我一命，讓我像客人一樣在修道院暫住。』我直勾勾盯著他的眼睛，表示句句屬實。

『消息很快就會傳來，到時就知道你說的對不對，北方人！而在這裡你的表現得像個小妞，或是僧侶……既然你曾在修道院作客，你應該明白我是什麼意思。』他說，臉上帶著諷刺的笑，像是洛奇的信徒。此時此刻，我真巴不得艾瓦和海夫丹的大軍就在城門外，好把這個年輕隊長臉上的傲慢給抹掉。

這念頭才剛閃過，我立刻就承認自己不對，無論我對傲慢自大的人有多反感，我也不該有這種邪惡的願望。再者，內尼厄斯派我來可不是來挑釁的。但話說回來，我可不能對『小妞』這種說法忍氣吞聲。

『小妞？麻煩把我的斧頭拿來，好讓我把你那張虛偽的笑臉給砍掉。』

『什麼！好大膽的渾蛋！我會挖出你的五臟六腑讓你的朋友內尼厄斯給你下葬！』他尖聲大叫，朝我撲來，握著長劍。警衛見狀紛紛退後，我站了起來，一躍躍過長凳，順手把長凳舉起來當武器，因為我手無寸鐵。劍光一閃，長凳裂成兩半。

『隊長？』某個想必是他的左右手，而且看不慣這次攻擊的人開口了。『這人可是關妮絲公主的客人啊。』

我給逼到了角落，對手的劍尖比著我，儘管他壓根就不認識我，卻充滿了仇恨。他一心只想殺掉我，這一點絕錯不了。我趁這時候擦了一下嘴巴，剛才吃麥片粥的時候沾到了一點。

『關娜拉公主卻要逮捕他，這個禽獸！』他說，手裡的劍仍對著我。

『隊長，在關妮絲公主也下令逮捕他之前，我們還是別動他。他手上並沒有武器啊，隊長。』我後來才知道說話的是他的副官，顯然他對長官幼稚的舉止有些不好意思。這番話終於讓隊長放下了劍。

『好吧，葛拉德文！就讓公主來決定這隻北方狗的生死好了。我可以等。』

又來了！他這次又激怒了我，不過我得要見好就收，否則在這些士兵還有仗義執言的副官面前我就站不住腳了。

所以我就俯身拾起地上的木頭碎片，好像是要收拾我造成的髒亂，有些士兵也來幫忙。副官看了我一會兒，隨即離開了。

我像隻受傷的動物一樣待在營房裡，不到處走動，也不說話，只向那些協助我的士兵道謝。稍後，副官又進來，說關妮絲公主要見我，他會護送我到中央宮殿去。

我的心情挺亢奮的，因為目前的處境渾沌不明，像這樣既不是戰爭又不是和平的曖昧狀態比公開叫陣還要讓我困惑。這座城堡似乎和別的不一樣，反反覆覆，八成是因為兩名公主的意見都不一致吧。海夫丹和艾瓦就跟她們截然不同，那兩條毒蛇無論在什麼方面都有志一同，像一對情人。

我就在副官陪同、全城居民的虎視眈眈之下穿過了城堡。城堡居民大多數是女人，頭髮都像火焰般紅。後來，我才明白原來我會這麼受矚目是因為關妮絲公主邀請我成為她的座上賓，一起晚餐。這裡的晚餐之豐盛，比較起來我們族人就好像沒見過世面的鄉巴佬，一點粗食就讓我們以為是難得一見的山珍海味。通過了雄偉的拱門之後，我看見中央宮殿的大門緩緩打開，那麼富麗堂皇的大殿我這輩子還真沒見過。雕刻成手臂的石柱舉著火把，柔和的火光照亮了周遭，大殿籠罩著一片泛著紅色的柔和光芒。走道上鋪著血紅色地毯，四壁上掛著旗幟，野豬圖案神氣的飄揚。天花板就和洞穴一樣高。在我面前站著一排裝備精良的士兵，長矛鋒利雪白，頭盔散發青銅色，頭盔兩側有頭巾，垂到肩膀。光是想像穿這些玩意，我就熱得受不了，當然啦，如果是在酷寒的冬天穿，那就另當別論。他們文風不動的站著，看起來真像是假人，可見得他們的紀律森嚴。他們的視線並沒有停在某處，就只是立正站好，厚木板做的盾牌豎在腳上。

其他的客人也都衣著華麗，魚貫進入。和我先前觀察到的情況一樣，大部分是女人，不過在晚宴上成雙成對的人比較多，儀容端正的男人得意的炫耀美麗的伴侶，男人倒成了女人的戰利品，跟我習慣的情況恰恰相反。我一想到這裡就忍不住微笑，恍然了解我已經習慣了孤獨，對自己發表意見。副官走向我。

『你的大名是安格思對吧？』

『對，』我說：『多謝你剛才幫我一把，我會永遠銘記在心。請教你的名字？』

『葛拉德文！』

『葛雷杜文。』

『是葛拉德文，』他糾正我。『我的隊長很年輕很頑固，安格思。他是關娜拉公主前的紅人，將來有一天很可能會變成統治這片土地的王子。』黑鬍子的副官似乎很友善，而且跟我說話沒有禁忌，我也因此而放鬆了下來，多少紓解了目前情況給我的壓力。我們好似老朋友一樣交談。『不過，這位王子得要向偉大的羅德利・莫爾效忠，他是國王，統治西姆如、波伊斯、歸內德以及一直延伸到曼恩島的土地，』他接著說，彷彿在說什麼謎語。『而這位國王，也就是兩位希文公主的叔叔，是位非常公正磊落的人。十五年前，他擊敗了一支所向披靡的挪威軍隊。我不知道你來自何處，也不知道你為什麼會在這裡，安格思。』他最後說，非常的直接，不帶暗示。

『我是半個挪威人半個蘇格蘭人。我父親是海狼・葉特蘭生，我母親是布麗姬・麥克蘭，不過我是在這座島上出生的，就在蘇格蘭人土地的北邊。』

『你為了什麼大老遠跑到這裡來呢？』

『我從一支挪威軍隊逃走了，那支軍隊很快就會兵臨城下。』

『我們這裡？很快？我聽說他們朝東盎格魯行進，不用多久就會跟威賽克斯開戰，因為麥西亞人不敢跟他們正面對決。』

『那些丹麥領主除非是把整個島都佔領了，否則他們是不會罷手的，副官。』

『這支挪威艦隊真有那麼龐大嗎？』

『絕不誇張。連同從斯堪尼亞出發的奴隸、傭兵、增援部隊，總共有一萬人左右。』

『我知道是一支很龐大的艦隊，可是沒想到會這麼大！難怪羅德利大帝命令西姆如地區所有防禦脆弱的城堡全部撤離到附近的堡壘裡。依你看，我們如果遭受攻擊的話有勝算嗎？』他問道，凝視我的眼睛，我看出他的擔憂。

『葛拉德文副官，狠狠打上幾仗是躲不了的，另外還得要這個島上所有的民族都聯合起來……不過我不相信他們會團結。』

『這裡的人根本就不知道什麼是團結，安格思！』

『安靜！』傳報員大喝，還一面拍掌。『曼恩島的梅爾分・弗瑞奇以及格瑞德之子偉大的羅德利・莫爾大帝之姪女暨臣民希文姊妹、關特公主駕臨大殿歡迎賓客！』

一切都非常隆重，兩名美麗的公主進入，得意的賓客在後面依序前進，看似參加加冕典禮或凱旋酒會之類的盛典。

兩位公主就座之後，我們也入座，傳報員一宣布，大家就只是把長凳往前拉而已。我觀察那些盯著我看的美麗女人，她們竊竊私語，不過我沒去看少數的男人，我可不想去領教他們臉上的妒意。副官嘲笑我，因為他知道我覺得他們奇怪，他們也覺得我很奇怪。

傳報員宣布上菜，每一道菜餚都比較像是裝飾，而不是真正的食物，所以壓根就滿足不了我的胃口。音樂很輕柔，我看不見豎琴放在哪裡，後來才注意到樂聲是從一面長布幕後傳來的。我也注意到有某種樂器會發出哨聲，跟風聲類似。真是精緻，我心裡想。我連想像都想像不出這種樂器來。

蜂蜜酒送上來了，不是盛在牛角杯裡，而是精美的金屬杯，杯子上都有野豬圖案。蜂蜜酒不夠烈，不過味道還不錯。桌上的菜餚都是用指尖輕輕捏起，像欣賞珠寶似的看半天，然後才放進嘴裡，嘴還不能張太大，只要能夠把食物塞進去就行了。我以前從來就沒見過吃飯還有這麼多的規矩。我才不管呢，我照樣大塊吃肉大口喝酒，不在乎會在這麼虛華的賓客間引人側目。副官向兩位公主敬酒。

『敬兩位勇氣過人的領主，願妳們的統治不朽，粉碎敵人，無論敵人是誰！』

人人都站起來，舉起酒杯，我抓住這第一個機會，好好打量關妮絲公主的臉。她的表情比較寧靜，但我注意到她身上散發出的力量比她的雙胞胎妹妹還要強大。她看來比較穩重強壯，體型比關娜拉還要高大。兩姊妹都穿長袍，纖腰上掛著金屬皮帶，把身材修飾得更出色。兩人都用金飾把部分長髮挽起來，關妮絲綁了一條辮子，辮子蜿蜒的沿著手臂，垂到椅子上，讓她看起來不可思議的美麗。我深吸了一口氣，盡量管住自己，因為我腦子裡浮出的念頭可不怎麼有分寸。

有些女人盯著我，我可以窺探出她們帶著遐想，同時幾名男子的臉則愈來愈惱怒。這種感覺很容易體會，因為幾乎每一個女人都是既年輕又美貌。

酒力漸漸發作了，彼此的談話也活潑多了。

『我們來說故事吧。』有個男人建議道。

『好主意。』另一個附和。

『誰先說？』

『我們的詩人艾伍德先！』有人高呼，依我看來男人用這種聲調說話也未免太不像男子漢了。

幾乎就在同時，修道院院長馬本進了大殿，後面跟著兩名僧侶。他們非常開心，立刻就有人引他們坐到關妮絲公主的身邊，他們謙卑的態度讓我印象深刻。人人都歡迎院長到來，他說了些話，那些原本就不希望我在場的人這下子更嫉妒了。

『公主，我來打聽我的好友內尼厄斯的消息，我聽說這裡有位客人剛從他的修道院過來。』

『您馬上就可以跟他長談，聽到您朋友的消息了，院長先生，』關妮絲說，朝我這裡看了一眼。

『不過現在，我請您先坐下來，聽聽我們的詩人說故事。』

院長坐了下來，態度很恭敬，而他們的詩人因為公主表示有興趣聽故事而感到受寵若驚，清了清喉嚨，說了起來。

『我要告訴各位卡斯瓦隆・貝里的故事！』他開場道，先製造點懸疑，掃了大殿一眼。『他是特里諾文特人的國王，羅馬人管他叫卡西維勞努斯。他住在卡穆羅督能的堡壘裡，也就是恐怖的特里諾文特王國裡最大的城堡。「惡徒」，也就是我們對羅馬人的稱呼，最懼怕特里諾文特人，因為就是他們讓羅馬人征服不列顛全島的夢想落空！』他微笑道，人人都高呼萬歲，舉杯互祝，一口喝乾，然後又斟上蜂蜜酒。

『卡斯瓦隆有一件披風，穿上去就可以隱形，所以他常去打探敵人的情形。他定期的監視羅馬人，而羅馬人也總是遭到他們襲擊。卡斯瓦隆率領一支大軍渡海到阿爾莫利卡不列塔尼去㉔，任務是解救密那克・戈爾的女兒芙樂兒，一名叫做莫沃爾肯的威爾斯王子跟羅馬人勾結，綁架了她。』他的述說技巧十分高超，懂得在何時停頓，抓住聽者的心，讓大家更急著聽到結局。和他比較起來，連老布拉吉都得甘拜下風。

『卡斯瓦隆擊敗了羅馬人，非常豪邁的和莫沃爾肯對決，最後懷抱美人歸，跟她一起住在阿爾莫利卡不列塔尼的瓜斯葛文[25]，光彩的過一生，因為沒有人敢虧待他們，沒有人敢面對卡斯瓦隆的憤怒！就連羅馬人也不敢。』

聽見詩人又提到羅馬人，大殿內有人叫好有人喝倒采。婦女高興得像孩子，把花瓣往上拋，她們的同伴臉上也是純然的喜悅。剛剛我還覺得太過嚴肅的大殿，只不過一會兒的功夫氣氛就變得活潑熱鬧。這名詩人似乎很知道該如何娛樂大眾，我也衷心為他喝采。注意到我的欣賞，他也對我提出邀請，但聽起來卻像是懲罰。

『我說，挪威人，你也來跟我們講故事吧。就說說你們的神好了。』

『這個人曾和可敬的內尼厄斯．羅文一起住過，已經不再是異教徒了！』修道院院長打岔道，同時對我展現出一定的尊重。

『內尼厄斯的基督教已經擄獲了我，把我的舊思想都給擊倒了，不過我還是可以來跟你們說說挪威人的神是什麼樣子。

『奧丁大神是埃西爾最偉大的神，埃西爾也就是挪威的一支神族，而奧丁是眾神之父。另一支神族是瓦尼爾，臣屬於埃西爾，與埃西爾是同盟。奧丁統治所有的神族，無論眾神有多強大都服膺奧丁，他也是英靈殿之父。他的兒子全都戰死沙場。英靈殿是諸神國度中一座雄偉的宮殿，戰死的武士都由女武神引路到那兒去。英靈殿是諸神國度裡面最富麗堂皇的一座宮殿，那裡的戰士白天戰鬥，晚上歡宴，一直到世界末日那天，那天他們會和奧丁、索爾以及其他的戰神並肩作戰。索爾是掌管雷電和戰爭的神，幾乎和奧丁一樣的強大，他的武器是「雷霆之鎚」，投擲出去就會為敵人帶來恐怖和摧毀，而且還會飛回他的手裡。洛奇是陰險狡詐之神，他的愛人是巨人安歌玻妲[26]，他們兩人孕育了芬里爾，一頭可怕的狼，以及毒蛇約蒙加德，他們會和同謀聯手創造大毀滅，那時奧丁就會把他的兒子托雷，他的九個女武神女兒，其他的戰神，居住在英靈殿的戰死英雄都動員起來，等待光榮的一刻，與他並肩奮戰，而這一戰就會是眾神全盛期之後的衰微㉗。所以，你們可以想像這場戰役對挪威人有多重要，為了面對他們所懼怕的敵人，他們必須要做多少準備。我也要趁這個機會提醒各位一句話，』我的聲音變低，但後來愈來愈激動，放聲大吼了起來。『我認識的那些國王，也就是殺了我父親「冰血」海狼的人一點也不知道什麼叫做榮譽感，他們都是洛奇的信徒，他們會不擇手段讓這座島嶼匍伏屈膝，他們會把整個不列顛殺得雞犬不留，他們的軍隊總數最少也有一萬人！』

所有人聽了都安靜下來，因為他們都了解了艾瓦和海夫丹的冷酷動機，他們遲早會來，痛擊不列塔尼的每一個王國，擋也擋不住。恐懼像冷鋒一樣掃過，大殿內彷彿在瞬間濃霧彌漫，賓客的肩膀恍如給鬼魅的手按住。

『兵來將擋，水來土掩！』關娜拉大喊，提高了大殿內的士氣，想要用犀利的言詞來斬斷我的話帶來的恐懼。在灌飽了蜂蜜酒的宴會上耍嘴皮子誰不會，我在心裡酸酸的想。我倒想看看這個女人在戰場上看見海夫丹和艾瓦的大軍會是什麼德行。

這時，一直禮貌的聽著那些異教神祇故事的院長決定要跟我說話。

『年輕人，告訴我你叫什麼名字？』

『安格思！』我回答道。

『安格思，雖然你和內尼厄斯住過一段時間，可是你是不是還一直信仰著你的挪威眾神？』

『我父親是挪威人，院長先生，但我母親是蘇格蘭領土北方的人，她是基督徒，只不過她沒聽說過內尼厄斯，』我答道：『我相信我應該把內尼厄斯教導我的東西傳給我的子孫。』我略帶感傷的作結，因為我在這些號稱是基督徒的人身上看不出他教導我的那些品德。

『他教導了你什麼，年輕人？』院長好奇的問。

『美德。』

『美德？』

『對，七大美德，以及奉行的方法。』

『不簡單吶，孩子，他可是把最珍貴的菁華都傳授給你了！來，說一點給我們大家聽聽。』他用稍微挑戰的語氣說。

『院長先生，您是要我出醜了，我知道的哪能跟您比呢。不過根據內尼厄斯的教導，應該要藉由我們愛上帝的意向來讓美德更鞏固。而且我們應該要去體認我們自己缺少哪種美德，然後從最接近的美德去尋找支援，榮耀我們的天父，因為是祂創造了宇宙萬物。』

『我不是很了解，不過我看得出來他的確把真正的信仰傳遞給你了。好好保重，孩子，願上帝保佑你。過後我想多聽一些，也想聽聽你跟內尼厄斯一起住的情況。』他說。接著他用很和善的態度要大家同敬我一杯。他先朝我舉杯，其他賓客也群起仿效。從現在開始，大家就比較習慣我在場了。

『再跟我們講個故事，挪威人！』有人大吼，看來是喝得更醉了，其他人也紛紛附和。

『那我來說個不列塔尼故事，是內尼厄斯告訴我的。』我故意這麼說。

『唷，聽聽，挪威人要跟我們說不列塔尼故事呢。』詩人說，還哈哈大笑。

『一名年輕人給帶到了不列塔尼暴君沃提根面前，因為他沒有勇氣一個人和蘇格蘭人——也就是我的祖先——作戰，所以就向撒克遜人求援。結果他等於是把王國的大門打開，邀請撒克遜人進來，讓他們主宰了情勢，』我開始說，故意挑戰他們對我的族人所表現的傲慢。『根據內尼厄斯的說法，沃提根決定要處死這名青年，把他的鮮血灑在地上，在這名青年濺血之處興建起一座城池。這個青年雖然淳樸卻很有智慧，他問道：「國王，反正我活不成了，你起碼可以告訴我是誰給你出的主意。」沃提根回答道：「是我的智者，小子。他們說沒有你的血，我的城堡就造不起來。」出乎暴君意外的是，青年只說：「那就請你下令叫他們過來。」沃提根不懂他葫蘆裡賣的什麼藥，還是決定批准青年的請求，因為對於難逃一死的人他都會格外開恩。』

這時我注意到人人的焦點都在我身上。就連那些非常亢奮的人也安靜了下來，想要猜測故事結局到底如何。於是我又繼續說下去。

『青年命令智者去檢查建造城堡的土地，檢查了半天，他們找到了一個湖，湖裡有兩條睡著的大蛇，一條白色，一條紅色，給他們驚醒了。青年說：「注意看蛇有什麼動靜。」大蛇彼此打了起來，白蛇把紅蛇給拋到遠處，同樣動作重複了三次。最後，看起來比較弱的紅蛇恢復了力氣，把白蛇給趕出了牠的地盤，逼牠消失。青年問智者是什麼徵兆，智者表示一無所知。於是青年就對沃提根說：「國王，我來解開謎題。這座湖代表這個世界，世界的中央就是你的王國；兩條蛇是兩條龍，紅色的是你的龍，白色的是人民的龍，遍佈不列塔尼各省份各地區，從東岸到西岸。最後，我們的人民奮起，驅逐了撒克遜人，把他們趕向大海的另一邊。其實這應該是你的責任。可是你非但沒有這麼做，反而攻擊驅逐你自己的人民。不過，會有一個國王興起，他會用勇氣和正義來統治紅龍。」國王啞口無言，沒辦法殺了青年。所以紅龍一直到今天都是這個王國的象徵。而這一位國王就叫做亞瑟，他結合了兩條龍，驅逐了撒克遜人。』

我就說到這裡。我不知道這究竟是不是僅僅內尼厄斯告訴我的故事，我的用意是讓他們知道我對他們的王國了解的不少，我是要讓他們刮目相看。

我說完之後，他們靜默了一會兒，然後大殿內爆出熱烈的喝采。就連修道院院長都笑得很興奮。其他人高聲歡呼，顯然很開心能聽見他們族人的英雄事蹟，即使是出自外國人之口也無妨。就連關娜拉公主都肯定的點頭，而她的姊妹則不吝給我讚美。

『你真是見多識廣，外國人。依我看來，你的確跟可敬的內尼厄斯學了不少。請你接受我的邀請，在這裡多待幾天。』她說，沐浴在柔和的光線下，看起來更加美艷了。我鄭重的謝過她。

那位隊長雖然一言不發，但很多人都注意到他非常吃醋。因為就從這一刻開始，他不再是萬眾矚目的巨星。他臉上的光彩消失，燦爛的笑容也黯淡下來，充滿了陰森森的味道，彷彿倏然間從一個人變成了野獸。

歡宴繼續，菜餚十分豐盛，愈來愈多人問我各種問題。我覺得很安全，漸漸的隔開各種族的圍牆倒下了，但還輪不到我來採取主動，徹底敲毀這面牆。室內一派安詳，我笑得開懷，許多人彼此敬酒，一個接著一個述說神話傳奇，就在這個時候，隊長的毒舌朝我撻伐了。

『聽了你的故事，我猜你們挪威人在戰場上一定很行。至於你，一定是用劍高手囉。』

大家都猶豫的看著我，隊長繼續說。

『我們這裡有個規矩：用打鬥來磨練武藝。過幾天我要舉辦比武大賽，就在凱爾萊恩的烏斯克河附近的競技場裡，以前羅馬人就在那裡訓練士兵，展示冠軍。那是一塊傳統的地方，偉大的戰士都在那裡誕生。照老規矩，我們會離城三天，訓練士兵，看誰是新任冠軍。既然你一定是嫻熟各種打鬥技巧，能跟你鬥鬥劍想必十分有趣，挪威人。』

副官面帶隱憂，不贊同的低下頭，因為他知道他們從我這裡沒收的武器是斧頭。我沒有長劍，長劍不是我稱手的武器，所以我的劍術很可能非常生疏。不過，隊長已經擺明了要比劍，想必他專攻長劍。我顯然無法拒絕，也只好點頭同意。

我注意到有些人對隊長的貿然邀請頗不以為然，不過歡樂的氣氛沒變，晚宴持續了一整晚。之後是平靜的三天過去，我利用一天和馬本院長長談內尼厄斯的教誨。關妮絲公主也加入這次的討論，似乎對我說的東西相當著迷，只要聽見她過去生活中學過的，就會深吸一口氣。她甚至還感謝我到她的城堡來遞送手稿，感謝我讓她：『有幸聞道，這一生我都受益匪淺。』她這麼說。

比武大賽當天，我醒來就聽見戰士們興奮的來來去去，為比武做準備，搭配衣服，磨利武器，比平常更留意頭盔盾牌的保養。我心裡想，要成為好戰士這倒的確是很好的練習。

隊長的部下都是從我住的營房來的，整支隊伍看來相當精良，軍容壯盛。但我一想到這支隊伍遇上艾瓦，我就忍不住微笑。到時他們就會知道真正的精銳部隊是什麼樣子……兩位公主也騎馬跟著部隊，四周環繞著女戰士，個個都十分精壯，讓我想起了老布拉吉說過的女武神。兩位公主身穿紫色披風，下襬罩住了馬匹的腰部。兩匹馬都是灰色，馬鬃是白色的：更加證明兩位公主的虛榮，連這種場合都還不忘要打扮得漂漂亮亮的。

我們沿著美麗的道路前進。路途不遠，在接近盡頭的時候下了一點小雨，讓整支隊伍的華麗稍稍失色了一點。我們抵達了凱爾萊恩，受到熱烈歡迎。兒童向我們拋擲鮮花，其他警衛打開城門，更多紅髮女子湧出，穿著白色長袍，向那些也統治這個村寨的人致敬，畢竟她們是統治關特全境的兩位公主。

整座村寨都用高聳牢固的石牆給圍起來，石牆內有許多不同的建築，許多營房，一座供洗滌的人工湖。我後來才知道這是羅馬人挖的，用作公共澡堂，他們的風俗。

這裡的風貌似乎比起凱爾關特來還更勝一籌。當晚舉辦了宴會歡迎兩位公主和其他貴賓。我聽人家說以前這裡是羅馬人的軍事基地，建築的目的就是要讓征服者把一整個帝國的精銳部隊都帶來，以便對抗很久以前本區的一支強悍部族，西盧爾人。

西盧爾人的影像跑馬燈似的在我腦海浮現，宴會中很多人說起西盧爾人的英勇事蹟，描述這些機動的戰士如何用奇謀來襲擊羅馬軍人，讓紀律嚴明的羅馬軍隊頭痛不已。在我的想像中，戰場聲勢浩大，雙方你來我往，血肉模糊。

隔天早晨，比武大會已經就緒，我們朝村寨外圍出發，目的地是競技場，那也是羅馬人的遺跡。婦女興奮的奔跑，我這才明白原來全村人對比武大賽都非常的有興趣，只見村民來來去去，我也緊張了起來，因為我並沒料到需要打鬥。

我們經過了村寨的許多營區，沒多久就能看見圓形競技場的高聳圍牆，看起來真是壯觀。我欣賞著羅馬人的藝術，看出了在他們聲名狼藉的征服欲望以及鐵腕打擊任何逾越帝國訓誡的作風之外，羅馬人確實有獨到之處。

愈靠近競技場入口，就愈覺得競技場的龐大和可怖。一進去，我就看見群眾在歡迎戰士隊伍，各色旗幟飛舞，表示各有各的擁護者。競技場好大，裡面的人好多，我敢說艾瓦半數的軍隊都容納得下。

比武已經開始了。第一場比試是兩組捉對廝殺，每組各有三名戰士，一組舉橢圓形盾牌，一組圓形，兵器都是長劍，打鬥得十分激烈。最後圓形盾牌那組勝出，接受群眾歡呼，在一陣花海中離開了露天競技場。

接下來是另兩組登場，每組有五名重裝備的武士，使用長矛，穿著厚重皮革，胸前戴著銅製護胸，頭盔有皮革護罩，保護肩膀。這兩組士兵相隔一段距離而站，依照距離來判斷，他們要在一定的範圍內拋射長矛，誰中矛受傷了，誰就給抬走。要是長矛擊中了對手，卻沒有穿透厚厚的保護衣物，這個人還是得要剔除掉，甚至就判出局。不過他會得到嘉勉。比賽的結果是輸的那組全軍覆沒，勝利的那組還剩下三個人沒有淘汰。

下一場比試是射騎術，也是我從沒見識過的比武，因為他們的靶子是移動靶，繫在由四匹馬拉的馬車上。比賽結果出乎我的意料，居然是希文公主的女槍騎兵贏了，大大的削了對手的面子，她們的對手是清一色的男人。

比武大會讓人情緒高昂，我也熱血沸騰。我希望能日日夜夜訓練，在兩位公主的面前拿下冠軍，或許可以吸引關妮絲的注意，還可以讓開心喧鬧的群眾喝采讚美。

接下來分組比試馬上劍術，跌下馬來的人就淘汰。這項競賽裡，艾德渥隊長，就是那個跟我挑戰的人，技冠群雄，我這時才明白他所謂的『展示冠軍』是什麼意思。他是比武大賽的英雄，就像是這個村寨從前的新加冕的羅馬皇帝。他的戰馬和他有如一體。而且在整場競技裡，他未來的妻子關娜拉就是他最大的鼓勵。最後，比賽場上只剩下他一個人傲然挺立。

比賽花了一整天的時間，艾德渥以勝利者之姿騎馬繞行競技場一圈，停在關娜拉面前，劍尖向她伸去，她輕輕一吻，表現出欣賞及忠貞。

『最後，』他在場子中央大喊，『我們今天還有一位挪威客人，是關妮絲公主的貴賓，我有幸能夠向他挑戰，和我一對一比試。這個人，』他用長劍指著我，『說挪威戰士無論在天堂或在人間都所向無敵，就讓他在不列塔尼人面前用行動來證實他的話吧！』

挑戰書已經下了，所以他們前來為我準備。他們給我戴上手套，穿上堅韌的皮革，肩上還墊了鐵片。給了我一頂頭盔，一面白木做的橢圓形厚盾牌，盾牌上還畫了一隻紅龍。隊長也換了一面盾牌，雖然也是紅色，但兩面都畫了白色野豬。他不願戴頭盔，表現出自己的優越，群眾一陣叫好，頓時旗海飛揚。

我在馬背上坐好。號角響起，我們朝彼此衝鋒。我低下身體躲開第一次攻擊，連我自己也嚇了一跳。一剎那間我以為我或許比他要靈敏，可是我才剛把馬掉過頭來，艾德渥已經又衝鋒了，我用盾牌擋住了他的第一劍。我繼續衝鋒，長劍給他輕鬆的擋掉，好似一點重量也沒有。坦白說，我的攻擊缺乏力道，因為我拿手的武器本來就不是長劍。我在訓練的時候向來就是用斧頭，而且我的教練是『冰血』海狼。真慘，我心裡暗忖……真是丟臉啊！艾德渥隊長故意拿我來代表我的族人，實在太不公平了，起碼在此時此刻一點也不公平。

他再次發動攻擊，我的盾牌一分為二。時間恍如慢了下來，我聽見他哈哈大笑，也注意到關妮絲驚懼的表情。我觀察到群眾爆出大笑，只是當時聽不見聲音。我左顧右盼，因為我在人世的時間似乎不多了。我用盡全身之力握緊長劍，像盾牌一樣舉在面前，艾德渥再次攻擊，我擋住了，但反彈的力道卻讓我自己的劍打中我的臉，在眉毛附近割了一道口子，弄得我滿臉鮮血。又一次衝鋒，又一次攻擊，我咬牙苦撐。再一次攻擊，這次比以前更猛烈，把我擊下了馬背。頭暈眼花的我找不到劍，我的視線模糊。艾德渥連人帶馬朝我撲來，我感覺到馬胸撞上我的背，隨即馬蹄踩上了我的手臂，像踩斷樹枝一樣我的手臂應聲折斷。我痛得好似給戳了幾刀，艾德渥把馬帶開準備給我致命的一擊。多虧了他的副官大聲提醒他這是比武大賽，不是處決人犯，他才停手。

他們朝我奔來，把我放在擔架上抬走，疼痛清晰的穿透我的腦袋。兩名婦女在帳篷裡照料我，雖然頭重腳輕，我還是看見有其他人在帳篷裡接受醫療，就算沒有缺手斷腳，起碼也跟我一樣淒慘。兩個女人拉起我的手，痛得我慘叫，她們把我的手綁在木桿上，然後又擺佈拉扯我的身體，弄得我愈來愈痛，最後她們把某種繩索纏住我的手臂。等她們擺弄得滿意了，她們又繞著手臂綁了些木條，然後餵我喝了蜂蜜酒，讓痛覺麻痺。可是蜂蜜酒太淡了，我一整夜痛得呻吟。她們用濕布給我擦拭，清洗我臉上的傷口，又用針線給我縫合，然後用一種有藥草味的滾燙液體沖洗我臉上的傷口。

我的手臂腫得很厲害，到了第二天早晨活像條肥鮭魚。我照內尼厄斯教導我的方式祈禱，還哭了，這還是第一次偷偷的在內尼厄斯引介給我的上帝面前匍伏不起，懇求大慈大悲的上帝照顧我，因為我很害怕這條手臂會保不住，再也不能上戰場，那我的使命就徹底受到阻礙。再者，我的手臂會失去原有力量，比起海夫丹和艾瓦兩兄弟的力量來，我一個人原本已經微不足道了，若是再失去了手臂，我要如何讓他們為殺了我父親而後悔莫及，如何要他們為不列顛島上的生靈塗炭而付出代價呢？

眼前我承受的強烈痛苦是給我的未來的擔保，因為我已經開始和基督教的上帝溝通，我這一生都會感覺到祂無所不在的溫暖——在強風裡，在不斷重生的天空，在讓我們活下去的空氣裡，在陽光下，在樹蔭底。就在這時我知道了祂永遠不會拋下我不管。現在我知道該如何祈禱了。

我渾身冒汗，照顧我的那兩名溫柔婦女又餵我喝了水，用更多氣味強烈的藥膏塗敷我的手臂，她們單純的醫療讓我放鬆不少。後來我又開始顫抖出汗，她們寸步不離的照顧我。關妮絲公主也進來我躺的地方，投給我擔憂的眼神，詢問了兩名婦女問題；她走過來，我覺得丟臉，閉上眼睛不看她，感覺到她的手貼在我額頭上。我睜開眼睛往上瞧，儘管頭暈眼花，還是看見那一身紫衣的公主站在我旁邊。她輕柔的撫摸我的額頭，在我的白日夢裡，她似乎是在把力量傳輸給我。我很肯定她對我的評價很高，很關心我的健康，也很關心我這個人。我相信她就這麼站了許久，和兩名照顧我的婦女談話，她們立刻就又回來照料我。我想我一定睡了幾個鐘頭。每次醒來，就會喝點東西，然後又睡著，夢到美妙的公主，彷彿天使一樣，長了翅膀，依照內尼厄斯的說法，天使專門保護無辜之人。

時間流逝，我也覺得痛苦愈來愈減輕，已經可以跟那兩名把我照顧得無微不至的年輕女子說些話。其中一個說綁在我手臂上的木條會把力量慢慢的送進我的骨骼裡，我的手臂就會再度強壯。聽起來很奇怪，卻讓我放心不少，因為我全心全意信任她們給我的治療。我的胸膛纏著一條布條，還繞到我的肩膀上，聞起來有藥草味。除了必須解決生理需求之外，我不太敢亂動。我覺得丟臉丟到家了，因為我連到另一個小帳篷去大小解都得要她們陪伴，弄得我像隻落敗的公雞。但她們的善良卻消除了我的羞愧，轉而變成感激。

更多日子過去，我已經可以在陽光下散步，讓我的健康大有進展。又過了些時候，我的手臂恢復了本來的大小、色澤。我相信我獲救了，由衷的感謝上帝，像內尼厄斯教我的一樣崇敬上蒼。這對我的好處多到說不完，快樂的淚水不由得從臉頰滾下。我和造物主的關係讓我不再感覺孤獨。

有一天，關妮絲公主又來看我，大出我的意料之外，因為許多天之前大家就都返回凱爾關特去了，其實是在比武大會結束之後人就走光了。我正在走路，幾名年輕的女子走向我，跟我說公主來看我。我走到醫療處附近的花園，看見了她。她穿著淡粉紅色長袍，如夢如幻，腰間別著金色皮帶。長髮鬆開，披在身後，我甚至感覺她為了來看我還特意打扮了一番，但我不敢作夢作得太厲害，因為現實曾經騎在馬上踐踏過我。她看來真美。

『安格思，我們有了內尼厄斯的消息。他很好，還建議我們應該要禮遇你。』

她用那雙老鷹似的黃眼睛看著我，表達出尊敬，我相信還有一絲欣賞。此時此刻，看著這位美妙性感的女郎，這麼親切的對待我，我不禁想像基督徒總掛在嘴邊的天堂會是什麼樣子，是個充滿了祥和美麗的地方，我們感覺被愛，萬事萬物都平等？她的問題把我從短暫的遐想中喚醒。

『對了，安格思，你答應過要告訴我更多你住在內尼厄斯那裡的情況。』

我迎合她的要求，告訴她我在內尼厄斯那裡的情形，僧侶是什麼樣子，和僧侶一起生活又是什麼樣子。我盡量延長對話，加入了許多細節評論，有時甚至還扯點小謊，（希望內尼厄斯沒有聽見！）就為了要讓她印象深刻，讓她能多留在我身邊一會兒。

後來，她要求我談談我母親和海狼，談談蘇格蘭人，我的村人。我也是儘可能的加入許多細節，盡力強調我母親的基督教信仰，描述海狼的功績則盡量避重就輕。夜幕低垂之前，她跟我道別，留下我一個人睜著眼睛作夢。其實我不僅是瞪大眼睛而已，她的倩影在我眼前揮之不去，就連睡眠遮蓋了我的眼睛，我還是看得見她的模樣。更棒的是，在夢裡我已經完全康復，可以展露我的武藝給她看。而且我還擊敗了一個接一個的對手，而且可想而知，每一個對手都長了艾德渥的臉。

關妮絲信守承諾，留在村裡，還在探望我之後的第二天晚上邀請我參加晚宴。老實說，我在宴會裡感覺好愉快。坐在公主旁邊，我自己暗忖現實和夢境的差異根本就不存在。我因為右臂還不能動，所以受到了無微不至的照顧，人人都因為我坐在公主身邊而有些畏懼的看著我。儘管酒香誘人，她的聲音也讓我迷醉，我還是盡力把持住，我已經受夠了羞辱，可不想再自取其辱。而且我也盡量避免去談論和艾德渥比武的事，我故意談論其他的事情，我們的對話非常愉快，就像是跟認識了很久的某人在談天一樣。她似乎什麼都了解，她的觀點跟我的類似，我們有好幾次都忍不住凝視彼此的眼睛，要不是我在她身邊完全的放鬆，這種事我是絕對做不出來的。那天晚上，我們兩人都明白我們的確有種特殊的感覺，我很高興看見自己的渴望起碼在某一方面得到了回報。

接下來幾天，她又來看我，我們在村寨裡散步，消磨了整個下午。她跟我說了些我想像不到的事情，讓我驚訝萬分。

『許多年前，』她說，語氣混合著傷心和憤怒，『我妹妹跟我，還有幾名關特的婦女，曾經被挪威人俘虜，成了奴隸。他們的頭目是一個巨漢，剃著光頭。他實在是個叫人厭惡到極點的傢伙。』

我盡量去想像那人的模樣。挪威人一般長得都不是很秀氣，就已經夠嚇人了，如果是個巨人似的挪威人，那會有多可怕？她繼續往下說。

『他打算把我們帶到西格吐那的市場當奴隸賣掉，這地方到現在都還會出現在我的惡夢裡。我們一共加起來有三百個婦女兒童，至於男的都給殺死在戰場上了。這個巨人親自押送我們姊妹兩個，一路羞辱我們，用盡方法調戲我們。他強迫我們每天陪他睡。那個狗東西對關娜拉特別偏愛，因為她比我要刁蠻。我寧願把氣力留起來，逮住第一個機會就宰了那隻豬。』

『聽妳這麼驕傲的女人說出那麼不堪的故事，真是讓人難過。』我說。

其實我早就看過類似的例子，但我從來沒有聽過從奴隸的觀點說的故事，所以心頭很沉重。

『「不堪」這一詞還不足以形容。那個北方來的狗東西需索無度，我妹妹真的變得有些瘋狂，差點就徹底精神崩潰。跋涉了好幾天之後，我們在一處羅馬廢墟附近停下，他把我們綁在坍塌的牆上。我注意到地上有東西很亮，就用手去挖，挖出了一支長矛和兩把短劍。長矛大老遠就看得見，所以我把短劍給了關娜拉。等那個挪威巨人走過來，我們就撲過去，刺傷了他好幾處，最後他跌倒在地上，流血至死。』

這女人的精神力量和勇敢的表現都讓我欽佩不已。我絕對想不到她竟然做得出這種事。我說了我的看法，但她顯然沒聽見，只是自顧自說下去。

『然後我就拿起他的斧頭，把他給大卸八塊。』

『真的有必要嗎？』我打岔道。

『對我來說，這是保證他絕對活不了的方法，也是發洩怒氣，紓解我和關娜拉一路上受到的羞辱，』她解釋道：『然後我們把武器蒐集起來，因為押送的人不多，我們就把其他的婦女兒童都釋放了，攻擊了挪威人，殺了他們全部。我的叔叔羅德利大帝派出了軍隊緊緊跟著在我們前頭的龐大挪威部隊，他設下了埋伏，摧毀了他們。回程的時候，他看見了獲釋的奴隸，就對我們，他的親姪女說我們將是闕特的公主和保護者，我們必須照顧所有的聚落，不讓他們受到新的敵人攻擊。』

聽完她的故事，我才明瞭她們為什麼那麼痛恨挪威人。

我看著闕妮絲，感覺她需要支持，因為淚珠正潸然落下她的臉龐。這是第一次我看見這位女戰士在恐怖的回憶下屈服，很少人能夠像她一樣在面對生死之際如此的堅毅果斷。我也感覺到我沒有什麼立場說三道四，所以只是擁抱她，我們熱切的親吻。一次，一次，又一次。我們肩倚著肩，感覺安全。在我們擁著彼此的時候，很容易就相信只要我們在一起，世界就傷不了我們。沒有任何力量能夠擊倒我們在那一刻用溫柔和尊重所著手建築的城堡，我明白了我懷中的女子有多麼勇敢偉大。

等我康復之後，我們回到凱爾關特。身為關妮絲的同伴，我可以預見會有激烈公開的嫉妒等著我這名異鄉人，但事實證明他們對她的尊重就像城牆一樣的牢不可破。不過關娜拉卻表示不以為然，她對我視而不見，而艾德渥的怒氣還沒消，看著我的時候眼裡好像要噴出火來，兀自在想像在凱爾萊恩競技場裡遭人阻止的最後一擊。

冬天來了又去。秋天平靜金黃，柔和的春天奼紫嫣紅，讓人眼花撩亂。生命就像是天堂的呼吸，輕輕愛撫我的臉頰。我從來沒有這麼活力充沛的感覺。我有了一位偉大女性的保護甲冑。我記起她的勇敢，我母親的勇敢，還有千千萬萬跟她們一樣的女人，在不列顛島上等待著艾瓦軍隊的奪命攻擊，而我的使命壓根就還沒開始呢！我要求關妮絲教我武藝，因為她實在是非常厲害。我學習如何揮弓，如何舉弓，知道了每段距離都需要靠箭矢的重量和角度來連續使力，所以箭的長度重量都應該一樣，最好是用同一棵樹來製造，因為每種木頭的濕度都不同。我也學會如何迅捷準確的拋擲長矛，果真是大開眼界。我也教關妮絲如何使用斧頭，她非常高興，只是挪威斧頭對她來說可能是重了點。我們共眠的夜晚就足以讓我覺得這輩子活得很值得，我們看著星星開心的對我們笑，羨慕我們的伴侶關係就像它們在天空的旅程一樣和諧。

我在那裡住了一年多。要是我的計算正確的話，我在主內八七一年那年冬天剛過二十一歲。

緊急軍情傳來，有一支更龐大更恐怖的挪威軍隊犯境。三名探子和南方偏遠的一座村寨村長突然

安格思和關妮絲在凱爾關特過了一年
多的幸福日子，但為了艱鉅的使命，
他不得不離開關特，告別愛人。

抵達，個個都面無人色，立刻由公主接見。

『快說，梅葛溫！』關妮絲命令道，直挺挺的站起來。我又一次注意到我身邊的女郎是一位貨真價實的公主。

『撒克遜國王艾瑟雷德跟他弟弟艾弗列在白馬丘附近和丹麥軍隊交戰。』

『別吞吞吐吐的，有話一次說完！』關娜拉命令道，這時關妮絲召集了一隊探子，命令他們準備好，現在聽見的訊息必須立刻送到歸內德和波伊斯的共主羅德利大帝那裡去。

『丹麥人很有自信，撒克遜人的士氣很低，可是聽說艾瑟雷德和艾弗列還是決定正面交戰，龐大的丹麥部隊由海夫丹・拉格納生和另一名叫做巴薩克的國王帶領。』

我的血液沸騰，頓時有些暈眩。單單是聽到他們的名字我就這麼激動，我管不住自己，我發覺自己在發抖。

『丹麥大軍分成兩批，最大的那批由兩名國王率領，小一點的部隊由幾名甲爾聯合指揮。撒克遜人也是一樣，分成兩隊，一隊聽艾瑟雷德指揮，一隊聽艾弗列指揮。聽說艾弗列不願等他哥哥一起行動，他說誰知道他哥哥到哪兒祈禱去了，然後他就像憤怒的大熊一樣撲向了丹麥軍隊。』

我正在想這些國王的信仰有多堅定，才會在戰爭前夕去祈禱。不知是所有的基督徒統治者都有這習慣，還是撒克遜國王比較特別？

僕人送上一罐蜂蜜酒來給筋疲力盡的探子解渴。他們一面說話一面喝，用衣袖擦嘴。

『艾弗列的攻勢很猛烈，殺了丹麥人一個下馬威。他們說艾瑟雷德來晚了，剛好看見他弟弟擊退了丹麥人，於是決定要加緊進攻。』

或許他是因為祈禱得太專心才去晚了，我心裡想。

他又咕嘟咕嘟的灌了一口，好像吞進了一整顆李子，這次他也是用衣袖擦嘴，喘個不停。

『丹麥人逃走了！可是他們沒戰敗！他們的人數超過我們，而且又佔了地利，可是還是逃走了，他們的軍隊，那些魔鬼，仍然非常龐大，鐵定會反擊的。』

『仔細記好了，阿文！』關妮絲命令道：『派一支特遣隊，每個人兩匹馬，到羅德利大帝那裡，一字不漏的報告給他聽！快去！』

往昔的安詳寧靜此刻崩解了。一切都如預料中粉碎，而我們也瞥見了浩劫——血流成海，屍積如山，看來異教徒反倒是有神祇護佑的人。我心裡想，強暴者造成的地獄永遠沒有結束的一天。該是向前走，奔向我的目標的時候了。我很肯定只要艾瓦和海夫丹一死，他們的軍隊就會失去現有的頑強，各甲爾會忙著奪權，原本團結的大部隊就會分裂成小區塊，而且絕對會窩裡反。

我很傷心的向關妮絲解釋我的使命，我告訴她我的目標是阻止她和關娜拉所遭受過的苦難再次發生。我讓她明白我倆在一起雖然很快樂，但我的使命卻是絕對優先，從使命的艱鉅來看，這事攸關榮譽以及執行信仰。內尼厄斯的教導讓我了解，終結那些殺了我父親、給不列顛帶來這麼多災難的人，就是在尋求正義，而不是在報私仇。她起初很不情願，但最終還是說如果真有機會能夠阻止這波毀滅的狂潮，那就該去試一試。她非常的失望，我向她保證我一定會回來。

我說：『我的靈魂是上帝的，但我的心永遠是妳的，關妮絲。』

離開凱爾關特城比競技場的羞辱更加讓我痛苦為難。人人都跑出來跟我道別。馬本院長給了我祝福，葛拉德文副官用力摟抱我，送我一把美麗的匕首。儘管關妮絲很堅強，我還是感覺到她的心在絞痛，好似我離開也同時帶走了她的一小塊生命。

我還收到別的禮物，幾乎每一樣都是關妮絲送的。有一件禮物最叫我詫異，竟然是關娜拉送給我的一件鎧甲長褲。她給我的時候說：『一路平安。』從她這份心意我察覺到一種沒有說出口的感激，在她心底深處她很清楚我的使命包括了跟那些過去折磨她的人戰鬥。

關妮絲的禮物都是極為精美的東西，而且靈感都來自龍，也就是西姆如地區的符號：兩支龍頭形狀的金屬漏杓、一頂裝飾了龍翼的頭盔、龍爪形鐵墊肩，這些都是保護我頭頸部位的裝備。最後，最珍貴的禮物：她最心愛的手帕，是羅德利大帝送給她的禮物。

『隨時帶著。我會等著你，安格思，等你回來，挑個特別的一天，再把手帕還給我，那時我們的團圓就會變成永恆。』她把手帕連同她最後的吻一併交給了我，我們兩人的淚水融合在一塊。

我離開了凱爾關特城，承諾我一定會再回來。然後我騎上馬，再次尋找我此生的宿命。

譯註

㉓今之喀爾文，位於威爾斯西南部。

㉔今之法國不列塔尼。

㉕今之加斯科尼。

㉖屬於巨人族，她與邪神洛奇生下了巨狼芬里爾、大蛇約蒙加德，以及地獄之后赫爾。

㉗這場戰役便是『諸神的黃昏』：諸神與巨人族之間的最後決戰，帶來了世界的末日。

安格思救了布蘭，得到布蘭的信任，
而能帶領大軍在都伊柏林和艾瓦對戰。

大軍推舉安格思為首領，帶領著四十艘德拉卡返回西姆加北部，最終目標是德加尼衛。

歐文率領一隊不列塔尼人，羅德利大帝和布蘭率領一支大隊正面攻擊，
安格思帶人襲擊右翼，三方人馬順利攻下凱爾格魯易。

羅德利．莫爾大帝年事已高，蓄了
一把灰色長鬍鬚，非常欣賞安格
思，邀請他一起去攻打丹麥人。

9 灰色的冬天

眼望著前頭那條蜿蜒的路途，我不禁想到我和關妮絲廝守的情景此時似乎變成了一場夢。一場我珍藏在最精緻的藏寶箱裡，永遠鎖在我心底某個特殊角落的夢。我所承受的舒適照料，我對關妮絲的愛都敵不過完成使命的需要，這一次也是一樣，我還是那個必須為自己的行為負責的人，這就是我的宿命裡的因果。離開她，現實穿透了情感，主宰了一切。我到今天仍無法接受海狼的死，就算內尼厄斯的教誨言猶在耳也是一樣，他總是那麼的無敵。我胸口的鬱結一直化不開，失去了父親，失去了我的英雄，一切戰士的典範，我永遠尊敬的人。

風也像我的情緒般猛烈的吹。感覺到強風颳在臉上，我忍不住去揣測命運還蘊藏了什麼樣的暴風雨，什麼時候會突如其來撲打在我身上。不知為何，我現在很渴望來點狂猛的折磨，只要能夠讓我完成讓我踏上旅程的原因就好，也就是取走那些渾蛋的狗命。我丟在身後的不僅僅是關妮絲的王國給予我的保護，真正讓我念念不忘的是沒有關妮絲在眼前，有了她在我身邊，我甚至可以搖身變成屠龍英雄。雖然你不會在其他男人面前承認，男人需要有堅強的女人作伴，需要她給予的支持，但這就像每天太陽會升起一樣，是無法抹滅的事實。

我的使命非常清楚，但我卻漫無目標的策馬，我實在不知道該從何著手，到哪裡去弄船。我現在知道我最大的敵人艾瓦又抵達了埃林島的某個港口，率領了一批更強大的艦隊，有更多的增援部隊和奴隸。所以我盡量往西姆如的南方走，有機會的話，就用我的馬和關妮絲給我的錐子換一艘船到都伊柏林去，那是挪威人在埃林島上的軍港。到了那裡，我就可以輕鬆自在的走在挪威人之間，我會想辦法接近那條毒蛇，宰了他。他已經回到了對他最有利的港口，戒心不會太高。或許就在那裡，就在他感覺最安全之處，我可以趁其不備終結掉那條毒蛇的暴政。

我希望我的祈禱和我的意志能夠保佑我，給我這個機會。彎曲的道路把我帶進了一座森林，我深入裡面，渾然不知等待著我的命運。吹過樹梢的風彷彿在低喃什麼我沒聽過的話，其實它是在訴說我的追尋。我發自靈魂最幽深之處自問，是否自己尋求的不過是個人的恩怨。不，不單是個人恩怨。為了要恢復我父親的榮譽，我終將會和不列顛島上的各民族走上相同的道路。他們不顧死活的追尋自由，為了逃離戰火、暴政、強暴、奴役，拚死戰鬥，就跟我追尋的目標一樣。我現在才明瞭我的家人以及後代子孫的道路都由我眼前的態度來界定，因為我的企圖不小，要是我真能夠完成這項功業，我可以造福許多人。不必要親眼看見，我也知道我可以為島上的許多角落帶來歡樂。我的堅持和勇氣可以決定我後世子孫的命運，我的態度會在我的子孫血液裡流動……我暗自沉吟，我會把完成使命需要的勇氣一代一代的傳遞下去……面對挑戰或是逃之夭夭？這就是生命給我的選擇。過著簡單的生活，避開麻煩，平靜無波的活下去，抑或是俯瞰那條未知的道路，面對它？是要衝破限制的真理，還是要充滿歡樂的謊言？是要享受接受試煉的勇氣，還是要吞下不戰而降的苦果？正如我左右矛盾的心情一樣，眼前的道路也分成了兩條岔路。

我選了左邊那條路，一點也不知道命運悄悄的埋伏，即將要出其不意的嚇我一跳。左邊這條路的路面很清楚，但卻相當狹窄。我順著路走進了森林裡更神秘，幾乎有魔法的區域。我觀察著四周的景象，忍不住想一一命名。或許是想解悶吧，我開始給出現在眼前的每一樣東西施行洗禮，彷彿我是森林的主人。就這樣將近中午，我經過了布麗姬溪，繼續沿著海狼草原前進，進入了葉特蘭領地。遠處，安格思湖輕吻羅克蘭山。我就在湖邊空地紮營。

夜幕像床柔軟的毯子般落下，大地一片靜謐。面對如此的幽境，在我腦海裡翻攪的思潮終於暫時平息。其他的聲響佔據了空地：蟋蟀、青蛙、遠處的狼嚎鷹嘯，哄著我入睡。晚風也緩和了下來，我觀察著天上的星群，看著看著眼皮子愈來愈重，不覺睡著了。

一個人獨處可以讓我們注意到既淳樸又神奇的事物，讓我們輕聲低問四周的生命奧秘以及這一切與上帝的關聯。

天亮後，我又上路去追尋我的宿命，很愉快的領悟到我所追求的東西很可能會充滿我整個人生，因為我的使命是那麼的宏偉。我更深入幽暗的森林。一整天大都在騎馬，入夜後也趕了一段路。自從離開凱爾關特城之後，我還沒吃過像樣的一頓飯，不過明天一定可以找到吃的。我下馬來生了火，疲憊的身體除了生火之外沒力氣再做別的，沒多久我就睡著了。

隔天早晨醒來，看見灰燼我就想起了艾瓦的血腥侵略。他就像一把火，所經之處只剩下灰燼，而他的領導也會像火一樣，看似強大，看似無堅不摧，但終究會隨著四周的東西一起消耗毀滅。

那天早晨，我才發現和關妮絲一起訓練的成果有多豐碩：精準的一箭為我找到了早餐，同時也給了我警告。在飛箭穿透野兔脖子的一剎那，我的身體也感到一陣電流竄過，我覺得有點像那隻兔子，彷彿自己也中了一箭。這似乎是什麼兆頭。直覺告訴我我得要準備打鬥，我不能荒廢時間，每天都得要練習斧頭。於是我立刻把手按到斧柄上，從腰帶上取下斧頭，舉在腰側，盯著斧刃上刻鑿的曲線沉思了起來。斧頭是海狼給我的，我一直當作寶貝，就像一個人在一天結束之際緬懷那些轉瞬即逝的回憶一般。又一次，對父親的回憶讓我熱淚盈眶……而哀愁也帶來了對關妮絲的回憶，還有我們相守的時光。我不禁深思起回憶的力量來，回憶是如何的覆蓋我們的心頭，像飛逝的鳥，每一隻都說著不同的話，把我們帶回遙遠的過去。

我繼續前進，天氣變得愈來愈熱。不過雨下得也很大。下午過去，我終於順著路走出了灌木林，道路在此變寬，接上了一條新路，通往森林的邊緣。就在新路的開頭不遠處，我注意到新近有馬蹄踩過。蹄印很大很寬，比我見過的馬蹄都來得大。我一時好奇心起，就繼續向前，留神分辨聲音。我沿著路往前走，忽然感覺脖子後很冷，跟我射中兔子的感覺很像。突然間，我聽見遠處有聲音，立刻閃入道旁的灌木叢裡，屏息等待，騎在馬上，手裡握著斧頭。可是我沒有再聽見什麼聲音，沉不住氣的我相信道路已經淨空了，就從灌木叢裡出來，這下子才明白自己太過倉卒。就在前頭不遠處，有戰士迅速朝我行進，人數不少。我掉轉馬頭，想要朝相反方向逃走，以為自己略佔優勢，因為我騎馬，而他們徒步。可惜我錯了，就在我面前，一支馬隊攔住了我的去路。雖然我吃了一驚，急著想跑，還是忍不住留心起他們奇怪的坐騎來。那些牲畜非常肥壯高大，蹄子踩在地上聽起來像三匹馬發出的聲音。我以為自己逃得掉，因為我的馬有了充分的休息，而且比他們騎的『牛』要快速——起碼我是這麼想的。可是我的馬卻在第一個轉彎滑了一下，下過雨後剛好積了一個小水塘。我是打算鑽進森林裡，可是我轉彎轉得太急，就算是我的馬也應付不來，所以我竟然偏偏挑這個時候從馬背上摔了下來。我以為自己死了。雖然頭暈眼花，我還是看見那些大馬的速度遠比我想像的要快，不到眨眼的功夫，馬上騎士就已經用長矛長劍比著我了。他們把我從地上揪起來，沒收了我的斧頭。我覺得好像手臂給扯斷了，這才明白父親送我的武器對我是多麼珍貴。那一刻，我在想失去生命恐怕還比較沒那麼痛苦。俘虜我的人仔細的檢查我的斧頭，喃喃讚嘆著手工之精巧，鐵匠之高明。接著他們檢查我的袋子，在我摔馬的時候一塊掉下來的，他們看見關妮絲送我的東西非常震驚，指揮官立刻就據為己有。

『你這個賊還挺識貨的，挪威人！好東西……真漂亮……』他說。

他說他會負責保管，而且不容我有異議，因為他是指揮官。憤怒以及受騙的感覺麻痺了我的四肢，但我不敢表現出來。在艾瓦軍中混了一段時日之後，我已經學會俘虜最好是乖乖閉上嘴巴。那些捉住我的戰士也沒有跟我說話，就在靜默中他們把我押到了他們的村寨。從他們的衣服、裝飾、頭髮看來，我知道這些人和我母親是同一族人。有些人把頭髮略微染黃了一點，其他綁辮子。他們的衣服質料很粗，有皮革鐵片保護，劍很長。一路上，他們連看都沒看我一眼，只用長矛戳我的背，催我向前走。我們終於抵達了一座雄偉石堡的大門口。石堡非常巨大，好像一座山。我聽見遠處有海潮聲。後來我才知道，這座保壘是摩根尼衛區的樞紐。

村民站在堡壘上頭好奇的打量我。我覺得像隻稀有動物，被獵人俘虜押運。丟臉丟到家了，不過我至少裝出一副狠樣。村民的品頭論足把他們自己都搞糊塗了，不過我聽不見他們在說什麼。話說回來，我還是分辨出了他們的語言，跟關特的語言一樣，也就是和凱特人的語言類似。

我被帶到村寨中央，給人扭著綁到柱子上。俘虜我的人向後退，仍舊看也不看我一眼。眼下又是我一個人了，最陰鬱的感覺就從靈魂深處湧了上來。『還真是命中帶煞啊，安格思。』我喃喃自語，又一次有想哭的衝動。我為發生的事情尋找解釋。我想起了離開凱特之後發生的每一件事。我想到艾瓦的艦隊，我殺掉的敵人，一起生活的甲爾，歐絲柏嘉短暫的愛撫，關妮絲的長吻。如今，一切的徵兆都告訴我我要死了。不是像戰士一樣戰死，而是像關在籠子裡的動物，像奴隸……內尼厄斯的教誨突然在我的腦海裡活躍，我忽然想到也許是上帝在懲罰我，因為我褻瀆了祂的聖地。依我看來，我會吃這麼多苦頭只怕就是因為這個理由，可是我立刻又想起了我的良師益友的教誨……

那是在修道院的某天下午，天色陰沉，是祈禱時間，唱完讚美詩之後，有名僧侶來找內尼厄斯，說他自己是罪人。他非常沮喪，內尼厄斯問他為什麼這麼痛苦。僧侶一面哭一面說他犯了數不清的錯，他很害怕會下地獄，那似乎是很接近冥界的地方，洛奇的信徒居住的地方。內尼厄斯對年輕僧侶很縱容的笑說：『孩子，創造了你的上帝也創造了天堂和大地，還為了拯救你而灑下祂自己的鮮血。你只要活著祂就會照顧你，用神恩來環繞你。這位上帝，就像為子女犧牲一切的慈母一樣，在福音裡承諾給你永恆的生命，而且祂還宣示沒有人能夠從祂身邊奪走一條靈魂。所以不會是這位上帝，在你生命的最後一刻，在祂準備收割祂救贖的果實，在祂準備接納你的靈魂的時候，不會是這位上帝會命令你與惡魔為伍。如果上帝是這麼窮兇惡極，誰還要相信祂呢？』愕然無言的僧侶不敢再說什麼。內尼厄斯又說：『孩子，千萬不要再用懷疑來冒犯了你的上帝！去吧，別再和罪惡為伍了！』

這番教誨當時讓我深受感動，此刻也在我腦海中不斷迴盪，讓我起了一種平靜的僥倖希望。忽然我發現有一小群人聚集在我被綁的柱子前，剛才的胡思亂想立刻中斷。又羞又怒，我把頭埋在雙膝間坐在地上，不想面對那些對我上下打量的人，我就這樣一直坐到入夜。寒霜落在我身上，我的骨頭都凍僵了。雖然如此，我並不覺得自己可憐，反而因為相信我目前的處境必然有個公正神聖的理由，所以能夠忍受加之於我的折磨。就是這種態度救了我，也引起了某人的注意，而這個人有能力幫我脫困。後來我才知道，就在那個我奮力求生的夜晚，某個人在堡壘頂端的窗口觀察我——村寨的大統領用他嚴厲的藍

離開關特，安格思被小村子的士兵俘虜，
淪為奴隸；但他相信吃苦受罪可以讓靈魂
重生，他的意志必須要比鋼還堅韌。

一個晚上就這麼過去，我的姿勢不曾改變。我在黎明之前打了個盹，卻沒能睡太久。我的身體才剛要鬆懈下來，就給一桶冰水潑醒。我很氣那三個瞪著我的戰士，其中一個還拔出了劍。我好想撲過去，但我給鍊在柱子上，根本束手無策。等到聽見了其中一人說話之後，我的怨恨更是愈來愈濃。

『這就是艾德渥警告過我們的那些挪威人。要讓他整天幹活，不准跟他講話。把這個奴隸帶到森林附近的地方去，等到一天工作結束之後再給他東西吃。』

我十分震驚，艾德渥居然向這些村民說起我，我震驚得一句話也說不出來。到現在為止，我一直沒開口，等著找到適當的人、適當的時機再開口解釋我是誰。不過現在我終於恍然大悟了，就連在那些保護我的人之中都有叛徒。關妮絲並不知道她在自己的宮廷裡養育了一條毒蛇。而我則比以前更應該保持沉默，看看艾德渥究竟設計了什麼陷阱來坑害我。我必須要贏得村中頭目的信任，才能找機會說出我的故事。我不能指望關妮絲會聽見我被俘的消息，忽然現身來解救我。

弄醒我的其中一個人解開了我的鍊子，把我帶到幹活的地方。我穿過村子，這次是在光天化日之下。不同的戰士，婦女兒童都正展開日常雜務。這裡的戰士很高大，但不及挪威人高大。他們蓄著長八字鬍，看來像海豹。他們穿的是傳統的格子呢，跟我母親的部族一樣，只不過花紋和顏色都和凱特的部落明顯不同。

有人推了我一把，把我從胡思亂想中驚醒。監督我的人都拔出了劍，解開了綁住我的鐵鍊，塞給我一把斧頭，指定了樹幹，顯然是要我砍柴。我握著斧頭，忍不住微笑。這柄斧頭當然不是兵器，只是砍柴的工具，但我悶悶的暗忖：『多麼諷刺啊……我成了奴隸，使用的工具居然還是我最愛的武器。』

我一直到太陽下山才停手。然後他們把我帶回村子，給了我水和硬麵包。我這天晚上住在早晨提到艾德渥的那個戰士家裡。我知道他不是我的主人，他不過是提供個地方給我住罷了。不過，我仍然對他很馴服。從他看我的眼光，我知道他很瞧不起我，所以我應該放聰明一點，別去激怒他。吃完東西之後，我又給用鐵鍊鎖了起來，我躺在鋪了乾草的地上，沉沉睡去，一個夢也沒做。

我醒來的時候太陽還沒出來。我從一個很小的開口凝視著遠處的海洋，看海浪拍打著岩石。我被關的地方是一處高聳峭壁上的堡壘，有築成圓形的高大圍牆，下方有土堤，圍牆上有堅固的木柵欄。還有石頭搭建的瞭望台。大海似乎是唯一一個敢挑釁的敵人。

屋裡的人一個一個都醒了過來。屋子很小，只有一個房間，冬天期間連家裡的牲口都會趕進屋來一起睡，一來是保護牲口，二來是增加室內的溫度。我主人的妻子走過來，給了我麵包、一碗放了塊豬肉的熱湯，還有些水。餓壞了的我把豬肉吃了，喝乾了肉湯和水。因為我決定要裝啞巴保平安，所以就作手勢問她可不可以再給一份。她很親切的對我笑，又給了我一塊麵包、一點水。然後，我回到森林，整天都在伐木砍柴。我就這樣過了幾個月。

漸漸的，我的身體愈來愈壯，無論是體型或力氣都像個大男人，從而對目前的情況體會出好處來。或許我所面對的興衰變遷其實是上帝的福佑。沒錯，挺有道理的，也許……我的生活就是打碎石頭，砍柴，耕田，播種。我什麼都做，一天勞動好幾個鐘頭。我非常的賣力，想要贏得俘虜我的人的信任，卻白費力氣。我終於明白無論艾德渥編了多少謊，要他們去懷疑他根本不太可能。不過，我注意到有個人一直在密切觀察我。他就是布蘭・萊斯，村寨的大統領，而且他的體型龐大得像頭大熊。他觀察我的一舉一動，我看得出來他對我很有興趣，因為我很賣力，我在工作的時候從不偷懶……後來我才知道，是他下令讓我過得比較舒服，所以我才能在一間廢棄的馬廄裡睡個好覺，而且每天晚上還有一床毛毯和許多營養的食物，不過我當然還是給綁著。他還發出了一道異常寬厚的命令。『這個挪威人一個人幹了好幾個奴隸的活，賣力的人都應該發餉；餵飽他，不准虐待他。』

老布蘭的態度稍微紓解了我的困境。我開始發現身為奴隸儘管嚴苛，卻對增強我的體力很有好處。這時我又想起了內尼厄斯的教誨，還有我注定要去完成的使命……

一個灰色的冬天就這麼過去，接下來的春天沒有色彩，緊接著是炎熱的夏季，再來是乏味慘澹的秋天。不過為了要逃避淒涼的景色，我訓練自己另一種視覺，也就是內在的視覺，讓我可以看穿眼前的事物，看得更深入。從這一刻到下一刻，我會記住我的錯，以及怎會有犯錯的力量，怎會不悖離意志，不悖離體能，甚至不悖離我的頑固。即使我在過去犯了那麼多次的錯，而且還犯了很嚴重的錯，我的健康、力量、青春卻從沒有背棄過我，一時一刻都沒有。因為現在我選擇了另一條路，就算我有那個力氣去難過去尋死，上帝也不會拋棄我。內尼厄斯告訴過我，我會獲得新生，會像最純粹的鋼一樣受到鍛鍊，然後我才能完成命中注定的使命。吃苦受罪可以讓我的靈魂重生，我必須要比鋼還堅韌……

我感覺前所未有的強壯。因為勞動的關係，我的肌肉一天比一天堅硬，幾乎和我敲碎的岩石一樣硬，我擊敗了岩石所代表的挑戰。我感謝上帝，祂現在是我的教練。我的斧頭一揮，木頭就輕易劈開，我的身體健壯……我的心境平和……

有一天，就在冬天剛開始的時候，他們解開了我的鐵鍊，我們一起去森林打獵，有一隊戰士跟隨。村裡要舉行宴會，其他部族會到俘虜了我的村寨來。五名頭目帶領，分別是老布蘭・萊斯、歐文・里楊德果（他是堡壘裡的武術冠軍）、希維尼、科維多、莫瑞格（他是部隊指揮官，是艾德渥的盟布蘭・萊斯和歐文・里楊德果是村中的兩個頭目，有一天他們帶著安格思去打獵。自此，安格思的命運發生大轉變。

友）。我們在森林裡過了幾天，追逐獵物，捕獲了相當多的飛禽走獸。獵人們很得意，因為出發前他們就誇口會捕獵到幾天後宴會所需的野味。他們情緒高昂，無憂無慮，有很多人忘了在森林裡尤其該提高警覺。我們穿過一處林木茂密的地方，我看見樹木移動，彷彿樹幹就要劈啪一聲折斷，這時，樹枝樹葉都分了開來，就在我們面前冷不防竄出了四頭大野豬。歐文跳向一隻，其他戰士圍上來要撲殺其他三頭。有一頭野豬用獠牙刺穿了想用長矛刺死牠的獵人，獵人摔倒在地上，痛苦的嚎叫。另一頭豬憤怒的攻擊莫瑞格，咬住他的脖子，像破布一樣亂甩。受傷的野豬想要逃回森林裡，比我們還要害怕憤怒。不過最落後的那頭，也是最龐大的那頭卻掉過頭來攻擊布蘭，咬住了他的腿。我無暇細想，奪過一名戰士手上的長矛，在其他人都還愣住的當口，我已經衝向了攻擊布蘭的野豬。我一矛刺入野豬的側腹，但野豬實在太巨大，牠立刻轉過身來，折斷了長矛柄，怒火沖天的朝我衝過來。

我躺在地上，看準了時機，準備用獵刀割斷牠的喉嚨。我用獵刀是因為他們只准我攜帶這個武器。野豬跌在我身上，我用盡全身力道切斷了牠的喉嚨。這頭豬重得不得了，牠又叫又扭，灑了我一身的熱血。我仍不停手的刺牠的喉嚨，同時盡量避開牠那兩根巴不得在我身上刺幾個透明窟窿的大獠牙。說起來很久，但當時一切發生得非常快，一轉眼之間，這頭豬龐大的身體不再滾動，癱了下來，重重的壓在我身上。獵人過來把死豬推開，讓我驚訝的是歐文伸出手來扶我。我驚愕的望著他的眼睛，他回我的眼神寫滿了敬佩。我用點頭向他示意，因為我不覺得現在是開口的時候。

除了布蘭之外，另外兩人也受傷很嚴重。其中一個似乎痛到縮水了，而莫瑞格則沒撐下去。布蘭的腿上有道很深的傷口，可以看見骨頭，我敢說一定會腫。我們協助他上馬，不敢延遲，立刻就返回村寨，把受傷的那個以及莫瑞格的屍體都帶了回去。不過，布蘭受不了騎馬的顛簸，我們只好停下來。眼見老布蘭可能會失去一條腿，我又受了歐文感激眼神的鼓勵，於是決定開口說話。

『我們得用軟膏塗抹在他的傷口上！』歐文的雙眼火焰似的燒向我，剛才對我拯救了布蘭性命的欽佩之情似乎轉變成憤怒。

『你難道還隨身帶著傷藥，挪威人？』他問道，頗佩服我會說他們的語言。

『我是海狼的兒子，他是挪威甲爾，我母親是北方的蘇格蘭人！相信我，我能醫治他！』

『你是敵人，挪威人！你以為我們會相信你？你撒謊，奴隸！在我們這裡，騙子都得死！』

『我能醫治他！』我還是不改口。

『怎麼醫？』歐文問，已經失去了耐性。

『我是跟關特的關妮絲公主學的，她用同樣的藥膏救過我，我也要用這種藥膏來醫治布蘭。』

把我的衣服染成一片血紅的豬血好似給了我勇氣，我一點也不怕回答歐文這個巨人。

『你撒謊，挪威人！』歐文大喝。『關妮絲公主絕對不會照顧敵人！』

『你可以派信差去找她，看我是不是說謊，可是現在先讓我幫助布蘭！我可是冒著生命危險來救他的，你就信我一次吧！起碼讓我試試看。』

『那我們就看看你有什麼能耐好了，北方人，要是你不想死得很難看，你最好祈禱你的治療有效！』歐文威脅道。

我毫不遲疑，立刻要求他們割下幾片野豬的脂肪，我自己則去尋找山金車、甘菊、洋蘇草等等藥草。戰士們狐疑的盯著我，唯恐我利用機會逃走，但一看見我帶著藥草回來，很快就鎮定下來。我立刻把藥草磨碎，混入豬油，把油膏塗抹在布蘭的傷口上，也給另一名受傷的獵人塗抹。血流立刻就止住了，而且其中一種藥草的鎮痛效用也紓解了難忍的痛楚。然後我用大夥衣服上撕下來的布條覆蓋傷處。傷患的痛苦減輕，尤其是布蘭，這就足以讓歐文變得友善。回村寨路上，我騎在他旁邊。他對我剛才說關妮絲治療過我的事感到非常好奇。

『我不相信，挪威人！關特的隊長艾德渥派人送信來說他跟部下驅逐了一隊挪威人，有些海盜朝我們村寨這邊潰逃……』

『艾德渥說謊！他差點在凱爾萊恩的比武裡宰了我！我跟關妮絲要好，他很不高興。他怕我有一天會娶她，會威脅到他繼承關特王位的機會，所以才捏造了謊話。他想要藉你們的手殺了我，可是他沒料到你們只是俘虜我，把我當奴隸。』

『你和關特的冠軍比武？在凱爾萊恩競技場？你還有什麼謊沒說啊，挪威人？』歐文揶揄我道：『哦，對了，我差點忘了……你還迷住了關妮絲公主呢！她一定是愛你愛到連自己姓什麼都不曉得了！』他最後這句話說的是極度的嘲弄不屑。

現在最聰明的做法應該是一聲不吭，可是我想起了那個死於野豬獠牙下的人。就是莫瑞格，那個吃裡扒外的部隊指揮，我從片片斷斷的對話裡面歸納出了一個消息，他正等著關娜拉和艾德渥結合，等到艾德渥成了關特的王子，他就要來征服摩根尼衛，而莫瑞格會裡應外合。他會領導叛軍，因為他是摩根尼衛的指揮官，可惜他和艾德渥千算萬算，卻無論如何也算不到他們的計畫會毀在一頭野豬嘴裡。他的同謀害怕的看著我，現在他的主子沒了，他當然看出我很可能和摩根尼衛的領袖走得很近。我感覺事實真相很快就會水落石出。

『如果你說的都是真的，挪威人，你幹嘛不早說？幹嘛裝啞巴，吃苦受罪？』

『我怕艾德渥的同謀會殺了我，所以我才裝啞巴，假裝聽不懂你們的語言。艾德渥是關娜拉養的毒蛇，他非常野心勃勃，想染指所有的土地。連這裡都有他的同夥，』我說，斜眼瞧了一瞧死去指揮官害怕的同夥，他是徒步的一個，距離大夥愈來愈遠。『可是我知道關特人對我很好，又醫治了我，我實在不能眼睜睜看著布蘭死掉而不幫忙。』

『沒錯，奴隸冒著生命危險拯救主人的命的確是不常見。』

兩天過去了，害布蘭語無倫次的痛苦也減輕了。往後幾天，他們繼續用我的藥方給他醫治，漸漸的傷處開始收口。他們跟我說老人在意外發生後一整個禮拜幾乎都在睡。十天之後，他行走如常。這時他派人叫我到會議室的走廊去，歐文也在。

『你救了我的命，挪威人。我非常感激你，等我證實了歐文跟我說的奇怪故事之後，我會盡快的補償你。他說你是半個蘇格蘭人，你跟關特的關妮絲公主要好。你可知道，挪威人，我們收到消息要我們留神挪威海盜，他們是給艾德渥擊退的，目前在本地區竄逃，而且會朝我們這邊來，偏巧你就被俘了？』

我告訴他我是誰，還把從離開凱特之後的經歷一五一十都說了。我提到在艾瓦和海夫丹麾下參加的戰役，解釋了海狼如何遭到出賣，如何被殺，也詳述和內尼厄斯學習的情形，還談起到關特去的種種。等我說完，歐文迷惑的盯著我，但布蘭卻一點也沒有吃驚的表情。

『艾德渥覬覦關特的寶座已經不是新聞了，我對他的行動早已有耳聞。我早就懷疑他想在摩根尼衛這裡安置更多耳目，準備將來侵略佔領本地，就跟你說從我們的前指揮嘴裡聽見的話一樣，』布蘭冰冷的眼神掩藏真正的情緒。『另外，你提到和關特的關妮絲要好，歐文也派了信差去確認她是否認識你。我們昨天得到回信，我們可以肯定她非常喜歡你。不說這些了，安格思・海狼生，我很感激你冒著生命危險救了我的命，我很欣賞你的勇氣。像你這樣的戰士，不管怎麼樣都傷不了你的尊嚴的。為了報答你，我正式解除你的奴隸身分。不過，我請你接受我們的款待，在摩根尼衛暫且住下來，等我們更清楚艾德渥的意圖之後再說。我派人請關妮絲別讓別人知道你還活著，目前住在我們這裡，也請她暫時別對艾德渥採取行動。她說她會格外留意，不過她不願跟她妹妹有正面衝突。』

『我們得消滅艾德渥。』歐文忿忿的說。

『不過首先我們得證明他的野心，』布蘭比他的朋友要鎮定多了。『我們不能冒著和關特開戰的風險。關娜拉也是關特的統治者，而她已經給艾德渥蠱惑住了！艾德渥很懂得怎麼抓住女人的心，長得英俊又儀表堂堂。』

『那也只有女人吃他那一套！我倒想看看等在競技場裡我的劍穿透了他的喉嚨，那時候他能有多英俊瀟灑！』歐文真的巴不得喝他的血。

『我知道艾德渥對摩根尼衛是莫大的威脅，可是還有一個更可怕的陰影籠罩了整個西姆如地區。』我說，知道我這樣打岔多少有點魯莽，只怕會害我送掉小命。

『什麼樣的威脅，安格思？』布蘭問道，並沒有責怪我，也沒表現出不悅。

『挪威大軍。』我回答道，開始詳盡的描述這部戰爭機器的陣容以及貪婪的程度，讓他們明白比較起來艾德渥不過是個小問題。西姆如地區所有部族都必須團結起來，至於艾德渥，我建議就讓他的狐狸尾巴一點一點的露出來。我也跟他們解釋說關妮絲不是個脆弱的女人，恰恰相反，她的力量遠比我認識的男人都要強大。

歐文還是一味主張在凱爾萊恩競技場和那個狗東西單挑。

『不過艾德渥絕對不會同意的，』歐文酸溜溜的說：『他才沒那個膽子面對我，』他笑著說：『我們兩個王國之間微妙的停戰關係也可能會受影響。』

『你說得沒錯，歐文。不過，我們可以支持羅德利・莫爾大帝，表示我們的善意，』布蘭打斷了歐文的話，提出的意見比較實際理性。『就算摩根尼衛並不是完全效忠羅德利大帝，我們表示支持也可以加強兩邊的關係。整個西姆如就會鞏固起來。』然後他轉頭看著我說：『安格思說得對，我們必須先剷除掉首要的外患，王國的存續就看我們採取什麼行動，內憂可以稍後再處理。』

布蘭作了最後決定。而我也明白他的決定從來就沒有人質疑過。不過歐文還是要求去把艾德渥和死掉的指揮官的同夥給碎屍萬段。布蘭眼皮眨都不眨就同意了，歐文大為高興。然後他又轉頭凝視我，朝歐文作了個手勢，歐文立刻從手下那裡拿了個包裏過來，遞給我。我猶豫了一下，但他不發一語，堅持要給我……我小心翼翼的接過來，彷彿是從餓狼的嘴裡搶下一塊肉，然後偷看了一眼……啊，是我的寶貝……我的頭盔，斧頭，以及關妮絲送我的禮物。布蘭朝我微笑，我注意到命運現在開始眷顧我了。

餵狼

歐文把那個吃裡扒外的狗東西給宰了，然後大卸八塊，把屍塊丟在空地上，當作食物餵那些偶爾會從森林裡跑到堡壘來尋找殘羹剩飯的野狼，這些殘羹剩飯有時還包括人類的殘骸、敵人和叛徒的屍體，比方說這個叛徒和他的前任指揮官。我這才發現歐文享受暴力就跟別人享受美食一樣。他真是一個很特別的類型，獨來獨往，搞不好在戰陣中也是獨行俠一個。他的戰技似乎非常嫻熟，可以說他就是所謂的戰爭人，天生的戰士，誰也不敢冒冒失失跟他講話。

我對他們完全不給敵人喘息空間的手法倒是頗為佩服。歐文這樣的人是不會給毒蛇空間坐大的，他就像獅子，沒有人有膽子跟他單挑；也沒有人敢陰謀對付他，因為他生起氣來絕對是毫不留情。我非常欣賞這樣的武士。

後來我又受邀參加另一場防衛西姆如的戰略會議。能和這些戰士一起開會，感覺到他們信任我，對我真是莫大的榮譽。

布蘭率先發言。

『岱斐德近來不斷遭到挪威海盜攻擊，沿岸堡壘已經全部淪陷。安格思說只要殺了兩個主要的領袖，他們就會潰不成軍。因此，我們需要取得挪威人的服飾船隻，以便滲透進埃林島，潛入都伊柏林的挪威人基地。我聽說維尼阿爾的國王埃依，因為挪威人劫掠了阿爾瑪的修道院而大發雷霆，據說有些埃林島上的王國視為珍寶的遺骨給搶走了。因為這件事的關係，康瑙特的科奴爾國王，蒙斯特的東卡德國王和阿爾斯太的米爾達國王也聯合了起來，在埃依國王的指揮下，正準備對艾瓦發動第一波攻擊。他說艾瓦非常有自信，但也很狡猾。我們會等到埃林的幾位國王攻擊他的時候也一起攻擊。所以我們要號召一支軍隊，在凱爾梅爾丁堡壘後紮營。我聽說挪威人希望從河口進來攻佔堡壘，因為他們相信堡壘輕易就能攻下，他們就可以以此為基地，把魔爪伸入岱斐德。我已經派人去告訴他們我們會離開。等到第一波攻擊開始，我們就採取行動；我們宰了挪威人，剝了他們的衣服，搶走他們的船隻。安格思可以協助我們滲透都伊柏林，他自己就很想宰掉那個挪威國王！』

『在此之前，我看我得教教這個小傢伙怎麼使用武器，你說是嗎？』歐文說。

『我同意，歐文，他需要學著怎麼乾淨俐落的殺人，他似乎沒多少經驗。』布蘭答道。

我愣住了。我又一次被人當作脆弱的小孩……不過，我得承認歐文是如假包換的鬥士，有我從未見過的特質，有他當我的教練是我在這塊土地上求之不得的福氣。我必須要虛心學習，艾德渥差一點就把我斬成肉泥。我應該要有這份學習的耐性，對我絕對只有百利而無一害。

我們的小部隊準備離開摩根尼衛。騎馬到凱爾梅爾丁需要一整天的時間。我們總計有五百多人，全都裝備精良。我跟布蘭、歐文兩位統領騎在隊伍前頭。這次的行軍和挪威大軍不同，挪威人的腦子裡總是先想著燒殺劫掠。而這一次出兵純粹是軍事動機，沒有人會為了爭權奪利而吵嚷不休。這是一個軍事單位，只聽命於一個人——布蘭。

我們趁夜抵達了凱爾梅爾丁，那些慌張失措的頭目很快就接見了我們，把我們看作是慷慨赴義的敢死隊。岱斐德沿岸的城堡全部都在戰火中燒成了灰燼。人民看不出生路在哪裡。我知道羅德利大帝留在後方對抗攻擊北部的挪威人。我們得知艾瓦攻擊了斯特拉克萊王國的不列塔尼人，以及達爾瑞鄂塔的蘇格蘭人和皮克特人，現在他的軍隊更加的壯大。單是把俘虜來的奴隸給運送出去就動用了兩百艘船隻，可想而知艾瓦的實力有多雄厚。儘管他們說艾瓦在這些島嶼上絕對不可能得手，可是有了龐大的軍隊做後盾，他可以把大量的俘虜賣到摩爾市場去，讓他在過去幾年建立起來的買賣人口事業更加蓬勃。不過，布蘭有信心，因為有史以來第一遭埃林島上所有的王國都聯合起來要對付艾瓦，這消息讓大夥都振奮了起來。

我們一整個冬末都屯紮在那裡，不斷的想像開春第一天就會有龍船夾著高張的氣焰，不可一世的登上凱爾梅爾丁海灣。駐紮期間，在微寒的宜人氣候中，我開始了和巨人歐文的訓練。在我的戰士生涯裡，這是最最可觀一件事……一大早天還沒亮，歐文就叫我做運動，他總是先來個開場白：『趁著敵人還在睡覺，躲在暖烘烘的被窩裡，你就應該要努力的練習斧頭。等你和敵人面對面，就要記得在他抱著女人躺在被窩裡的時候，你一個人卻摸黑練習。筆直盯著敵人的眼睛，告訴自己憑他的本領給你提鞋也不配。』

那段日子就是這樣一天一天過去……

我從沒做過歐文教我的那些運動。慢動作，不用武器，再逐漸變成快動作，只用布。他說：『要是你知道怎麼用一塊布或一件披風來自衛，那還有什麼武器難得了你？再說，把披風丟向敵人，你就可以遮擋他的視線，然後乘機揮動斧頭。斧頭是你的拿手兵器，可是你也該知道怎麼用匕首、盾牌、長劍來打鬥。真要到什麼東西都沒有的時候，就連頭盔都可以拿來當作武器。』

有一天，他用雙劍攻擊我，而我只有盾牌可以用，結果慘不忍睹。要是真打，我大概撐不了幾秒鐘。不過這次訓練卻一直到我能夠抵擋得比較久……更久……最後我終於能夠閃避，好歹能抵擋住歐文雷霆萬鈞的攻勢一陣子之後才停止。如果對手換作一般的士兵，我能夠支持的時間就會相當可觀。我能夠跟歐文這樣子的巨人對峙，即使只有非常短暫的時間，都足以讓我未來的敵手變得渺小。

想起來倒也挺有意思的，我的對手兼教練是一名打遍天下無敵手的巨漢，而我未來所要面對的其實只是普通人。有一天，我跟他說：『歐文，我寧可一個打十個，也不願跟你打。』

但他卻回答道：『訓練絕對不能心存僥倖，還有要記得戰鬥的時候絕對不可以輕敵，因為你並不了解敵人的斤兩，就因為不了解，你沒辦法預判他的力量和本事。所以你必須要像面對我一樣的面對他，而且只有在衡量過敵人的本領之後才能下判斷。』

時間一天天過去，我們睡得很少，等待著挪威船隻入侵。眼見寒冬漸逝，附近平原已春暖花開，我們更肯定挪威大軍入侵之日已指日可待。我為了訓練一天起床比一天早，每次才剛爬下床，歐文就已經拿著武器，一面用眼角打量我，一面吃羊乳酪了。天剛破曉，凱爾梅爾丁人就給我們送來許多補給，像是要感激我們在岱斐德窮途末路之時伸出援手。我們有麵包、燻魚、肉類、羊奶、水果；也就是說，我們不缺吃喝，而且營養的肉類滋養了我們的體力。每天早晨，歐文還吃個鴨蛋，或許這就是他的神力來源。

接下來的訓練愈來愈辛苦。我每天都得要扛著歐文走上起碼一小時的路，來增強我的腿力。然後他會要我跪下來，扛著兩根大木頭，一邊肩膀扛一根，一直扛到我受不了為止。

『要是你想要用兩支武器戰鬥，你得要多舉重，安格思。』每次我差不多要累癱了，他都會這麼說。跟這位巨人訓練就跟上戰場一樣，跟他的魔鬼訓練比起來，血戰挪威大軍似乎還反而輕鬆一點。

後來，原本就已經重得像是比較適合耕牛的活動仍沒有減輕，歐文又有了新花樣，把大石頭往我的肚子上扔。方法很簡單：我躺下來，他就把一塊跟我的腦袋一樣大小的石頭扔下來。每天石頭落下的距離都會增長，給他砸中就跟被馬狠狠在肚子踢一腳一樣痛。

『你身體的平衡點是在腰上，安格思。這是我的秘訣，我從來就沒有跟誰說過，我自己也搞不清楚為什麼會跟你說，大概是為了要讓你在遇見那個狗東西艾瓦的時候別失手吧，』他斜睨我說，目光嚴厲。『一定就是因為這個緣故。』

歐文在我身上花的心血的確很奇怪。我雖然吃了不少苦頭，卻衷心感激這位巨人教練，而且我會用戰士的絕對忠誠來回報他。

春天過去了，我對自己的新體能十分的自信。我不穿衣服都好像是披了甲冑，因為我的肌肉非常結實堅硬。

內尼厄斯！一定是內尼厄斯的關係……我感覺得出來。歐文在我身上花的心血並不尋常。內尼厄斯說過要把美德像石頭一樣的砸向我，要把我鍛鍊成鋼，而我現在接受的訓練就是這樣……難怪我會有這種感覺。我會一輩子感激我的老師，他那麼的看重我。要是我有祖父的話，他一定也會像內尼厄斯那樣的寵愛我。而我對歐文則是又感激又佩服，他是堅強的戰士，一言九鼎，他對布蘭的忠心耿耿也讓人讚嘆。這位老是皺著眉頭的巨人有高貴的靈魂，就像最光榮的領袖。我得到了高人指點。我才剛想起他，就幾乎有點後悔，因為他已經過來要展開一天的訓練了……一個禮拜七天……有時我真懷疑自己受不受得了……

『安格思，好消息！今天換換胃口，來練劍！』

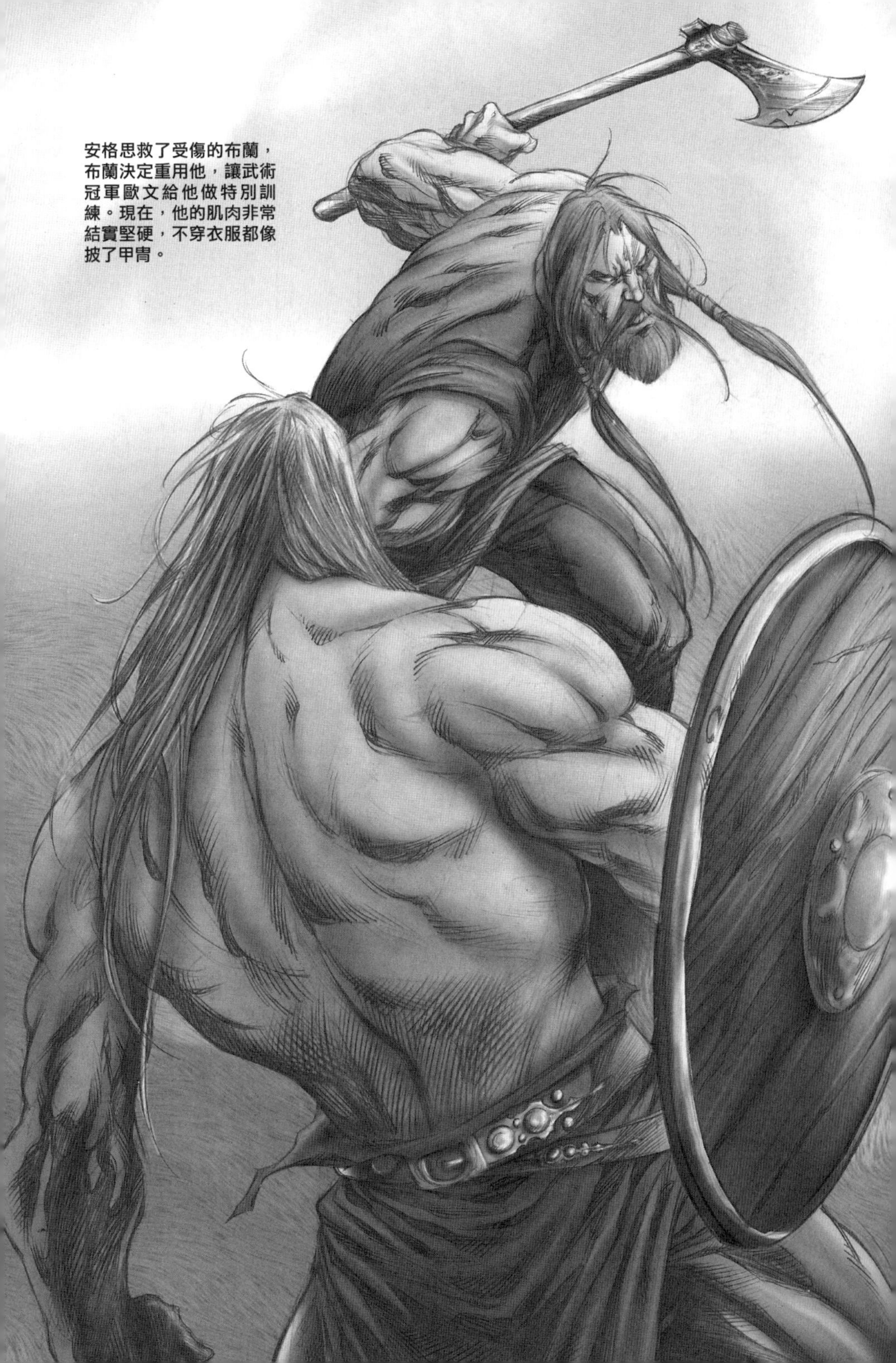
安格思救了受傷的布蘭，
布蘭決定重用他，讓武術
冠軍歐文給他做特別訓
練。現在，他的肌肉非常
結實堅硬，不穿衣服都像
披了甲冑。

『練劍……我的劍術根本不能提……』

『有可能，安格思！沒錯，很有可能……長劍是一種長武器，就因為它長，拿在手裡的時候就感覺重，因為劍尖會從你的手腕牽動到手臂。』他把長劍遞給我，是那種不列塔尼人慣用的劍。

這麼笨重的玩意拿來當武器簡直是荒唐，我完全能夠體會他說劍尖會牽動手臂是怎麼回事，因為長劍跟耕田用的犁一樣，幾乎要掉到地上。

『靜止的劍非常重，可別忘了，安格思。』說完他就比劃了起來，招式真是奧妙。誰要接近他，都得小心自己的腦袋給削下來！他幾乎可以說是人劍合一，我暗忖道……『戰士如果舉著劍不動，看起來是節省力氣，其實不然。長劍很重，他很快就會累。如果攻擊的方向不同，目標改變了方位，手腕就需要格外的力道。不過要是不斷的揮劍，安格思，』他用威脅的聲音說，長劍在我的頭頂颼颼響，『你就得要有更有利的武器，因為幾乎不會有人敢靠近你。再來說到攻擊，用長劍進攻最正確的位置就是頸部！』

長劍不再呼嘯，輪到我了……歐文把劍遞給我，先教我怎麼握劍。怎樣牢牢握住劍柄，距離身體多遠，手肘多彎，讓長劍順著身體動作，甚至讓長劍跟身體動作相反最好，因為你的身體和長劍的動作應該是反力，才能取得平衡。

『左右擺動！』他指導道：『向右！』我扭轉身體，躲開他的攻擊。『閃避！』我彎腰縮背，直到胸膛碰到膝蓋為止……『你得跟兔子一樣敏捷，換作攻擊的時候就得像野狼一樣兇狠。』

稍後，等我們訓練得筋疲力盡了，我們一面休息，他一面解釋說：『左右擺動這動作是我觀察野狼學來的，安格思。』

我知道自己應該向駱駝學習，不過我們還是像兩匹馬一樣喝了一大堆水，歐文順便跟我講解他是如何學習武術的。

『我觀察野狼追逐一隻機伶的獵物，注意到每次野狼急速轉彎，尾巴就朝相反方向伸，當作反力，讓牠保持平衡。所以我就在練劍的時候模仿類似的動作，果然是一大發現，後來也讓我的敵人更頭痛……我在攻擊的時候三倍的篤定，我會朝長劍揮舞的反方向旋轉身體，結果攻擊的範圍、速度、力道都更大，因為決勝的關鍵就在平衡。我不知道看過多少優秀的戰士在戰陣中倒下，就因為失去了平衡。將來你就會知道保持平衡跟你結實的肚子有多管用了，安格思。』

我真的是長了見識！歐文這一招高明絕倫。經過一個下午又一個下午持續練劍之後，我感覺原本非常陌生的長劍已經變成了我身體的一部分。

日子就這麼過去，最後我們終於盼到了等待已久的消息。挪威大軍抵達了凱爾梅爾丁海灣。當時我很迷惑，感覺有點像叛徒，明知那些即將與我為敵的人和我流著部分相同的血液，而且他們之中也有超凡卓絕的人。可是我跟艾瓦、海夫丹的恩怨卻讓我顧不得別的，要不是他們，我們根本就不會有對決的一天。這是我的使命，我不但接受，只要能力所及，也會去完成。機會終於來了……而且還是搭船來的。

11 埃林眾王

晨霧為德拉卡掩護，讓船隻悄悄掩近，船帆收起，只有船槳輕輕劃破水面的聲音。此時此刻的平靜底下其實是刀光劍影的殘酷現實，儘管美麗的船隻雄壯威武，破浪而來，其實已經披上了死亡的外衣。不過這一次是我們佔據了出其不意的優勢，挪威人並沒有料到我們會在海灘埋伏。儘管如此，親眼看見壯麗的德拉卡靠岸，我仍忍不住作起白日夢來。短短的幾分鐘，我看見自己在東盎格魯海灘登陸，心情亢奮，因為是第一次出征又擊敗了敵人，然後艾瓦的艦隊上岸。感覺很類似，但如今的動機卻不同。我的理由已經變了。我不再因為青少年的狂喜而戰，也不再因為同袍的熱情而戰。現在我對生命有了承諾，這承諾讓我陷入生命的羅網中，不可自拔，逼得我不得不在它永恆的戰場和犧牲裡佔住一席之地。而戰士就應該是具備了這種特質，最純粹的、最受一般接納的犧牲。如今我有了更高貴的理由，把我真正的自我也牽連進去的理由。在跟著父親出征的時候，我沒有別的意圖，只是想要打入戰士圈，成為他們的一分子，想要和那些投入未知命運的好漢一塊冒險犯難。然而經過了這些年，我自己就是我的意圖。就算我還沒能探知我的良師益友內尼厄斯所教導我的深度，我還是有我的意圖。我希望我至少能夠記住他的智慧，永遠的刻印在心裡，讓他傳授給我的那些知性雋語在我身上獲得實踐，去慢慢的學習感覺那些深奧的思想，一點也不匆忙，像隻駱駝，而不像馬。我身體的每一束肌肉、我的視覺、我的技能都朝向更優越的目標邁進，就從這樣的專注裡，公正的戰士應運而生。我等待的就是這個。

自從我們撤出約克城之後，我就沒有參加過戰鬥。命運恩准我縮進內厄斯、關妮絲、歐文所織的繭裡面去學習訓練，加上我淪為奴隸期間的勞動，讓我歷經了千錘百鍊。這一刻，我張開羽翼，只待迎風飛翔。我準備要踏上新的路線，這新的路線其實正是我生命中的轉捩點。

十三艘德拉卡一艘接一艘的在濃霧中靜靜泊岸。我們躲藏在狹窄海灘的岩石堆裡。我們用兩支軍隊據守南北，後衛部隊則防禦懸崖到城堡的範圍。萬一敵軍衝破了先鋒部隊，也過不了第二關，就算最壞的打算不幸應驗，敵軍攻上了凱爾梅爾丁城門，我們的士兵也能擋得住。在數量方面，我們稍微屈居下風，一百五十對將近兩百名維京人，但我們深信己方會獲勝。敵軍戰士把船拉上鵝卵石海灘，我們餓狼似的發動攻擊。挪威人萬萬沒有料到有伏兵，來不及集結，只有在狹長的海灘上各自為戰。狹長的海灘不夠大，沒辦法盡情施展武器，因為每一吋土地都給站滿了，人人都佔據最穩固的立腳處，給敵軍最猛烈的攻擊。我跟在歐文身邊戰鬥，近來接受的訓練讓我和他的默契好得不得了。痛苦憤怒的叫聲衝上雲霄，還夾雜著挪威甲爾發號施令的吼聲。我和歐文在先鋒部隊的最前線，海灘的左翼，兩人一起揮舞長劍，彷彿死亡之輪，輾過之處無一倖免。挪威人節節敗退，有些還想撤退回船上。沒有多久，歐文、我跟四名戰友已經打上了一艘德拉卡。一名也是歐文親手訓練的青年康拉•瑞斯在爬上船的時候給斧頭擊中，就倒在我眼前。我趁著敵人高舉武器準備砍下的當口，看準時機，一劍送入他身側，刺入了他的肋骨。

『這是為康拉報仇！』

聽見了我的怒吼，在甲板上戰鬥的歐文轉過身來，劍光一閃，斬下了他的腦袋，報了殺徒之仇。

最後兩艘等著拖上岸的德拉卡不顧岸上血戰的戰友準備逃命。我想也不想就跑過甲板，跳上了另一艘打算逃跑的德拉卡船尾。我躲過一次攻擊，敵人落空的武器砍中舷側，躲在後面的我立刻一劍刺死了他。歐文殺了第二名防衛船尾的維京人。我們站在船尾，揮舞長劍，膽敢挑戰者紛紛墜地。剛才那艘德拉卡的船員已經全部給我們殺光，我們的同袍也跳上了這艘船，等我們佔領了這艘之後，我們又追擊逃亡的另一艘德拉卡。我連一秒鐘都沒有浪費，命令我們的戰士拿起槳來，我自己則去找升降索，把巨大的羊毛帆升起來，調整風帆讓德拉卡逆風而行，然後我跑到船尾掌舵。一面高聲吆喝，把划船的節奏調整成一致。另一艘德拉卡也是逆風逃亡，把我們的距離愈拉愈遠。我儘可能搶到上風處，才能把船掉頭，跟逃走的那艘船船尾形成直角。

『你在搞什麼？』歐文憤怒的大吼，並不了解我為什麼如此操舟。

我們的船飛快前進，輕盈得像鳥，但和另一艘船的距離卻愈來愈遠，它繼續往下風處逃逸。很快我們和敵人之間的距離已經拉開了。等我推測距離已經夠遠了，我下令搶風作鋸齒狀航行，於是我們的船搶到了敵船的上風處。他們也注意到我們航向改變，立刻後退，但我們的船迎風的角度比他們好。這下子兩船相交不過是時間問題了。我們很快就可以把船錨給拋過敵船去，但好幾次的拋擲都給敵人阻擋下來，最後還是歐文順利的把船錨給勾住了舷側上緣，用力的拉扯，另兩名戰士也一起幫忙，終於讓逃亡的德拉卡慢了下來。敵船上的人還來不及把歐文的錨鏈給砍斷，我們這邊又有兩名戰士勾住了船緣，緊接著第四個人也成功了。不出幾分鐘，我們就登上了敵船。兩名不列塔尼人怒急攻心，像狂戰士一樣狂殺猛砍，不到眨眼功夫就送了命。不過我們其他人卻乘機攻上了敵船。歐文把他的『杜薇莎』劍一揮，就有兩名敵人倒地。『杜薇莎』的意思就是黑美人，因為它就是勾魂使者。海面洶湧，所以戰場也搖晃不穩。我們的攻擊既談不上平衡也談不上角度，大家都是混戰蠻打，不過我們終究還是控制了情勢。兩名挪威人一看不對，立刻跳入冰冷的海水，想要泅水逃生。

『別管他們了！他們離岸太遠，海水又那麼冷，游不到的……』歐文說，看著兩個已經露出疲態的維京人手忙腳亂的游泳，感到一絲的喜悅。我們等待著，讓海水幫我們解決敵人的性命，等了有一會兒。那兩個維京戰士相當頑強，但因為氣力用盡，最後還是給海水吞沒，沉入了冰冷的黑暗深淵。海灘上也是戰果輝煌，布蘭指揮部下把死掉的挪威人衣服剝下來，把武器蒐集起來。只有少數活口，都成了奴隸。

『安格思真是了不起的水手！』歐文對布蘭說，還在我的頭上重重拍了一下，把我的頭盔也打飛了。

『我們拿到了需要的衣服和德拉卡了，應該盡快出發到埃林去。』布蘭是運籌帷幄的謀略家。他不會因為戰勝而狂喜，不會因為失敗而哀傷。一次征服意謂著還有行動待執行。搜括財寶、埋葬死者似乎都不重要，重要的是行動是否精確無誤。

『安格思來指揮渡海。』他說，然後又轉頭看著我說：『你在航海方面確實有兩把刷子，小夥子。』

不過幾天的功夫，我這個只是把年幼時從前輩水手那裡學到的航海技術依樣畫葫蘆的新手，到了不列塔尼人這裡竟成了航海專家，在我看來，對我的本領的檢定，尤其是航海術方面，未免有失公允。要渡海到維敦卡達海岸需要很長的時間，然後我們會沿著海岸向北航行，接近都伊柏林這個繁忙的販奴港。起初埃林眾王並不把維京人放在眼裡，因為他們沒有威脅到他們的王國。然而最近都伊柏林國王『白人』歐拉夫很想要拓展國力，導致反感，所以維尼阿爾、康瑙特、蒙斯特和阿爾斯太所有的王國才會聯合起來。埃林島的地平線正醞釀一場暴風雨，而艾瓦的到來則讓烏雲愈來愈厚。

我們選了一個晴天渡海，我的旗艦領頭，編隊前進。歐文是左邊第一艘德拉卡，布蘭是右邊第一艘。我們正要穿過一處小海灣，忽然發現了四艘德拉卡朝外海急駛。我們距離夠近，立刻抛出船錨，但挪威人來得太快，不但佔了風勢，而且操作得法，很快就拉開了跟我們的距離。四艘船分散開來，想要擺脫我們的追擊。阿羅夫命令我們調整風帆，追上其中一艘，在這裡他展現了老道的經驗，船尾比船首吃水更多。我們的艦隊也一分為二，追擊其他三艘船。我們想要擋住敵人的風勢，用風帆擋住他的風，但對方的舵手非常有經驗，他往前駛，快速的操舟，讓船吃飽了側風。我們也跟進。兩艘船的舵手都拚命加速。我們追上了，愈來愈近，忽然間，我們所追逐的那艘德拉卡的舵手對水手大聲吆喝，繞了半個圈把船頭轉向下風處，斜斜的向我的船身筆直衝來。我們盡全力轉動船舵，以免撞上，把船切成兩截。儘管動作快，兩艘船仍然擦撞。對方掌舵之精良讓我們的追逐差點演變成一場船難，我這才省悟，對方可是優秀的水手。這時風向在船尾，兩艘船並排，海水濺上我的臉，我的眼前一片模糊，大夥已經在抛擲船錨，忽然我聽見了喊聲。

『安格思？』我聽見自己的名字又大聲又清晰，像我父親的族人發出的，我不覺一驚，心跳加速……『安格思，真的是你！』不是我的想像，真的有人叫我的名字。『你這小王八蛋！真的是你，小兔崽子！』我很害怕，彷彿見鬼了，可是朝叫聲來源之處的德拉卡張望，我卻不敢相信自己的眼睛……我高舉手臂作手勢要全部人住手……『你這會子竟然要攻擊老朋友了？你要不是海狼的兒子，我就要連你媽一塊罵了，小兔崽子。』

是哈格斯！我不敢相信自己的眼睛……是哈格斯，我的老朋友……以及盟友。

『住手！他們是朋友！住手！』我大聲吼叫，以免兩方廝殺起來，然後我們揮手要其他船隻停止追逐。

『哈格斯！』我的僧侶朋友說過奇蹟的確存在。『哈格斯！』我朝他猛招手，看見了血親一樣的朋友，忍不住熱淚盈眶……他跟我父親就像親骨肉，歷經患難的骨肉。

『你這塊老頑石！誰有那個本事殺得了你！』我朝他大吼。『讓我先跟同伴解釋一下眼前的狀況……』他們都像墮入了五里霧中，摸不著頭腦。就連我都覺得不可思議。不過，既然生命給了你這麼棒的驚喜，何不敞開雙臂熱烈歡迎呢？

『待在那裡別動，哈格斯！』

我掉頭往歐文和布蘭的船隻駛去，方才他們也加入了追逐。我很快就回來，帶著兩名領袖。我們整支艦隊，還有哈格斯的四艘德拉卡，都降下了帆，一夥人就在哈格斯的船上開會。

我的船才剛靠近哈格斯的船，我就迫不及待跳了上去。再看見他的感覺實在太好了。

『安格思！』他完全不掩飾自己的情緒以及對我的讚賞。這隻大熊用力摟抱我，差點把我給折成兩半……我都忘了他的力氣有多大了。

我們互訴別後的諸多遭遇。和我們分散之時比較起來，這些簡單帶過的消息可以算是非常之好。我不由得想到我真該好好感謝上帝，畢竟我的生命走向比我預計的要好得太多了。

哈格斯跟我說他和他的挪威盟友也正準備去攻打都伊柏林。

『現在是最好的時機，因為埃林所有的國王都準備要跟歐拉夫作對，他們很快就要去攻打「白人」的堡壘了。』他說。

『安格思可真給我們帶了不少好運來呢！』歐文說，這一次我及時低頭，躲開了他友善的拍打。

我們兩支武力加起來有十七艘德拉卡，浩浩蕩蕩朝都伊柏林進攻。我們等到拂曉才下錨，就靠近可以直溯堡壘的河口。抵達之後，我們立刻就派出探子去觀察村寨的動靜，順便看看從哪裡進入。我們會等到埃林眾王攻擊再加入他們。

隔天早晨，我奉命帶領一小隊人去打探消息，因為除了哈格斯的人之外，我是少數幾個挪威話很流利的人。我只希望不會給人認出來。畢竟這麼多年過去了，應該不會有人記得我。我碰上艾瓦的機會也不大，他已經是不列顛島上最有權勢的國王，不會輕易出現在大庭廣眾之前。再說，我也改變了不少，不再是那個跟著父親出征的清瘦少年了。我已經變成大男人了。而我這個大男人絕對會再看見不列顛最有權勢的人。我從骨子裡就感覺得到。

我乘德拉卡逆流而上，帶著哈格斯的七個挪威部下，我對堡壘的人自稱是來買奴隸的。守衛很奇怪我竟然一點金銀珠寶都沒有，我跟他們解釋說我們遭到了挪威海盜攻擊，除了財寶給洗劫一空之外，連船員都損失了不少。

『我們想在都伊柏林買點便宜的奴隸，以免空手回卑爾根。』我解釋道。

我們下錨，八個人分成了四組，一組到奴隸市場去假裝買奴隸，其他三組就在城堡裡游走。到了鐵匠街，我的探子可以觀察有多少士兵武器。我發現艾瓦幾個月前才剛剛征戰回來，現在正在接受『白人』歐拉夫的款待。他帶來了數量驚人的奴隸，有斯特拉克萊王國的不列塔尼人，以及達爾瑞鄂塔的蘇格蘭人和皮克特人，都是要賣到摩爾和希伯來市場的。因為人數太多，艾瓦下令建造兩百艘船隻，把奴隸載運到哥多華回教區，也就是販奴買賣的第一大市場。艾瓦的兒子西崔克現在也在這裡，他才剛從東

埃林所有的國王都準備要跟歐拉夫作對，要集體發
動聯軍前往都伊柏林，去攻打『白人』的堡壘了。

方回來。他的到來變成了堡壘裡的話題，市場裡人人都在談他從遙遠的國度賺到多少財富，以及他帶回來的財富有多少。摩爾絲，印度金匕首，柄上還鑲滿了寶石，純金打造的波斯雙刃斧，半月形的造型，連雕刻圖案也是半月形，還有波斯人用來指揮大象這種戰場巨獸的工具，他甚至還帶來了一付給他自己的馬穿的盔甲，引起了全都伊柏林人的驚訝；當然也少不了一大群摩爾女奴。這些女人，個個黑髮黑膚，對挪威人來說是非常高價的貨品。因為她們的長相特殊，美艷絕倫，所以在海澤比、西格土那、柏克市場上總能賣到高價位，只有國王、甲爾才買得起。西崔克也帶了一支親衛隊，都是騎兵，武器裝備都是土耳其來的。

我的隊員一個接一個回到碼頭。趁著夜幕降臨，我們航向河口，還向守衛抱怨都伊柏林賣的奴隸太貴了，害我們白高興一場等等。我已經要求歐文和其他不列塔尼人把海豹一樣的長鬍鬚給編起來，免得混在挪威人叢裡顯得太礙眼。這些不列塔尼人的鬍鬚也真是天下奇觀，我心裡暗忖。

『斯特瑞克的奴隸讓所有的奴隸販子都抬高了價錢！』我大喊，忿忿不平的抱怨著。『我們只好到南邊的修道院去碰碰運氣了。既然買不到奴隸，那就只好想辦法撈些銀子了。』

『祝你們好運嘍，』守衛說：『不過可得小心，阿爾斯太的米爾達國王在阿爾瑪的修道院遭受攻擊之後氣得跳腳，現在有很多部隊在巡邏，所有的修道院都有部隊保護了！』

『多謝你的消息，守衛！那我們就少宰幾個僧侶好了！』我譏諷的大喊，向那個咧著大嘴猛揮手的白痴微笑。

我們的德拉卡已經離開了碼頭，船槳輕輕划動，都伊柏林很快就落在後面。

打探消息之後幾天，我們就只是提高警覺，默默等待。布蘭派出了一些不列塔尼信差去通知埃林眾王我們遠來赴援，同時提供他們戰略消息，但是這些信差沒有一個回來，我們也只能盯著都伊柏林的來往道路，以免在攻擊發起的時刻估錯地方誤了時機。

到了一個陰冷的早晨，烏鴉呱呱叫，忽然有個探子闖進了營地。

『埃林的聯軍準備攻擊了！就部署在都伊柏林前面的平原上！』

這消息決定了布蘭的行動。

『上船！讓他們以為我們是挪威援軍，等他們開了大門，我們就攻佔城門，放聯軍進城！』

溯河而上，我們看見都伊柏林正遭受四名國王率領的聯軍攻擊。因為埃依是偉大的維尼阿爾國王，所以聯軍以他為首。他和康瑙特的科奴爾國王率領大軍正面攻擊面對平原的城門，也就是城堡的左翼。艾瓦和西崔克帶人出城到平原上作戰，防禦城堡的右側。傲慢自大的他們壓根就不把愛爾蘭人的怒火放在眼裡。即使隔著大老遠，我也能分辨出艾瓦跟他那個噁心的兒子來，因為他們都騎馬，而且有親衛隊保護。那些裝飾華麗的土耳其武器簡直像娘兒們似的，我心裡想。我覺得像餓狼看見了獵物，急得咬牙，低咆……歐文注意到了。

『鎮定點，安格思！沒有人可以靠怒火得勝。』

阿爾斯太的米爾達國王向艾瓦開戰，而蒙斯特的東卡德國王則朝我們的方向過來，由我們的信差導引。

城堡守衛看見有十七艘德拉卡停泊在水閘前碼頭，架在船側的盾牌上又有清清楚楚的挪威人圖徽，毫不遲疑就打開水閘放我們進城。豈知我們非但不是他們企盼的挪威援軍，甚且還帶來了死亡，因為我不達目的決不罷手。而且歐文說得對，我非常憤怒！目前攻擊集中在大寨的另一側，城門的守衛並不多，河道上也只有上游一排船隻，下游一排船隻。多虧了我們的偽裝，很順利就通過了第一道障礙。等船上水手發覺時，我們已經攻佔了城門，紛紛棄船上岸搏鬥。我們人數眾多，而且也佔據了戰略位置，可以說穩操勝算。我很欣賞挪威人的態度，一見自己戰敗，就發起瘋狂的攻擊，一個個給怒火蒙住了眼，一個人敵對好幾個敵人，勇敢奮戰，死而無悔。等我們控制了城門，東卡德國王也率軍抵達增援，來得正是時候。城堡的另一邊，挪威人已知道我們進入城堡，小隊人馬衝過來和我們接戰，萬一東卡德稍遲一步，萬一信差沒有通知他我們是盟友，單憑我們這些人絕對守不住。

『歐文，我們已經控制了城門！帶一些人跟安格思、哈格斯去幫米爾達攻打艾瓦！』

我朝布蘭看了一眼，充滿了感激。我的眼睛發出怒火，巴望著報仇……也許我該說巴望著完成使命。我們迅速脫隊，繞過城堡的土堤，沿著河到右翼去，奔向平原，米爾達率軍和艾瓦廝殺的所在。

這一戰血腥慘烈。米爾達的軍隊佈成了方陣，想要突破敵軍的防線，但艾瓦的維京人用盾牌和武器組成了穿不透的障礙。障礙的中心是艾瓦和西崔克，由親衛隊保護。依據當前的狀況，我們只有一條路可走：派出一隊尖兵向前狂撲猛衝。不過，以眼前的情勢，那無異是自殺攻擊。歐文脫掉了挪威衣服，把格子呢裹在赤裸的胸膛上，向米爾達請纓殺敵，米爾達認出了他的服色。

『米爾達國王，我請求你准許我帶人突破挪威防線！』

『那簡直是自殺，西姆如人！』

『我帶的人可不會！他們都是我一手訓練出來的。就連艾瓦的精銳部隊也擋不住我們！』

『既然你這麼說，西姆如人……你得到我的允許了，但是我並不贊同，我不能下令要手下發起自殺攻擊……』

『多謝你的許可，米爾達……』歐文還沒說完就開始行動了。

他下令手下組成所謂的『衝鋒』隊形，也就是一個三角形，先鋒部隊突破，後衛部隊固守攻下的地盤。歐文本人站在三角形尖端，我也效法歐文的氣魄，站在他另一邊，我也剝光了上衣，把關妮絲在凱爾萊恩送我的格子呢纏在肩上。這是一份非常珍貴的禮物，但我想不出還有什麼時機比得上現在更適合公然展現它，就算是把我最偉大的成就奉獻給關妮絲吧。我站在歐文左側，與他間隔一步，而哈格斯則在他右側。我們的隊形佈置妥當，默契十足的戰鬥，一點一點突破了敵軍防線。我們整個隊形約莫有三十人，長劍揮舞，彷彿是一體。只要露出一個空隙，就會有人遞補上來，不讓挪威人趁隙攻擊。我們步步進逼，像樂師彈奏樂器一樣的精準，而米爾達則帶領手下佔據我們征服的每一小塊土地。我們的戰法勝過了挪威人，他們都是各自為戰。這些戰士儘管讓人生畏，卻都太看重個人功績，不願委屈自己和其他人協同攻擊。等我們逐漸深入挪威人陣線，對上了親衛隊，這時戰鬥就更加慘烈了。親衛隊全部騎馬，全套的土耳其鎧甲，武器也是土耳其長矛。他們是菁英中的菁英，由西崔克親自招募，親自指揮作戰。敵人的抗拒在這裡更加的頑強。歐文、哈格斯、我三個，再加上七名袍澤突破了他們的防線，但他們立刻封死了我們的後路，不讓其他不列塔尼人和米爾達殺入。我們成了一支孤軍，深入敵軍核心。我們這十名戰士圍成一個打不破的圓圈。親衛隊施壓……包圍……再施壓，想要突破。他們騎馬衝鋒，而我們行動一致，擊退了他們，奪下他們的馬匹。在歐文的指揮下，我們兩個兩個戰鬥。一名戰士使用雙劍，抵擋攻擊，另一名戰士蹲伏在旁邊，一見敵人的武器就要落在同袍交叉的劍上，立刻就把長劍送入騎士的身體，把他砍翻下馬。不過一會兒的功夫，我們全部都上了馬，徹底突破了親衛隊所組成的障礙。我也是兩件武器並用，只不過我不是雙劍，而是一斧一劍，我打算用這把斧頭把艾瓦那個狗東西給砍了。後來我看見了獵物，立刻跳下馬來，大聲吼叫。

『艾瓦！』我的吼聲聽起來很像野獸的咆哮，在戰場迴盪。艾瓦轉頭看我這邊，我的位置是一片血海裡的最高點，他看見是我，嚇了一跳……他那雙野蠻的眼睛黏在我身上，我感覺得出他的震驚。

『海狼！海狼沒死？不可能！是他的兒子！他那個逃掉的兒子！』他尖聲大叫。

『你害死了我父親，今天就換我來取你兒子的狗命！』我憤怒的朝他大吼，同時砍翻了他的兩名手下。

他聽見我威脅要殺掉他的長子，立刻像發狂的野豬似的朝我衝來。我奮力一擊，把他的盾牌砍成兩截。現在我們都沒有任何保護。艾瓦年紀雖老，精力卻不輸少年人。他狂猛的攻擊我，我也不甘示弱。我躲開了他的斧頭，卻失掉了自己的劍，我立刻眼明手快的抓住他，把他推開，不讓他反擊，也不讓他有抽出匕首的機會，因為我片刻也不敢忘記在我面前的是一條陰險毒辣的蛇。我退後了兩步，兩手把斧頭高高舉起，再向前跳，撲向他。

這雷霆萬鈞的一擊把『軟骨頭』艾瓦的臉、頭盔、脖子的護甲全部都斬得血肉模糊。這一下他終於成了名副其實的軟骨頭了。

『這是為我父親報仇，你這條北方的毒蛇！』我朝他的身體吐口水，他的身體正軟軟的癱倒在他部下的斷肢殘骸上。

正在氣頭上的我一時失神，犯下了大錯，不該在戰鬥尚未結束的沙場上分心。

『安格思，小心！』

哈格斯及時提醒了我，西崔克的騎兵已經有人握著長矛向我衝來。仍騎在馬上的哈格斯連人帶馬

安格思終於找到艾瓦，他
舉起斧頭，雷霆萬鈞的
一擊把『軟骨頭』艾瓦的
臉、頭盔、脖子的護甲全
部都斬得血肉模糊。

撞了過去，把所有的騎士和馬匹都撞倒在地上，他立刻就殺了兩名戰士，因為他們是艾瓦的精銳部隊。在此同時，我等著另外兩名疾馳而來的騎兵……我仍然站在微微隆起的高地邊上，所以決定以逸待勞。我是徒步，那兩名騎兵自然不把我放在眼裡，可是他們一靠近，我立刻跳上高地，揮著斧頭長劍跳進兩匹馬之間。他們速度飛快，又是平行前進，沒有辦法把長矛掉過來用，所以我一下子解決了兩個。

我側目斜視，看見西崔克火冒三丈，跨步朝我飛奔而來，還從他的親衛隊手裡搶下一根長矛。我撿起自己的長劍，照歐文的教導揮舞起來，瞄準敵人的肩膀。

西崔克壓根就不管什麼叫戰士的榮譽，他是一個全身綾羅綢緞，靠奴隸發跡的人的兒子。他倚仗著有親衛隊保護，根本就疏於練武。所以我的長劍劃了一圈，鞭子一樣落下，砍中了他，力道太猛，一時很難把劍從他身上拔出來。

這時米爾達已經帶領大軍殺入了我們打開的缺口，摧毀了艾瓦的整個部隊。疲憊的我環顧戰場。殺聲似乎已經消退，戰鬥的怒吼似乎在迴盪……哈格斯把我從筋疲力竭之中喚醒。

『海狼在笑，安格思，不論他在哪裡。』

我聽見海狼的名字，想起了那兩個死掉的雜種父子這些年來給不列顛人民帶來的痛苦……氣得我砍下了西崔克的腦袋……舉到半空中，好仔細看看那雙無神的眼睛……然後把它丟在艾瓦的屍體上。

我和哈格斯擁抱在一塊。他知道這場勝利對我們兩人的意義。

埃林聯軍拿下了都伊柏林，主宰了情勢。『白人』歐拉夫戰死，他的軍隊也給埃依國王盡數殲滅。我們的第一步是進城去釋放斯特拉克萊王國的不列塔尼奴隸，以及達爾瑞鄂塔的蘇格蘭和皮克特奴隸，這些人都給折磨得不成樣子。奴隸的人數實在太多，我下令把他們全部釋放。

埃林聯軍拿下了都伊柏林，歐拉夫戰
死，他的軍隊也給埃伊大王盡數殲滅，
安格思立刻下令進城去釋放所有奴隸。

聯軍領袖埃依國王以勝利之姿進城，我可以仔細觀察伴隨他而來的軍隊，不但數量龐大，而且訓練精良。四位國王威風凜凜的朝我們行進，人人都自動讓開路給他們。

『是誰釋放奴隸的？』埃依問。

『陛下，就是這個人……』布蘭趕緊出來介紹，把我從人群中指出來。

『又是誰宰了艾瓦跟他那個渾蛋兒子的？』埃依又問，態度非常嚴肅，就像真正的國王該有的樣子。

布蘭再次接口，而歐文則抓住我的手臂，幾乎是用舉的把我給舉到了埃林的國王之前。

『就是他……』

『同一個人！』我聽出這位高貴的統治者語氣中夾雜著震驚和欣賞。

『你是誰呢，高貴的武士？』這句話深深震撼了我的心靈，一是因為第一次被稱為武士，這是我非常想從另一個人口裡聽到的稱號。二是因為『高貴』兩個字出自埃依這樣的國王之口。我跪了下來……想起了內尼厄斯高貴的靈魂，然後我才開口。

『我誰也不是，陛下，我非常感激您的仁慈，不過我實在配不上這樣的讚美。』我說，在這位公正高貴的國王面前垂眼看地。如此的高貴確實是上帝在人間的工具，是他的一滴正義賜予了凡人，渴望著公平，懇求著博愛。

『站起來，武士，現在不是跪在我面前的時候，因為我們在這個戰場上都是兄弟手足，都是平等的！告訴我你叫什麼名字！』

『安格思・麥克蘭。』我改用母姓，因為從現在起我不再屬於挪威人。

『麥克蘭？』國王接口說，思索著，『這姓氏我聽過，武士。不過我要你的姓氏從此以後在埃林口耳相傳，永誌不忘，這些奴隸都是你的，其實在你解決了折磨他們的惡魔之後，就已經釋放他們了，不過現在你可以正式宣告他們重獲自由了。』

於是我抬起眼，拾起長劍，插進土裡，看見劍柄和劍身交會所形成的十字架，我大聲說：『願上帝，我們的王，我們的主，讓你們生而自由的人，取回你們已經獲得的自由，由我謙卑的手再轉送給諸位，我這雙戰士粗糙的手，也是上帝的僕人之手！』

就在這一刻，奴隸們擺脫了他們身處的惡夢。

埃依把劍伸向我，我吻了劍刃。

『你會永遠是我的盟友，安格思·麥克蘭，只要有需要，我絕對無條件支持你，因為你現在也是埃林之子了！』

群眾歡呼大叫，就在喜慶聲中，埃依國王帶著軍隊離開了。

往後幾天，布蘭從奴隸中招募戰士。許多奴隸決定要返回家鄉，無論親人還在不在，他們都要回去看看家鄉變成了什麼樣子。有些人發現自己的妻兒也給抓到了都伊柏林，就決定順應命運，盡量忘記戰爭，忘記毀了他們人生的大屠殺。但是有一大群皮克特人、蘇格蘭人、不列塔尼人卻加入我們對抗挪威人的行列，而且還發誓對我效忠。我們聽從布蘭的建議，決定和西姆如眾王國的共主羅德利·莫爾大帝聯手，才能一勞永逸的消滅挪威人。

仲春某一天，頭頂的陽光已經非常強烈，我們決定了下一個目標，就是歸內德區的德加尼衛城。我的航海技術大大有名，所以由我來指揮渡海。哈格斯擔任我的副手。一支龐大的艦隊，也就是當初建造來載運奴隸到哥多華的艦隊，會把他們都送回自己的故鄉去，另一部分的船隻就負責輸送我們的大軍。我們從摩根尼衛出發的時候只有幾支小隊，現在我們會帶著強大的艦隊回去，一切裝備都是從戰敗的『白人』歐拉夫和『軟骨頭』艾瓦那裡奪來的。那天，正義在天空出現，比陽光還要耀眼。

12 德加尼衛

一共有四十艘德拉卡，坐滿了不列塔尼人、皮克特人、蘇格蘭人，大夥推舉我為領袖，因為是我把自由還給了他們。我們的不列塔尼軍雖然犧牲不少，但這些新近重獲自由的奴隸卻讓我們能夠把需要的船隻駛回不列顛。我特別建議他們選擇德拉卡，因為德拉卡又長又快。除了我們停在河口的十三艘德拉卡之外，我們又多了二十七艘。

這些人現在叫我安格思・麥克蘭，因為大部分的人都是皮克特人和蘇格蘭人，他們能夠完全認同我的蘇格蘭血統。而那些來自摩根尼衛的不列塔尼軍主要的心情並不是傷亡悼逝，雖然從凱爾梅爾丁出發的部隊有半數犧牲，但他們的心裡卻在高唱凱歌，因為和艾瓦這樣的君王、和那種規模的艦隊抗戰，即便是計畫周延，仍是極其危險的任務，就算不是自殺任務，也得要冒著生命危險。所以不列塔尼人非常開心，歐文享受極了殺戮流血，而我則滿懷驕傲，我的生命圓滿了，我心裡的喜樂好像要溢出來似的。不僅是因為我殺了艾瓦，更因為我還宰了他兒子，就彷彿加之在我父親身上的不公不義也消除了。

儘管我知道那些毒蛇猛獸的邪惡暴虐仍未終止，但看見那些重獲自由的家庭臉上煥發著喜悅，我仍舊非常開心。基督降生後八七三年那年夏天，絕大多數來自斯特拉克萊王國的不列塔尼人會返回家園，他們很清楚自己不必再承受淪為奴隸的噩運。

看見這些人滿足的模樣實在是叫人欣慰。母親與孩子團聚，父親扯斷了綁住幼兒的鎖鏈，他們曾身無片縷，如今都由同伴給他們穿上了衣服。所有的人，雖然衣衫襤褸卻歡天喜地，撿回了岌岌可危的生命，雖然艾瓦跟他狗養的兒子一手粉碎了他們的人生，他們此刻卻喜極而泣。沒錯，他們非常高興，因為這些剛剛建造完成的船隻，還有已經修復的船隻，原本打算幾個月內就要把他們運送到摩爾和希伯來市場去販賣。他們會像牲口一樣給賣掉，女人會變成妓女，兒童會遭鞭打，男人會像馬一樣勞動到死。

我心裡突然閃過一種景象，我又想起了有一次我曾對火沉吟，把艾瓦的一生比擬成火焰，注定會吞噬掉自己。

看見埃林眾王國受到如此的蹂躪，我突然有個想法。我覺得我可能是個不錯的領袖，一個明理的領袖，因為在我看來，和康瑙特的科奴爾、蒙斯特的東卡德、阿爾斯太的米爾達、維尼阿爾的埃依比較起來，艾瓦更像是傲慢自大的傻子，而不像是老謀深算的謀略家。我忍不住暗自沉吟，換作我是他，我會很快就明白在埃林島上燒殺劫掠是一回事，想在埃林島上殖民卻又是另一回事。他的錯誤就在於他的傲慢和過度的自信，他的貪婪導致了毀滅，埃林島可以讓他燒殺劫掠，卻永遠無法讓他殖民。我把手從下巴上拿開，眼睛朝前看，看著船首切開洶湧的灰色海面。

我們就這樣返航，這次是回到西姆如北部。布蘭想要要求羅德利・莫爾大帝保護摩根尼衛。畢竟他在攻擊艾瓦的時候失去了不少人手。這次雖然是要求保護，同時也是提議無條件的軍事支援。無論敵人是誰，摩根尼衛都會全國動員，站在羅德利這一邊，只要他一聲令下，赴湯蹈火在所不惜。

我們的最終目標是德加尼衛，在歸內德領土內。歸內德和波伊斯兩塊土地組成了羅德利・莫爾大帝最重要的兩個王國。我們的選擇有利也有弊，因為我們是高速前進，難保不會給當成入侵者，所以我們和布蘭協商，由不列塔尼人先登陸，事先通知羅德利大帝我們此來是為了締結同盟。在此同時，我們會在船上等候消息，有可能的話，我們會在海灘紮營。我看出自己是在一個處處烽煙的不列顛，不論何處都不可能會有暫時的安全寧靜。我開始覺得我受的訓練應付不了這麼多戰爭，應付不了這麼多的外交手腕；我是在一個淳樸的村寨裡出生長大的，對我來說，生命應該更簡單才對。可是就連我母親都曾說過我是戰爭的果實，所以或許我就是為戰爭而生的。而且，如果我是顆好果實，她會說我必須要在我自己的戰役中尋找正義和安穩，就好像她預先知道了內尼厄斯的智慧之言。想到這裡，我不禁納悶我的良師現在可好。

我們很早就抵達了德加尼衛，大老遠就看見海灘上有部隊。他們從堡壘看見了我們，當然是來跟我們接戰的。所以布蘭給我們打信號，要我們暫停等待，他一個人則朝山坡走去。

我也和大家一樣提高警覺，在歷經了那麼多的人生轉折之後，我早就習慣了別想得太如意。不過，我也得去體會別人的反應，畢竟他們有責任保鄉衛國，特別是在他們飽經戰亂的期間，也難怪他們會把我們當成是一支挪威艦隊。就連我們的衣服武器都是從戰死的丹麥人身上奪過來的，其中還包括了艾瓦的親衛隊披戴的鎧甲，還有他們那些華麗的行頭。後來我們才知道這些衣物都是從東方的哈里發轄區來的，和羅馬親衛隊的裝備一樣的威風。

我們的船停在大老遠，看著布蘭的德拉卡接近……所幸他沒有白走一遭。他特別帶了一面龍旗，是西姆如的象徵，距離很遠就看得見。龍旗在主桅上飛揚，意味著善意，起碼是企圖意味著來者是友非敵。

船隻一入港，立刻就遭到包圍，我看見更多騎兵朝船隻奔馳而來，像是一道巨浪。我們什麼也看不見，不過因為歐文也跟了去，所以看見一打接一打的士兵給摔了出去，我們一點也不吃驚。

『準備戰鬥！』我下令，人人都賣力的朝海灣划去。

等我們靠近一點，才看出混亂不是打鬥造成的。布蘭一定已經解釋清楚了。他們似乎很能理解，看得我們也鬆了口氣。等我們更接近，我命令槳手放慢划槳的速度，以免看起來敵意太重。根據我看到的情景，愈來愈多的騎兵舉著長矛馳近，而布蘭、歐文站在他們之中，朝我們招手，很篤定的模樣。我們繼續前進，緩慢謹慎。

等我們的德拉卡停泊好，我看見槍騎兵退後了一些，但更多部隊從布蘭、歐文站的山後下來。

我們都下了船，我決定做一件既冒險又果斷的舉動。我們一踏上歸內德的土地，我就要那些宣示服膺我領導的戰士都把劍插入沙裡，手無寸鐵的走向布蘭和歸內德部隊，一舉解決掉他們的疑慮。

全部人都遵命照辦，然後我們一起前進。我看著兩邊人馬，思索著當時並未全盤體會到的感受。我擁有了一支軍隊，一支強大的勁旅，我們現在是聲勢浩大的武力。我注意到這點，也又一次體會到那些歸內德的人絕對有很好的理由不信任我們。這一刻，我恍然領悟到自己擁有了軍隊，而且因為命運眷顧，這些曾淪為奴隸的人如今成了我的士兵，而我則成了他們的首腦。

我們腳步很輕，很小心的走著，像貓一樣。對於必須要這麼小心翼翼，我已經有點惱火了。布蘭說了些什麼，但距離太遠我聽不見，不過我看得出布蘭的人和歸內德的人可以溝通。好吧，起碼他們的語言一樣，我心裡暗忖。

他們又談了一會兒，然後布蘭走過來，歐文和德加尼衛城堡的頭領也一起過來。看來他們似乎終於相信我們不是敵人了。於是我們開始解釋，告訴他們我們在埃林島的戰績，還有我們共同的敵人『軟骨頭』艾瓦如何送命。

他們當然聽說了埃林眾王的聯合攻擊，也很興奮聽見了戰勝的消息，在這紛亂的時候帶給他們光明和喜悅。

於是信差前往晉見羅德利大帝，我們受邀進入堡壘。不過我的部下還是在堡外紮營。對他們這些不久之前還是奴隸的人來說，能夠紮營已不啻是莫大的喜樂，因為他們有水、有食物，或許還能來桶蜂蜜酒……我忍不住要感謝上帝。一桶蜂蜜酒……

我這邊和歸內德那邊都派出了哨兵，在我們停泊的地方站崗。我們在城堡附近的草原上紮營。城堡雖小，但防禦周全。營地旁有涓涓小溪，可供清洗。營地環境很美，比西姆如南部要來的幽靜，西姆如南部總讓我有大軍臨境的壓迫感。但是這塊營地似乎不見人煙，彷彿丹麥人不曾覬覦過。這就是我的印象。至於為什麼會有那種祥和的感覺，為什麼祥和的感覺會瀰漫整個地區，尤其是西姆如的兩個大王國，我的解釋是那是因為在羅德利大帝的治理下，臣民絕對的服從，而他的英明果斷也讓轄下各王國團結統一。後來我才了解，基督降生後八五六年，這位國王曾率軍抵抗由『鬼靈精』鞏爾姆領導的龐大艦隊，而且擊退了丹麥人，殺掉了首腦，驅散了敵軍。從此羅德利・莫爾的聲名遠播，連法蘭克人都知道他的大名。

我跟我的部下都留在堡外紮營。有部下聽從我的指揮對我還是新鮮事，我需要習慣。我的統馭法必須要慎重，因為我以前並沒有指揮的經驗。就跟個好士兵一樣，或者說跟個好領導人一樣，我覺得和部下一起紮營才是上上之策。所以我婉拒了進堡的邀請，不去參加堡內統領為布蘭、歐文、幾位不列塔尼人以及我所舉辦的宴會。我會名入貴賓之列多少是因為我是這些皮克特人和蘇格蘭人的首腦。

夜晚吹來了一陣清涼的微風。我的心境太祥和，不適合歡鬧的場合……這份靜謐連我都覺得奇怪，好像不屬於我。我盡力去解讀引起這種奇妙感覺的原因。起初，我以為是因為我殺了艾瓦跟他那個比老子還要作惡多端的兒子，但，不是，我的平靜不只因為這個原因。後來我想到我的自由、我和不列塔尼人的聯盟，也不是這個原因……接著我又不由得納悶是否因為我有了一支軍隊，畢竟這是最足以讓我有自信的理由了，現在我在那些頭目的面前地位不同了，以前我習慣帶著孺慕之情來看他們，現今我不必再匍伏在他們腳前，我跟他們平起平坐了。現在我可是領袖了。不過，也不是這個原因。從靈魂深處，我感覺到這份安祥來自於我置身的地方。那是一種奇妙的祥和，就像在風中飛翔，在海面走路，在雲端馳騁，在面對威脅時卻毫不猶豫。『冰血』……這就對了，我繼承了父親的冰血；我在自己的戰役中畢竟有了相當的表現，我恢復了他的聲譽。不錯，這個原因非常好，甚至非常奧妙，不過我所感受到的和平主要還是來自於我的置身之處。這是我解不開的謎。這個地區會給我什麼樣的奇異歷險，什麼樣的豐功偉業呢？

我吃個不停，因為我們獲得了許多美食供給。烤野豬、烤家豕，香氣彌漫，我餓壞的屬下嘴巴不停的吃，眼神也閃亮起來。我觀察了他們相當一段時間，觀察他們在烤豬肉面前的快樂臉龐……他們是我的人，我心裡想。忠心善良的士兵……所以我要他們吃得好，吃得多，還要蜂蜜酒來溫暖他們受創的心靈。

麥克蘭

哈格斯跟我大半夜都在講述彼此的歷險。他遇上了一些原本是渥夫葛的部下後來向我父親效忠的人，一起逃到約克城北邊，偷了艘船，航向梅尼格，跟丹麥艦隊的方向相反，然後和其他反抗丹麥人的挪威人一起襲擊丹麥人。

我也把自己的遭遇告訴了他，我談到內尼厄斯，談到我皈依基督教，哈格斯覺得匪夷所思。等他聽到我談到關妮絲，他立刻興趣大增，頻頻催促我說詳細點。後來聽到艾德渥，他發誓會剝了那個狗東西的皮，但我要他冷靜，我說我會自己來剝他的皮，而且會剝得非常樂意。

皮克特人和蘇格蘭人喝多了蜂蜜酒已經喧鬧得不得了，大聲呼喊萬歲，舉杯互祝自由，笨拙開心的撞擊彼此的杯子。歡樂喜慶的氣氛擴散，似乎照亮了黑夜。他們有好幾次大喊我的名字，然後一個接一個舉起酒杯，說出自己的名字。所以我站了起來，表現首腦人物的關心，我在整個營地裡穿梭，傾聽他們的名字，觀察他們歡喜的表情。我注意到我這麼做拉近了我和他們的距離。其實我做的事只是出於直覺，但無形中卻鞏固了我的領導地位。

『鄧果！』

『約凱！』

『吉瑞克！』

『西奴伊特！』

我和哈格斯一塊走在皮克特人及蘇格蘭人群裡，讓他們知道哈格斯的地位。我不斷點頭，跟他們寒暄，後來聽見了一個名字，吸引了我的注意。

『因格斯！』

我停下腳步……凝視那個人的眼睛，看出了他與我相似的地方，共同的祖先，雖然他比較黑，比較矮，我卻可以辨識出我母親那邊的血緣，我不由得納悶，要是凱特村當初沒有遭到入侵，要是我的血統是純粹的皮克特或蘇格蘭人，那我的長相會是什麼樣子。我對自己的挪威血統感到丟臉，連忙別開視線，看見了哈格斯，立刻想起海狼，想起這些人的高貴、勇敢、膽識，於是再一次感覺到雙倍的驕傲……不，是三倍的驕傲，因為我既是皮克特人，又是蘇格蘭人，也是挪威人。

他們問我是哪一族的，我的家鄉只是個淳樸的小村，不是以戰士聞名，我回答了，盡量強調我母親那邊的淵源，還有現在與我聯手，一起奮戰的族群。

『麥克蘭！』我說：『麥克蘭！』我大聲喊，好讓所有的人都聽見，而他們則噤若寒蟬，像是給父親訓斥的孩子。

忽然，一個人領頭，把酒杯高舉過頭，大吼：『麥克蘭！』

其他人起而傚尤。

『麥克蘭！』

『麥克蘭！』

『麥克蘭！』聲音愈來愈大。

聯軍領袖埃伊大王稱讚安格思是高貴的武士，
宣稱要無條件支持他，安格思也自此改姓麥克蘭。

『麥克蘭！』這下子全部的人都站了起來，扯開喉嚨大吼我的名字，激動的乾杯，一次又一次，聲音愈來愈大。我後來才知道這些人的吼聲甚至蓋過了堡壘內舉行的宴會。布蘭跟我說他和歐文面面相覷，略顯驚愕，而布蘭還對歐文露了幾個笑容。

『那個人就是你說那個連自衛都不懂得的小傢伙嗎？』他譏誚的問。『一度是我的奴隸的那個人嗎？』

歐文跟我說布蘭咳嗽幾聲，清清喉嚨，在椅子上端坐好，向晚宴上的人解釋說外面的人是在慶祝新近獲得的自由，晚宴上眾賓客這才沒有驚惶失措，否則他們還以為是聽到了戰吼呢。

這一晚上我們的鼾聲也足以和吼聲媲美。隔天一大早，我們都因為昨夜的慶祝而精神奕奕。堡壘裡的人也是一樣。

一個鐘頭後，布蘭和歐文來了，還跟著一些不列塔尼領袖以及叫席南的堡壘首領。席南會陪同我們去見西姆如的大王羅德利，他目前率軍駐紮在蘭哥連，麥西亞的邊界，因為海夫丹指揮的丹麥人正對盎格魯王國的心臟發動攻擊，想要驅逐帛海德國王，控制整個麥西亞王國。

那些丹麥王子又出爾反爾了，這一次是騙了帛海德，當初他為了和平把諾丁罕割讓給丹麥人，卻還是滿足不了他們的狼子野心。單是搶光了所有的金銀還不夠，強姦了所有的婦女也不夠，他們的怒火似乎無論如何都熄滅不了。唯一一個能夠阻止他們的辦法就是展現出比他們更強大的力量：只要敵人是弱的一方，挪威人就會無情踐踏，但是只要敵人能夠抵抗他們的統治，就會贏得尊重，而這些人就可以和挪威人建立起貿易關係，就如同他們和東方的哈里發轄區通商一樣。

現在，我們行軍去見羅德利・莫爾大帝，和他的軍隊聯合起來。依我看來，丹麥大軍的情勢已非昔比，因為他們失去了埃林島上的都伊柏林基地。而那個自認為是不列顛島和埃林島國王的艾瓦，以及那個因為有艾瓦當靠山就自封為埃林大王的歐拉夫也都死了。我們的軍隊，尤其是這座島真正的首領埃林眾王率領的部隊，粉碎了他們的武力。埃林人非常好戰，在戰場上讓人聞風喪膽，而且他們的王國向內陸擴展，並不是像都伊柏林那樣孤立的一座堡壘。

我們的軍隊聲勢浩大，若我們快速行軍，一天之內就可以馳抵蘭哥連，不過因為大多數的戰士沒有馬匹，所以我們決定緩緩前進。布蘭、哈格斯、歐文、席南、我騎馬走在隊伍前面，接著是不列塔尼人，緊跟在我們後面行軍，再來是皮克特人和蘇格蘭人。船隻都前往摩根尼衛，以備往後幾場關鍵的奇襲戰所需。

第二天早晨我們才抵達蘭哥連，席南向羅德利大帝報告我們的來意。我們就在城堡不遠處等候，沒多久席南就帶著羅德利的部隊回來，他們是來歡迎我們的。

我們由羅德利大帝的部下接待，他們帶來了飲水補給。城堡裡到處都有營房，可以容納我們所有人，因為羅德利早就看出必須在王國裡的戰略要地集結軍隊，所以下令建造營房。他倒是個未雨綢繆的人，我心裡想，似乎是個好國王。不過話說回來，我哪有什麼資格來評斷人家，我不過才贏得了第一場勝利，儘管是非常重要的一場勝利，我畢竟還不諳統馭術，哪裡像羅德利大帝，統一了王國，馴服了臣民的激情，消滅了一切的嫉妒，主導了他們的想望，讓他們有了更偉大的目標，化解了歧異，團結一心，把征服冒險的渴望全部去除。防衛自己的國土，聯合自己的人民就是這位明君一生最主要的目標。

我的部下都很健康，從創痛中復元，迫不及待想戰鬥，同時不停的吃、不斷的休息來恢復體能。這些皮克特人和蘇格蘭人都是好戰士，眼裡閃動著勇氣，是我的血親，我感到非常的光榮。

城裡又在籌備一場晚宴，這次我會出席，因為能親眼目睹西姆如區的大帝會是我畢生難得的機會。

他是我所接觸的第一個大王，看到他，一來讓我倍感榮耀，二來也嚇壞了我，因為我可不懂得外交辭令，這點從在關特我當眾遭受艾德渥羞辱就看得出來了。

當大帝的條件是要鞏固自己在不同區域以及次要王國裡的領導力，就像在西姆如這裡一樣。羅德利大帝年事已高，蓄了一把灰色長鬍鬚，但精力方面卻絲毫不現老態。恰恰相反，智者和戰士的組合給他贏來了無上的尊重和權威。

他的房間不見華麗的裝飾，倒像營地，樸實儉約，不過保護得非常周延。裡面擺了三張長桌，我坐在他附近。人人都對這重要的場合感到很興奮。沒多久，大帝駕臨。

『各位不列顛之子！你們都應該知道主內八七四年是多麼重要的一年，發生的事件對這座島以及島上所有王國的命運有多關鍵。麥西亞的帛海德國王一敗塗地。激戰了三年之後，他的眼前只剩下滿目瘡痍的王國。我聽說他計畫離開麥西亞，逃到羅馬，因為由海夫丹和另一名國王巴薩克率領的丹麥大軍造成的損害太嚴重。雖然威賽克斯的艾弗列大帝是帛海德的姻親，但是因為他一直忙著對抗挪威人，也撥不出人手去增援，而現在他正忙著把軍隊和轄下的城堡重新組織起來。麥西亞一倒，我們的屏障也就跟著倒了，丹麥人一定會入侵西姆如地區。現在事態嚴重，我們更需要團結一致。據說海夫丹打算要扶植背叛帛海德的大臣西奧武夫來統治麥西亞，把他當成手中的傀儡，對他唯命是從。』

傀儡國王，我暗自沉吟，忘掉了那些生靈塗炭的畫面，胡思亂想起一個傀儡率領一支全都是小傀儡的軍隊來。不過羅德利大帝逐散了我的幻想世界，把我帶回當前的緊要關頭來。

『我已經派人傳話到西姆如所有的領土，動員一切人力物力。我們要集中力量防禦波伊斯北部，我相信西奧武夫一旦重組了軍力就會犯境。海夫丹必須留下來控制諾森伯里亞，應該是無暇他顧，不過在麥西亞這麼大的王國淪陷之後，我們沒有辦法估計他們的軍隊到底有多龐大。艾弗列大帝會從南邊動員所有的威賽克斯軍隊。西姆如的兩個王國和威賽克斯必須要屹立不搖，否則的話，不列顛從此就不存在了！』

我注意到一名領袖的權威愈大，他的話就愈少……他只解釋必須採行的步驟以及執行的方法。接著室內一片激辯，眾人爭相獻計，討論策略，時間一秒一秒過去，羅德利大帝的命令，還有觀點，漸漸的模糊起來。不列顛的人似乎從來就沒有意見一致的時候。眼見羅德利是滿腔的好意，我決定插手。

『陛下，我，安格思・麥克蘭，請求發言。』

屋裡突然鴉雀無聲。我這麼一個嘴上無毛辦事不牢的外國小毛頭能對羅德利大帝說什麼？人人都盯著我，預期我會受到斥責。

『高貴的國王！我，安格思，曾經和一位全不列顛人的老朋友住過一段時間，他的思想、言談、行為都在在證明他是位公正的僧侶。他讓我十分的折服，所以我確信如果他的祈禱夠真誠，這座島就一定會獲救。這個人就是可敬的老院長內尼厄斯。他曾跟我說過一個故事，我很樂意說給各位聽聽，陛下。』

『哦，那就說吧……』國王抬高下巴，很威風的模樣，似乎在問我叫什麼名字。

『安格思。』我說。

『安格思。』他揮手要我繼續。

『從前有一位聖人叫做傑馬諾，他具備了各種的美德，有一天他來到不列顛島傳教，許多人在他的指引下皈依了基督教，不過還是有很多人是異教徒。上帝恩准他展現奇蹟，第一個奇蹟就是痛斥一名叫做班利的不列塔尼暴君。暴君班利喜歡把那些日出之前還不幹活的人給斬首，另外他也覺得自己有權利玩弄別人的妻女。聖人傑馬諾得知了他的暴政，就趕去見他，想要嚴厲的譴責他。聖傑馬諾和門徒抵達城門的時候，禮賓官從城裡出來，非常尊敬的接待他們。』

我暫且停下，掃描了屋裡一圈，看看我的故事有什麼效果。大家都很專心聽，於是我又興致勃勃的講下去。

『他們請禮賓官把他們的來意告訴暴君，然後在外面等。一直等到天黑了，暴君的僕人才出現，他在聖人面前鞠躬，宣布說國王嚴令他們在外面待一年，絕對不准進城。僕人傳達這樣的命令心有不安，又擔心聖傑馬諾和門徒必須在濕氣很重的戶外過夜，就邀請他們去他家裡住下。但是貧窮的僕人家裡沒有牛群，只有一頭母牛跟一頭小牛。為了招待客人，他把小牛給殺了，烹調好，整隻端到客人面前。但聖傑馬諾卻叫他的門徒不可以弄斷一根骨頭；第二天早晨，奇蹟發生了，小牛居然活了過來，毫髮無傷，就站在母牛旁邊。』

聽眾一陣私語。我等了幾分鐘，品味一下我的說故事功力，然後才接著往下說。

『那天很早他們就又到城門去，要求要晉見暴君。但他們在城門外等了一整天也等不到暴君接見，昨晚讓他們留宿的貧窮僕人也一直陪著他們等。後來，聖傑馬諾跟他說：「今天晚上千萬別留在城裡，還有你的朋友也是。」聽見了這句話，僕人衝進城裡，把他的九個兄弟姊妹都找了出來，一起到他家去款待客人。聖傑馬諾要他們快點出城，等到城門關閉的時候，他告訴大家：「無論城裡發生了什麼事，千萬不要朝那兒看，只要不停的祈禱，懇求上帝的保護。」當天晚上，大火從天而降，把城堡燒成灰燼，那些和暴君在一起的人沒有一個逃得了；一直到今天城堡都還是斷垣殘壁，沒有重建。』

屋內一片議論，有很多人還在批評我說的是不是真事，或者只是傳說。

『到了隔天，這名好客的僕人受洗了，他的孩子也是，還有居住在這附近的所有百姓。聖傑馬諾祝福他說：「身為王者絕對不會棄祖背宗。」僕人的名字叫做卡帖堯・莊路克。「從此之後，只要你活著一天，你就是國王。」於是，根據上帝的祝福和聖傑馬諾的教誨，僕人搖身一變，成了國王，他的孩子也都是國王，代代統治波伊斯，一直到今天。』

這時，我筆直注視羅德利大帝的眼睛。

『這是內尼厄斯跟我說的故事，由他的修道院抄錄下來，還畫了插圖，所以一定是真人真事。所以，各位的祖先是獲得神恩的人，我建議不要再為由誰領導而爭論不休，應該要完全的配合，因為各位都是得到恩寵的人，就像各位的祖先一樣。』

人人聽了我的故事都愕然無言，就連羅德利大帝本人也沒聽說過，尤其是還出自我這個半野蠻人的挪威人之口。就從這時候開始，沒有人再反對羅德利大帝的命令或計畫了。

『你叫安格思是吧？』

『是，陛下，大家都是這樣叫我的。』

『生命總是不斷給我驚喜。你跟我一起上戰場，孩子！願上帝保佑我們大家！』羅德利大帝說，頗為欣賞的看著我，害我覺得有點不自在。

『聽您的吩咐，阿門！』我很快的回答，想起了多虧內尼厄斯的訓練，我才曉得在這種場合該如何應對，否則就憑我一個外國小鄉村長大的渾小子，還一副挪威人外貌，哪能夠上得了檯面。

防禦計畫付諸實行，我們每天準備戰備，訓練士兵，同時蘭哥連也有更多的部隊抵達。

指派哪一位武術冠軍來訓練精銳部隊其實不需贅言——誰還能比歐文更能勝任？我也可以順便繼續我們在凱爾梅爾丁開始的訓練。我的訓練是特別設計的，非常高難度，因為我已經在這名巨人手裡吃過一大堆苦頭了。哈格斯也跟著我們一起特訓，他開心得不得了，他本人原來就是個大個子，不過歐文的戰鬥技巧和速度也讓他大開眼界。

歸內德、波伊斯各地的部隊陸續抵達，甚至還有部隊來自北方的塞伊斯勒衛。現在風景變得相當多樣，不列塔尼人以各自的來處區別，有不同的格子呢，頭盔服飾也各異其趣。許多窮困的士兵也加入我們的行列，他們沒多少衣服，也沒有盔甲，拿著粗糙的長劍和盾牌，但羅德利大帝卻一視同仁，儘可能給他們最好的裝備，城裡的鐵匠日日夜夜輪班打造武器。

我盡量把歐文傳授給我的東西全都教給我的部下，有時歐文也會親自示範。我們練習上山下山，防禦攻擊。有時我們佈成方陣，有時組成一面盾牌牆，有時組成一支巨大的箭頭，然後攻擊一排排的盾牌。戰鼓似乎隨時會動地而來。我們絕不會發現戰爭的嚴酷考驗很陌生，我們的訓練已讓我們對實際戰鬥的艱辛有了心理準備，因為歐文加之在我們身上的模擬實在太慘烈了。

第一戰不用多久就會來到。消息傳來，駐紮在凱爾萊吉恩㉘的丹麥人召募了一支麥西亞大軍，即將進犯。或許是要直接攻擊蘭哥連，或許是要以凱爾萊吉恩為基地，四處燒殺劫掠。

我們的軍隊都嚴陣以待。我們在一陣花海中隨同羅德利大帝離開了蘭哥連城。氣氛像極了喜慶，漂亮的女孩和兒童夾道歡呼，只不過我們要迎接的不是熱鬧的節日，而是血腥的殺伐。

僅僅一天的路程就讓我們的命運有了截然不同的結果，不過我們的計畫是盡量接近麥西亞人和丹麥人，然後休息一整天。第三天，我們會在拂曉出擊，希望能殺他們一個出其不備，也殺他們一個宿醉未醒。

我們在凱爾萊吉恩附近紮營，距離看來相當安全，因為我也曾是他們的一分子，我了解他們的軍隊，我也知道他們向來就很輕視敵人。起碼海夫丹和艾瓦的態度向來就是如此，都是因為他們自信得過了頭。我們圍繞了凱爾萊吉恩城一圈佈置崗哨，萬一有挪威或麥西亞探子出現，我們就會知道。

我們又開了最後一次會議，我向羅德利大帝解釋了一些挪威人的戰略，畢竟，我曾經是，現在還是他們的一分子。

『我們用單一的陣勢攻擊，騎兵先攻，步兵隨後跟上。』大帝下令，語氣激昂。

『無論如何都不能分散開來！』我盡量用比較鎮定的語氣說：『萬一看見他們分散來逃跑，千萬不能分兵去追，因為他們會從側翼繞回來，立刻就反擊。所以千萬不能分散了隊形！』我再次強調，不知道自己的嗓門愈來愈大，而且我的語氣也很像在下令。我倒是很高興，不是出於虛榮，而是因為可以提高士氣。

萬事俱備了。我、哈格斯、歐文三個人輪流睡覺，倒是布蘭睡得跟頭豬似的。我們沒看見羅德利大帝，不過聽說他來回踱步，不斷祈禱，這是他開戰前的習慣。雖然我覺得他上了年紀了，該是退休下來享受一下公正的國王理應得到的果實，但他真的是位穩重老成的人，渾身散發出平靜的氛圍。

曙光竄到我們身上，就像野狼看見了兔子，一場血戰即將開打的感覺彌漫了漸漸淡去的夜。

就在破曉前，我們衝向敵軍，吼聲如雷，大地似乎也給震裂了兩半，羅德利大帝手持長槍，一馬當先。丹麥人措手不及，衣衫不整的衝出屋子，麥西亞人剛來得及拿起武器，我們已經殺到面前。他們開始潰逃，不過這是要分散我們力量的伎倆，可惜這次弄巧成拙，敵人沒騙到，反而斷送了自己的生路。我們殺死了所有逃亡的人，又率領整支大軍回撲城堡。他們大批軍力都在城堡裡，沒頭蒼蠅一樣，到處找武器盾牌。

等我們回到城堡，面對的是比較有組織的武力，我看得出皮克特人和蘇格蘭人的憤怒……看他們奮勇向前，砍瓜切菜一般，只要誰敢攖其鋒銳，不分丹麥人或麥西亞人，全都血濺五步。就連傳統上十分驍勇善戰的不列塔尼人看見了，都不得不佩服我這些皮克特蘇格蘭戰士的勇猛。我真的是與有榮焉。

我接著下令砍掉麥西亞人的腦袋。不過是不久之前，他們還是丹麥人的手下敗將，現在卻跟狗腿子一樣跟著擊敗他們的丹麥人喊殺喊衝，我看了就噁心。我要部下把他們的腦袋放在凱爾萊吉恩城牆上示眾，算是給他們點教訓，讓他們知道現在他們又有新的對手了。他們的見風轉舵、反覆無常會在這塊難逃毀滅命運的國度裡遺臭萬年。我注意到羅德利大帝嘴裡雖然不說什麼，卻對我的態度相當不以為然，但是歐文卻笑咪咪的立刻認同，就像是教授看見心愛的學生有所成就，也因此消除了我可能會引起眾怒的疑慮。

我們返回蘭哥連，筋疲力竭，但卻是凱旋之師。這是我們第一次給不敗的丹麥人一點顏色瞧瞧。海夫丹在他最寶貝最牢固的總部諾森伯里亞必定會聽說我們的勝利，我真巴不得讓他知道我，安格思，海狼的兒子，就是讓他損失慘重的人。

對那些留在城堡裡焦急等候消息的人來說，單單看見我們走下蘭哥連附近的山坡，就足以歡欣鼓

西姆如民眾團結一致，動員一切人力物力，準備作戰。

舞，大肆慶祝了。那些人，習慣了丹麥人的攻擊，總是在等待另一次的悲劇，另一個戰敗的王國。不過這一次卻不同。我們一進城門，整個城堡就好似歡喜得要炸開來了，我很詫異不列塔尼人居然會這麼熱中的慶祝一次的勝利。我自己倒沒怎麼激動，但我知道這是鼓勵部下，提升士氣最好的時機。

我們大吃大喝，好幾次為羅德利大帝歡呼。每個禮拜都會有更多的友軍來加入，全部都聚集在蘭哥連。不過，我不會高興得太早，因為我知道挪威人的韌性，而且一等到諾森伯里亞的問題解決了，他們就會像波濤洶湧的怒海一樣撲天蓋地而來。

譯註

㉘今之格洛斯特。

14 凱爾格魯易之戰

第一場戰役將會在蘭高爾斯出其不意的展開，羅德利大帝下令希文的兩位公主留在關特。最簡單的原因是他懷疑挪威人使詐，他們或許是想把我們的主力牽制在某一處，然後全軍撲向某些防禦力比較差的地方。再者，岱斐德已經遭到攻擊，如今群龍無首，分裂的領土有部分已落入了丹麥人手中，所以關特變成了征服西姆如南部的大門。而且關特的土地是在海岸，又是在塞汶河的入海口，挪威船艦勢必從這裡溯游而上，這樣的戰略地位讓它成了敵人的必攻之處。

所以現在還不是我和關妮絲團圓的時候。我要等到將來再給她一個驚喜，那時時局會比較安定。戰爭原本就是變幻莫測的東西，我離開關特已經讓她十分傷心，我不想再給她添煩惱。我夢想著長時間的太平盛世，讓我和心愛的關妮絲暮暮朝朝，不過我得要先把太平盛世贏到手。

多虧了凱爾萊吉恩之役，我們從麥西亞人和丹麥人那裡奪下不少的盾牌、盔甲、武器，加強了我們自己的裝備。我們把可資利用的東西都接收了過來。蘭高爾斯之役對我們的部隊來說比較像是提高士氣的一次難得的機會，而不是真正的戰鬥，我可以從士兵的表情看出效果來。這場戰役的敵手是兩支丹麥部隊，外加一些麥西亞援軍，我們大獲全勝。在此同時，西奧武夫也為了要報復凱爾萊吉恩的大敗而在主要的城堡裡招募士兵。

羅德利大帝下了命令，徵收了更多的馬匹。他讓我所有的部下都有馬可騎，算是回報我麾下戰士的忠心以及我對他的效忠，這點倒讓我頗為詫異。如此看來，他確實體認了一件事，也就是說，雖然我自己和我的部下不屬於他的部族，對他完全沒有責任義務，但我們的支持卻是發自真心的。

我們試騎了馬匹，每個都是風馳電掣，感覺到強風吹亂了頭髮。看著綠色草地在我們腳下飛逝，感覺好似腳不沾地，眼望著山頂只要幾分鐘就能攀登而上，實在是非常奇妙的感覺。羅德利大帝把馬匹的機動性當作一種戰術，後來我們漸漸學到騎馬衝鋒是一種完全嶄新而且讓敵人防不勝防的戰術。雖然我們大多還是習慣徒步接戰，但羅德利大帝卻解釋說他的祖先都是騎馬作戰，騎馬作戰可以讓他們施展閃避—攻擊—閃避的戰術，讓敵人措手不及。我從來就沒見過像羅德利大帝這麼龐大的槍騎兵隊。挪威人只不過把馬匹拿來運輸，而不是戰場上的利器。這門學問十分新巧，我們都很努力的學習。歐文教過我馬背上戰鬥的訣竅，我在攻擊都伊柏林的時候也小試了一番身手，可是我還是覺得兩腳踏在地上心裡最實在。因為時間緊迫，我們必須訓練不輟，吃苦耐勞。

主內八七五年，我們聽說一支強大的挪威艦隊正朝塞汶河而來，粗略估計大約有五十艘德拉卡。好消息是這支艦隊正好通過戴那斯波伊斯和凱爾關特，顯然是針對比較內陸的據點而來，也就是凱爾格魯易或凱爾果瑞內岡㉙，更深入了麥西亞。我非常擔心凱爾關特可能遭到攻擊，唯恐今生無緣再見關妮絲。這兩位公主戰士有能力擊退挪威人的攻擊嗎？幸好挪威大軍直接通過她們的城堡，在最靠近我們軍隊的麥西亞城堡那裡登陸。我們怎麼可能會這麼靠近敵人入侵的地點，又能準備得這麼充分呢？

當時，我真以為羅德利大帝是某種先知，不過究其實，他只是展現了狡黠幹練的一面。他總是料敵機先，早一步預測到麥西亞的傀儡王西奧武夫和海夫丹會從麥西亞南端的運河獲得挪威方面來的援軍。他們或許以為拿下了這塊戰略要地就可以橫掃西姆如南部——至少也可以大肆破壞——要是一舉成功，他們甚至可以分出部分兵力去攻打威賽克斯王國，粉碎艾弗列的主要抵抗。不過羅德利大帝猜中了他們的打算，而且還猜中了不止一步。

『西奧武夫相信由我的姪女統治的關特是西姆如的弱點，可是他忘了一件事。在她們姊妹倆的父親過世之後，她們擊退過好幾次的入侵。這一步棋，他又料錯了。他第一個大錯是支援挪威人，第二個錯是不曉得不列塔尼女王的歷史，比方說驍勇的布蒂卡，愛西尼的統治者。他馬上就會重蹈羅馬人的覆轍！不列顛的子民，上啊！上戰場去！凱爾格魯易是我們的！』

我們朝凱爾格魯易出發，如果這裡是挪威人的登陸點，我們就會在他們的腳剛踏上岸的時候給他們來個迎頭痛擊，趁著他們驚魂未定，散亂失序的時候殲滅他們。萬一登陸點在凱爾果瑞內岡，我們還是會在西姆如南部發動攻擊，而且就從凱爾格魯易這裡開始，以免傷亡太過慘重。況且敵人想要攻破凱爾格魯易的城牆，絕對要付出極大的代價。就連艾弗列大帝都可以連帶受益。

我們一抵達凱爾格魯易外圍，就看見挪威船艦已經沿著塞汶河溯游而上了一點點，朝向凱爾果瑞內岡行進，正如羅德利大帝的預料，那裡是第二個適合丹麥人登陸的地點，因為在他們聽說了我們的上一戰之後，他們有時間可以組織部隊。

拂曉前，我們包圍了城堡，還不到中午，凱爾格魯易就是我們的了。我們的目標不僅是佔領城堡而已，我們要利用這裡當作盾牌，擋住一次敵人的全力反撲，以免西姆如南部遇劫，特別是關特。

我心裡很安慰，因為我的關妮絲目前還不會有什麼危險。而且我相信我方展現優勢可以讓西奧武夫灰心喪志。不過，我還是難免有些沮喪的想，丹麥人除非征服了全島，否則他們是不會放手的。

我盡量給自己打氣，畢竟我不久前還是個奴隸，如今卻率領大軍要阻止敵人的暴虐，而且還要讓他們遭受慘重的損失。誰料到命運會如此這般對待我呢？再者，我的盟友是一位偉大的國王，讓我佩服得五體投地。簡單的說，我這一生完全是上帝的保佑，我打從心眼裡感謝祂。如此一想，我又有了勇氣，這次和丹麥人接戰必定是艱鉅的挑戰，但我有信心勝利終歸是我們的。

我們故意讓兩名俘虜脫逃，讓他們帶走我們要攻擊麥西亞核心的假情報。我們的目的是讓挪威人忙亂，急著想在凱爾格魯易擊敗我們。

這一招欺敵之計奏效了。隔天早晨，城堡前的平原上出現了大約兩千名的丹麥人和麥西亞人，個個都裝備精良，有馬車牛群支援，準備展開持久的攻城戰。這是他們自認的上上之策。不過，羅德利大帝已經下令在城堡後方建造兩道假城門，仔細的偽裝好，而我們訓練多時的騎兵就會利用這兩道門出入，突襲敵人，另外塔樓上和前門只留少數人，有模有樣的假裝抵抗圍城的敵人。

挪威號角大作，鼓聲隆隆，想要震懾城牆裡面的士兵，同時丹麥人也讓我們見識見識沉重的攻城器和掩護攻城的戰士。說真的，叫一支愛好和平的部族去看那種陣仗，確實能叫人心驚膽跳，但我們只不過把它當作是他們中了我們的計，把主力集中在城堡前方，毫不懷疑我們還埋了一支伏兵。

人人都摩拳擦掌，騎上了馬背。歐文率領一隊不列塔尼人，奇襲丹麥人和麥西亞人的左翼。羅德利大帝和布蘭率領一支大隊正面攻擊中堅部隊，我則帶人襲擊右翼。我們會從三個方向高速衝鋒。城堡後面的城門打開了，我們都在胸前畫十字，開始行動，起初讓馬匹慢慢走，然後才催馬全力快跑。

我們攻擊了。

三支馬隊狂奔猛衝，蹄聲震天，相較之下維京號角像是有氣無力的口哨，很快就沒了聲音。敵人發一聲喊，四下逃了開去。敵軍完全亂了陣腳，我們的軍隊好似衝入了人海。我們組成了三個箭頭隊形，三箭齊發，敵人的核心雙倍重創，一來是因為他們是抱著圍城的打算來的……二來是因為他們沒有掌握攻擊的先機，沒有先給我們這些城牆裡的人一個下馬威，讓我們這些給圍困住的敗軍軍心渙散……結果他們倒給反咬了一口。這一次親眼目睹了我手下那些皮克特人和蘇格蘭人的怒火，敵人個個都瞪大了眼睛。

我們大獲全勝。

等到我們蒐集了所有可資利用的東西之後，我命令忠心耿耿的手下燒燬城堡，給傲慢自大的海夫丹一個耳光，也給跟他苟合的甲爾、國王一個耳光，更是給西奧武夫那個雜種叛徒一個大大的耳光。我不知道究竟是從什麼時候開始我展露出領袖的氣質來，雖然我只是羅德利大帝的屬下，他卻讓我有充分的自主權來指揮我的部下。

我們帶著戰利品朝關特出發了。我們有不少牛群、豬群、羊群，還有大批的穀物。還帶了十五桶蜂蜜酒。各式各樣的武器，品質極佳的盾牌，麥西亞和挪威頭盔，還有鎧甲。有這麼多裝備，我們大可直上凱爾果瑞內岡拿下那五十艘德拉卡，不過我們還是要雙腳踏在土地上來抵抗。

志得意滿的我竟然膽敢問羅德利大帝何不直撲麥西亞，殺掉西奧武夫。從他給我的答案就看出他的老到沉著之處，也讓我想起了老詩人布拉吉的話，在我還年輕的時候他曾教導我要能沉得住氣……回想起來彷彿就是昨天，在我們攻擊東盎格魯時，他說的話和羅德利大帝說的完全一樣。

『耐性才是戰士最有力的武器，安格思，其他的只不過是器械、工具、野獸。』

我回答說我恨透了西奧武夫那種傀儡，好像奴才伺候主子一樣的效忠挪威人。國王的回答又給我上了一課。

『傀儡是一種高等的屬下，安格思，以西奧武夫來說，他是海夫丹的屬下。既是首領又是屬下，西奧武夫這個暴君其實是夾在兩個世界裡，裡外不是人，因為一方面他得要對長官絕對效忠，一方面又得為所統治的人負責。他的人生就在人民反叛和惹主子不快之間擺蕩，既得不到安寧，也沒有指揮的實權。安格思，你難道看不出來嗎？西奧武夫早就已經死了。』

所以我們就照原訂計畫離開，高奏凱歌，而且更讓我興奮的是我們要去凱爾關特了。我終於可以再見到關妮絲了，不過這一次我是衣錦還鄉，帶著大軍，更重要的是我還陪著她的國王叔叔。

譯註

㉙今之烏斯特。

連年的征戰讓安格思的體型大為不同了，
安格思脫下頭盔，關妮絲歡欣的迎上來，
兩人緊緊相擁，希望永不分離。

艾弗列大帝像俘虜一樣困在蘇摩塞特城堡裡，
安格思去協助艾弗列大帝，終於擊敗古斯倫大軍。

老隱士凱拉·派翠克把寶劍『嘉歐·賽瑞德文』贈予安格思，告訴他寶劍的由來，所有僧侶都跪在旁邊。

15 關妮絲

我們終於要返回凱爾關特了。

我等不及想再見關妮絲一眼。我什麼都計畫好了……我會和歐文、哈格斯留在部隊後排，我要求他們兩個幫著我給關妮絲一個驚喜，他們都欣然同意。我知道這兩個粗枝大葉的戰士會不停的取笑捉弄我，因為我就像是得到第一個奴隸的小毛頭。可是我不怕他們取笑，反而對我的摯友開誠佈公。就連布蘭都把我的事告訴了關妮絲的叔叔，羅德利・莫爾大帝，向他解釋此事涉及的政治層面，以及艾德渥的陰謀詭計，他想拿下南西姆如統治權的野心……其實布蘭說這些是為了要幫我討回公道。羅德利大帝本人對我就另眼看待，現在我又明白除了內尼厄斯待我像兒子一樣之外，我又有了第三個父親，就是布蘭。但願上帝全能的天使保護那位聖人，那位明智的老好人，保佑他和他的修道院！

我的使命進行得很順利，我們很有信心能把不列顛從可惡的丹麥人手裡解放。

我的軍隊都有很好的裝備，士兵驕傲的展示他們那些製造精美的武器、盾牌、頭盔，我們龐大的隊伍裡旗幟飄揚，確實稱得上軍容壯盛。

我認出了凱爾關特近在眼前，忍不住心跳如雷。我這是怎麼了？我暗忖，一面讓心裡的焦躁加劇，我又不是要去見隨便哪個女人，我是要去見我的關妮絲啊。艾德渥看見我和西姆如的大帝走在一起，鐵定會很不高興。

又一個鐘頭過去，因為我們只是讓馬匹小踱步，沒有放速疾奔。沒多久我們派去通知關特的信差回來了，還帶著儀隊來歡迎我們。當然啦，在此同時兩位公主會細心準備，讓凱爾關特看起來更為高雅華麗……唉，誰叫這座城堡是由女人當家呢……雖然說是女戰士，畢竟還是女人。而且不僅僅是兩位公主，就連城中泰半人口都是女人。我清楚記得那片女人組成的紅海，她們的紅髮有若火炬繞行美麗的城池。她們的國王叔叔理應獲得她們所準備的豪華接待……畢竟他可是統領整個西姆如區的國王啊。

我們就要抵達城門了……我要他們別指認出我來，不過我卻把關妮絲送給我的龍紋頭盔戴在頭上。她會不會一眼就認出我來？還是躲在部隊後面，讓國王來介紹我比較驚喜？

我想像過各種不同光榮返鄉的畫面，突然我想到了內尼厄斯的教誨，讓我對自己的虛榮有了警戒。真正重要的是再見我的關妮絲，這才是根本所在。當然啦，得要她仍然願意接納我……畢竟我已經離開多年……不過心底深處的什麼感覺卻讓我信心十足……

歡迎羅德利大帝的達官顯貴映入眼簾……老遠我就看見那兩個修長美艷的女人站在軍隊後方。穿藍的是關娜拉，而她旁邊——我的心跳更快了——站著關妮絲。喔，她真是叫人驚艷！不過那還用說，既是戰士又是公主，既是野獸又是天使，我為自己找到的女人……

興高采烈的子民為國王歡呼，五彩繽紛的玫瑰花瓣、花束、鮮花裝飾品紛紛落在前面的部隊身上。我的部隊排成了三排，高舉盾牌，手執長矛。歐文特意走在我旁邊，哈格斯也是，而布蘭則走在羅德利大帝旁邊。

羅德利大帝一通過城門，就在巨大的野豬雕像附近停下，兩名公主立刻起立致敬，兩人氣度雍容，動作優雅，默契之佳遠遠看似乎是一個人。我錯了……關特城哪裡還需要什麼裝飾……單單是兩位

美艷的關妮絲永遠如此耀眼，氣度雍容、動作優雅的她讓關特城更顯光彩。

公主的高雅，加上那明艷的容貌就綽綽有餘了。

國王就在她們面前下馬，在一陣花海中走向兩名姪女。我已經和歐文、哈格斯走向前了，我的部隊也都站在我身後，聲勢浩大。

國王走向姪女，親吻了姊妹倆，凱爾關特的居民興奮尖叫，慶祝西姆如歷史上勝利的一刻。家園平安，他們的國王就在眼前，而且還帶著英勇的大軍。人人都有了父親，因為羅德利大帝就像慈父一樣保護所有人。想到這裡，我忍不住有些感傷，因為我是為他們而戰，遠離我的家鄉，我父親的家鄉，而我母親卻得要想辦法自己求生……似乎很不公平，我給別人帶來喜慶，給不列顛島上的人帶來喜慶，但我自己的族人……我反覆思索，但我的守護天使看著我，推了我一把，責備我，要我除掉這種自私的想法。內尼厄斯說只要我們老老實實的活著，上帝就會派天使來保護我們，所以籠罩心頭的陰霾很快就雨過天青……我是在為不列顛島上所有獲得神恩的人民而戰……是在為皮克特人、蘇格蘭人、我的族人而戰，我是在為西姆如和斯特拉克萊王國的不列塔尼人而戰，甚至是為了遙遠的埃林眾王國而戰。我為了自己的父親、母親、內尼厄斯以及像他一樣的聖人而戰……我為了艾弗隆、布蘭、歐文、哈格斯、我追念不已的羅斯格、關妮絲而戰，而且最重要的是，我是為上帝，我們的主、我們的父而戰。祂眼觀一切，賜予我們勇氣來面對那些嗜血的異教徒，那些邪惡的丹麥人，雖說也是我的血親，但在他們身上卻完全找不到海狼和他的手下所有的高貴和榮耀。

我帶著軍隊到達，站在羅德利和布蘭的不列塔尼軍後面。人群看得見我們，但我們距離關妮絲和關娜拉還有一段距離，而且國王的鋒芒掩蓋住我們，他就站在兩位公主之前，這一刻莊嚴美妙。

雖然距離遠，我還是可以清楚的看見她們倆。關妮絲真是耀眼。我也看見了關娜拉，身邊是她的愛人兼未來的王子。艾德渥很誇張的向羅德利大帝鞠躬，八成是自覺比老國王要優越。我看出了那個卑鄙小子的念頭。我猜想他自認為自己優秀得不得了，可以取代羅德利的地位，因為他覺得自己比老國王精明，不像那些講究原則的老實人有那麼多所謂的『弱點』。我看著他和國王面對面，他的腦筋裡一定就是在轉這些念頭。過氣的國王在未來的王子面前……艾德渥可能就是在這麼想。我了解自己的敵人，他卻沒有知己知彼，而現在我已經接近了。

人人都就座了，身後飛揚著凱爾關特的野豬旗幟和西姆如的龍旗。

國王開始一一介紹盟友……

他介紹了布蘭，布蘭用跟場合不搭調的鄉野村夫態度表示了敬意，向羅德利大帝以及兩位公主鞠躬，然後就面對著他們後退，儘可能把這極度不自在的短短片刻打發掉。比較起來，直來直往、穩重可靠的布蘭還比較喜歡上戰場廝殺一番呢。我忍不住向歐文靠攏，調侃了我們的老朋友幾句。誰叫我們是好朋友呢……戰場上的兄弟，彼此互相照應，將來我們也會是這樣……

我正在胡思亂想，忽然國王介紹起了歐文和我。他沒有說出我的名字……他盤算了一個驚喜，保證會有很意思。他把我介紹成盟軍的領袖，來自某個兄弟之邦。

歐文朝我笑，我們並肩走向國王。接近的時候，我注意到關妮絲認出了我的衣服，因為我穿戴的都是她送的禮物，她緊張的扭動了一下。不過我戴著頭盔，而且連年的征戰，我的體型一定是大為不同了。再說，國王介紹時特別說我是不列塔尼人。

我看得出她很難過。艾德渥笑個不停。國王後來告訴我，艾德渥還問這個不列塔尼戰士是從哪裡弄到那身行頭的。

等我來到所有人面前，歐文假裝生氣，大聲斥罵。

『你這傢伙怎麼這麼沒禮貌，在兩位公主面前還戴什麼頭盔！』

我的體型必定是真的變了很多，因為艾德渥仍然是一臉的訕笑……

我拿掉頭盔，關妮絲失聲尖叫：『安格思！』

真是動人的一幕……她奔向我，可愛的裙子飛舞，我們緊緊相擁。

我抬頭，看見歐文滿意的微笑，國王也是。

我吻了她，立刻又轉頭看艾德渥，那個痞子，掉了魂似的瞪著我。

『艾德渥，你這條下流的毒蛇！看我把你臉上的傻笑給擦掉怎麼樣？』我沒有拉高嗓門，不過四周的人還有他一定都聽見了。

羅德利大帝把關娜拉拉到他身邊，跟艾德渥保持距離，艾德渥立刻明白他並不受歡迎……

『現在就讓正義昭彰！』國王高呼，我看見他捏著關娜拉的手，慈愛的看著她，因為她的心情正跌入谷底。他和關娜拉耳語了幾句，把她拉得更遠。

『怎麼啦，沒戲唱啦，王子？』歐文故意用很放蕩的口吻說。

關娜拉的士兵退開，我走向前去。

『這位是安格思・麥克蘭，皮克特蘇格蘭聯軍的首領，我的盟友！』羅德利大帝大聲說：『上前來，安格思！』

關娜拉開口說話，還比了手勢，但給羅德利大帝打斷。

『他只不過是個挪威叛徒！這個人是挪威人的同夥！』艾德渥大吼。『槍騎兵，準備戰鬥！』他下命令，大概是針對凱爾鬬特的士兵，他仍有領導權的部隊。

『都給我站住！』羅德利大帝更大聲的吆喝，凱爾鬬特軍全部停止不動。

『不錯！我命令全部人都不准動！』鬬妮絲也如法炮製。

『鬬娜拉！』艾德渥趕緊向她討救兵。

『我不會讓你拿鬬娜拉這樣堅強的女人當擋箭牌，你這個下三濫！要就用你自己的手來展現你的勇氣！』我大喊，手指指著他。『既然你是這個地區的冠軍，我安格思就跟你到凱爾萊恩競技場見個高低！』

『你難道忘了上次敗得有多慘嗎，挪威人？你當真是活得不耐煩了？』艾德渥挑激我，仍然很有自信自己是競技冠軍。

『到凱爾萊恩去！』我說。

『凱爾萊恩就凱爾萊恩！我會讓那裡變成你的葬身之處，挪威人！這次我可不會手下留情了！』他朝我點頭。

『就這麼決定了！』國王最後說：『明天，就在凱爾萊恩解決！』

閒話就不多說了，不過我們前往凱爾萊恩的那天，眼見艾德渥又在我面前，在競技場中央，我有種奇特的感覺，我清晰的理解到真相已經水落石出，而正義總是會彰顯。此刻，羅德利國王站在我這邊，部隊當我的後盾，正義有了非常獨特的滋味。站在我面前這個混球曾設計陷害我，害我變成奴隸，看他一臉的高傲，藍眸閃動，向失望不滿的鬬娜拉炫耀笑容。那位一度意氣風發的公主，如今一肚子的不高興，靠叔叔的肩膀支撐，一刻也不敢放掉他的手。

比鬥開始前，歐文拋給我譏誚的一笑，而我則不動聲色的執行我的宰殺計畫。我躲開了攻擊，身手之靈巧連我自己也大感意外，畢竟在風雲變色的戰場裡要精心算計根本是不可能的事。戰場上真正的計算就是求生存。我長劍一擊，斬斷了他一條手臂。我從歐文那裡學來的劍術無疑是我最寶貴的財富，當然還有內尼厄斯的教導。我向艾德渥展示了一些戰技，然後用斧頭砍下了他的腦袋，我選擇不用盾牌，才能兩隻手使用兩種兵器。我的選擇讓他更加的自信滿滿，以為又可以輕鬆打敗我，殊不知他是上了我的當，更加快速的走進了死亡之境，那些驕氣凌人者的安息地。那隻狗東西死了，全城默然，我的手下高聲喝采；羅德利大帝儘管一臉嚴肅，卻很滿意看見那條危險的害蟲已經剷除掉；關娜拉傷心欲絕，關妮絲卻十分得意，不是因為叛徒被殺，而是因為正義就在她盲目的妹妹眼前浮現。她深愛這個妹妹，一直擔心妹妹和艾德渥結合只怕會對妹妹不利，尤其是他背後搞鬼，圖謀不軌。像他那麼虛榮的孔雀，又精明得像條毒蛇，一個女人是滿足不了他的。

不過傷心也罷，快樂也罷，又該是我們煩惱挪威人的時候了。

南方傳來的消息驚動了我們。

主內八七五年，威賽克斯的艾弗列大帝給一支來自多恩塞特㉚的丹麥艦隊擊敗，逼得我們不得不在凱爾闕特召開緊急會議。

我們在凱爾格魯易殲滅的敵軍對挪威人似乎不算什麼重大的損失，他們的國王、甲爾、士兵都在繼續增援中。另一個挪威國王取得了領導權，信不信由你，他居然比海夫丹還壞。

他的名字叫古斯倫，麾下軍隊十分強大。他的野心不小，其中之一就是徹底瓦解威賽克斯王國。

於是挪威軍隊分成了兩股：古斯倫國王，連同兩名盟友歐斯其帖國王和安文德國王，不斷攻擊南

關娜拉的情人艾德渥接受安格思的挑戰，兩人在凱爾萊恩競技場決鬥，
身穿盔甲的安格思不動聲色的執行宰殺計畫。

方，而海夫丹跟他的兄弟赫維策・拉格納生、阿比・拉格納生、『蛇眼』席古則把重心完全擺在諾森伯里亞。

西奧武夫仍坐鎮麥西亞，當海夫丹的傀儡，向他納貢募兵，滿足暴君的胃口。整體情勢已經大壞，挪威人仍繼續增兵……新的艦隊不斷抵達。我們和他們的部分兵力作戰，以免敵人坐大。

羅德利的兒子阿納若德、梅爾芬、凱鐸都在南方的塞熙爾衛，那是西姆如中南部的領土，原本是羅德利大帝的岳父的領土，後來老國王把土地割讓給了他。他們正忙著建造岱納福爾城堡，那是完全用石頭建築的大城堡，規模宏偉，也是地點絕佳的要塞，俯瞰西姆如南部，靠近天鵝灣。挪威人已經肆虐了岱斐德的海岸線，他們一向的習慣就是沿著要塞的一條運河而上，侵略西姆如南部。

我們在西姆如境內戰鬥了一整年，歐文，布蘭，羅德利大帝都並肩作戰，羅德利的兒子們則在西姆如的中南部作戰，一面修建岱納福爾堡。

我們打了幾場大戰，關妮絲和關娜拉也加入，剛好讓我有機會親眼目睹兩名公主的勇氣，以及我未來妻子的道德力量。一等到不列顛島上的戰亂結束，我們就要結婚。

要不是我殺了艾瓦，更主要的是要不是埃依國王和埃林眾王消滅了敵人的軍隊，我們絕對沒有辦法持續不斷的抵抗來自四面八方的猛烈攻擊。威賽克斯的艾弗列大帝付了求和禮，終於換來了一段停戰的時日，因為丹麥人都集中在麥西亞和東盎格魯。

這年是主內八七六年冬天，我們聽說海夫丹攻向諾森伯里亞，意圖完全征服那塊土地。同一年，發生了兩件好事：第一件事讓我們喜氣洋洋，因為英勇的艾弗列大帝在海上擊退了另一支挪威艦隊，威賽克斯南方的人民因而信心大增。艾弗列大帝不愧是足智多謀的軍事家，他下令在全國境內建造船隻，準備在挪威人還沒有靠近威賽克斯海岸之前就先接戰，以便阻撓他們的增援和補給。另一件好事是歐文跟關娜拉愈來愈熟絡了……那位驕傲的公主總算找到了像樣的伴侶。看見這麼威風凜凜的一對，在暴風雨來臨前的短暫平靜裡嬉鬧歡笑，真像一幅畫。那一年，關妮絲跟我，歐文跟關娜拉，甜甜蜜蜜的消磨掉了。

但就在開春之時，另一股挪威人攻擊了多恩塞特。納貢求和的艾弗列不得不緊急動員，保護王國。後來我們才知道，他實在是非常睿智，他為了加強國內的軍力，不惜納貢求和，以便爭取時間來修復工事、增補人員。他早已預見挪威人之為禍愈烈，不列顛全境都難逃魔掌，特別是南部地區。

我們在西姆如也是一樣，這一年裡我親眼看著岱納福爾城堡建立，如高山峻嶺不可攀越……羅德利的這項建設真是卓越。站在高高的城牆可以看見大老遠外的敵人，我們可以看見敵軍接近這座石頭巨城，無論是城的規模或大小都讓敵人膽寒。

這段期間，我們也聽說海夫丹已經全盤控制了諾森伯里亞，分封了幾個兄弟為王。主內八七七年來臨，我們了解這一年對不列顛島上所有的部族來說都是風雨飄搖的一年。兩位公主帶著大軍返回凱爾關特，她們肩負著保護關特疆域的使命，而我們則留在西姆如中南部和南部。羅德利大帝親口把兩個姪女許給了我和歐文，我們將舉行聯合婚禮，男儐相我們都選好了，分別是哈格斯和布蘭，還有國王本人。但歡樂的一刻必須要等到擊退挪威人之後，我不禁夢想那一天很快就會來到，非常非常之快。

在更南面的威賽克斯，艾弗列大帝早已下令打造船隻和大帆船，大帆船就是舷側比一般船隻來得高的船。他似乎已經預料到丹麥艦隊來犯，因為丹麥人一心想要徹底征服不列顛，在島上扎根，成為主宰，就像在麥西亞和諾森伯里亞一樣。

古斯倫也把軍隊分成了兩部，一部在身邊，一部在海上，他們也在不斷增援，夜以繼日的攻擊威賽克斯，粉碎艾弗列的防衛。地面部隊開上來支援海上武力，佈置在多恩塞特南部，靠近波特㉛之處。船艦如今有了地面部隊掩護，這個丹麥暴君古斯倫確實不是等閒之輩，如此一來，艦隊又可以再一次釋放大批餓狼撲入羊群了。

這一年裡，我們大敗了西奧武夫，在麥西亞南方給他吃了個大敗仗。這一次他沒有兩個挪威國王的支援，因為他們都在忙著自己的事，海夫丹忙著諾森伯里亞，古斯倫忙著威賽克斯南部。

我們就在岱納福爾堡紮營，幾個月後我們接獲好消息，為此還開了慶功宴，歡慶了好幾天，飽餐了好多肉、麵包、蜂蜜酒，城堡塔樓上無數龍旗飛揚。原來好消息是海夫丹在都伊柏林死了。我們不知是誰殺了他，可能是埃林眾王，也可能是來自梅尼格的挪威仇敵，那些和海夫丹有仇的挪威人與最近來自特倫汗的人結盟聯手。無論是誰，我都非常高興，那一對壞事做盡的兄弟，來自地獄的妖魔，終於都見了閻王了。

雖然好像海夫丹一死很快就可以天下太平，但他的兄弟和其他挪威甲爾仍在麥西亞及諾森伯里亞為害人間，而古斯倫仍全力猛攻威賽克斯，那個骯髒齷齪的挪威人想要拿下不列顛南方最強大的王國。我等不及想會會他，告訴他是我親手宰了他兩個重要的盟友，父子兩個。

譯註

㉚今之多塞特。

㉛今之波特蘭。

蛇眼席古

『安格思，』羅德利大帝用疲倦的聲音說：『我們擊退過該死的丹麥人和麥西亞人……可是挪威人好像殺不完似的，我們還能撐多久呢？』

『撐到他們死得一乾二淨為止，陛下……我們得像追捕田地裡的害蟲一樣追捕他們。』我喝掉杯裡剩餘的蜂蜜酒潤喉，對自己的話也不太有把握。『勝利向來就是站在我們這邊的。』我想要給這位西姆如的勇敢君王打打氣。

『但願上主聽見了你說的話。』

『祂是聽見了，陛下，因為我們並不是為了自己的榮耀而戰！』

『我找你來是因為謠言愈來愈盛，』他忽然壓低聲音，彷彿隔牆有耳。『是古斯倫攻打威賽克斯的事情。似乎什麼也阻止不了他對權力的渴望，他的魔掌已經伸入了整個王國。萬一艾弗列大帝沒撐住，古斯倫就會集中全力攻擊我們這裡。包圍我們的挪威人和麥西亞人就會比現在還多。南邊傳來消息說他在威賽克斯如入無人之境，已經攻破了好幾處要塞。下一個目標就是我們的邊境了。』

聽見了這個壞消息，我忍不住發起抖來，全身熱血沸騰，握緊了拳頭。我不由得納悶，我們究竟要跟這些無法無天的傢伙征戰到幾時？究竟要等多久才能等到和平？才能簡簡單單的過日子，才能踏踏實實的活著？我究竟還要等多久才能和關妮絲結婚？婚期被迫拖延讓我對那些毒蛇猛獸更加的憤怒，巴不得喝乾他們的血，拆了他們的骨頭。

『古斯倫打算把艾弗列逼迫到康瓦爾去，把他壓制在那裡動彈不得，等到他的鐵蹄再也沒有地方可以踐踏了，他就會一舉擊潰艾弗列，把他當勝利品帶進墳墓裡。』

才說著，我們就聽見遠處有馬嘶，路的轉彎處也揚起灰塵。一名騎士抵達，帶來了噩耗。

『陛下！請原諒我的狼狽……』馬匹和騎士都是汗如雨下。他們奔馳了一整夜，旁人一眼就可看出馬蹄磨損得很厲害，騎士的臉上寫滿了疲憊。『南方又出現了一支挪威艦隊！他們說是由「蛇眼」席古，海夫丹‧拉格納生的兄弟所指揮。艦隊十分龐大，動向不明，可能攻擊關特南部或威賽克斯北部。目前看起來像是朝威賽克斯進發！』

羅德利大帝叫人給信差和馬匹水喝。他問信差餓不餓，大聲呼喝僕人送肉和麵包上來。我走向信差，凝視他的眼睛好半晌，讓他冷靜下來。我請他坐下，慢慢吃，我們已經了解了事態嚴重。然後我又跟國王說話，口氣比先前緊張。

『你知道這是什麼意思嗎，陛下？我們得在西姆如南部大戰，否則威賽克斯和艾弗列大帝就完了。在這些丹麥援軍抵達之前，他的處境已經夠危急了！』

『安格思，其實這兩件事根本就是一回事。我剛才說過，萬一威賽克斯完了，下一個絕對是輪到我們的邊界。』

『陛下，我請你允許我帶人去打探席古的軍情！』

我們有許多事宜必須考慮，沒有時間詳細規劃戰略；不過，現在也不容犯錯。比起眼前的嚴峻情勢來，以前在戰前的短暫時光都充裕得好似永恆了。

『我允許你，安格思！』

『我會盡快送消息回來，陛下！』我嚴肅的注視他。這一刻十分微妙。國王坐著向前傾，兩手手肘撐在桌上，雙手捂住眼睛，深深嘆口氣。我彷彿也體會到他的焦慮，同樣感到沮喪。

『該是我們兩個王國設法協議停戰或互相保護的時候了。』國王深思道。隨後一片靜默，靜得可以聽見昆蟲的拍翅聲，話聲似乎都堵在喉嚨，發不出來。最後，國王開口了。

『召集你的人，安格思，我會擬定一份締盟文書，派人送去給艾弗列大帝。他是個光明磊落的人，我們的王國必須要採取一切必要的手段來抵禦外侮！你帶一面西姆如的龍旗去，我的好朋友。我和布蘭、歐文守在這裡，以防他們攻擊我們。』

『那我就去準備，順便和布蘭、歐文道別，陛下。』

哈格斯跟我準備所有需要的東西。我對部下宣布任務，他們都非常激昂，因為他們想贏，而要贏就得要狠狠打上一仗。這些只出力卻不用動腦筋運籌帷幄的人真是輕鬆。比起來，那些絞盡腦汁定計籌畫的人在尚未開戰之前就已經感受到戰爭的痛苦了。對那些不動腦筋的人來說，一場戰役和下一場戰役之間起碼還有時間可以休息。對那些不參與謀略的人來說，定計籌畫的時間是用不著打鬥的，既不需防衛也不需攻擊。其實，我們卻在腦海裡把戰況演練過一百遍，感受過敗戰的痛苦一百遍，看著我們的人馬，勇敢的戰士兄弟，在我們懷裡死過一百遍，就只因為我們犯了一個錯。羅德利大帝教過我最高明的戰略家會一而再再而三的審查可能犯下的錯，會預見自己的失利，像一名先知，甚至像一名能夠組織未來的人。

且不論那些軍事上的嘔心瀝血，我還是比較喜歡在精神上和我的兵士為伍，他們奔赴戰場，沒有預見任何事，也沒有預先承受戰爭的痛苦，只是想著戰勝敵人或慷慨就義。

我離開了岱納福爾堡，心情十分寧靜，好似冰塊。但我的思緒卻忍不住飄向關妮絲……我倆的快樂得再等一下了……我相信她和她叔叔會把國土守衛得很好，因為他們有許多堡壘，又有布蘭、歐文襄助，一起和國王以及國王的艦隊駐守在岱納福爾城堡裡，誰也攻不進來。

我們抵達了南部的摩根尼衛，打探到敵軍艦隊已經筆直通過西姆如南部，隨時都可能攻擊關特，關妮絲和關娜拉的土地。

我們要駕駛四十艘德拉卡，當作完美的偽裝。反正我們帶著西姆如的龍旗，萬一有盟友把我們誤認成挪威人，我們可以升旗，澄清誤會。

我們選了一個晴朗的早晨出發。我那支生龍活虎的軍隊信任我，我這一次也不會害他們失望！我們進入了天鵝海，風勢對我們有利。沒有暴風，沒有烏雲。晚上，繁星閃爍……我舉目四顧，嘆了口氣。思潮起伏，想起了家鄉，回憶糾纏不放。我閉上眼睛，墜入淺淺的睡眠。

隔天，『蛇眼』席古的德拉卡出現在我們前方遠處……我們靠近關特，立刻派出探子，探子回報說西姆如南部沒有發現席古艦隊。這麼說來，艾弗列是目標了……現在不是回頭的時候。我們佔了出其不意的優勢，再者，哈格斯跟我都對敵人的伎倆十分熟稔。

我們朝威賽克斯的最北端全速前進。我們琢磨了半天才想通古斯倫和席古的策略是四面八方夾殺艾弗列大帝。古斯倫把軍隊分成了兩股，有兩個目的，一個是給由南方增援的部隊地面掩護，一個是要分散威賽克斯國王的注意力，不讓他發現另一支由席古率領的艦隊從北邊上來，所以我們決定要用我們的四十艘船來尾隨席古。

下午天氣轉變成陰雨，我們接近了席古艦隊登陸的地方，看見船上有幾名衛兵。從我們的位置看，船隻是朝我們而來。老哈格斯跟我會給他們一個大大的意外。我們悄悄的划船，等到夠近了，我大喊：『奧丁！』同時我們射出一支火箭，表示我們到了。目前我們是挪威人。對方也是立刻回應。

『奧丁！』

他們會很高興有更多部隊增援。出兵打仗當然是多多益善，愈來愈多的甲爾率兵來協助丹麥人完成大業本來就是很正常的事。

可惜我們卻是來向這些挪威人催命的。我不過只有一千名跟我同樣有皮克特—蘇格蘭血緣的人馬，就幫他們把這一輩子的負擔、狂熱都給解決了。畢竟誰也沒資格抱怨自己天生倒楣。空白的墓碑會吃掉他們的屍體，他們的靈魂會感謝基督徒的悲憫。

我對他們沒有悲憫。我們的攻勢暴猛。我們把屍體拋到海裡，燒燬了部分的船隻，有一名俘虜告訴我們有部分船隻去和古斯倫會合，另一部分去攻打凱倫地區的蘇摩塞特北方某座城堡。我們也決定往那裡去，打算給丹麥人一點打擊。

『哈格斯，騎最好的馬，帶些人先走，去找要塞的統領，想辦法說服他我們是盟友，是來幫忙的。』

哈格斯立刻上路了。他就像是『冰血』海狼的兄弟。我們一起作戰，一起大勝，一起歡笑，一起傷心。現在絕不會一起失敗。

『我會在天黑前抵達要塞，隔天一大早我就會帶好消息回來。』他對我說，拍拍坐騎。雖然這匹馬十分高大，負載他可也不輕鬆。我留在原處，望著傳說中的堡壘方向，距離我站的地方騎馬不到一天的路程。我請求天主保佑我的朋友以及隨他而去的二十名戰士。夜空罩上了一朵烏雲，可能要下雨。我低頭注視部下，覺得應該沿著山腳下的小溪紮營。鐵匠和槍矛匠需要磨銳武器。我會下令隔天一大清早出發，或許正午剛過不久我們就可以抵達小城堡的圍牆邊了。

我本來是這樣打算的，可是心裡卻老覺得該繼續前進，當天晚上就趕到堡壘。不知為何，我有些心神不寧……我也說不上來怎麼會心跳得很急，焦躁得不得了，吞噬了我內心的寧靜！我必須立刻啟程，管不了大家有多累了……

哈格斯離開了幾個鐘頭，一路順利的話，他會在我們前頭大老遠，趕不上他。這樣也好，因為等我帶著軍隊抵達，他已經和當地的領袖費過一番唇舌，擬定了對我們有利的決策。

於是我們就出發了……我們抵達了堡壘，堡壘並不很大，沒多久我們就聽見了衛兵大聲示警……

不論男女都已經進入了戰鬥位置。

我命令軍中舉起龍旗，左右揮舞，西姆如之龍好似想吞噬挪威人。我希望他們能當我們是盟友……

首領帶著許多弓箭手登上了城牆，哈格斯也是，還對我們招呼大喊。我們吹號角回應，很快城門就放下了。

我們就在弓箭手的瞄準下進入了堡壘，還放下長劍，表示沒有惡意。首領很快就在重兵環衛下過來。他叫做歐達，這名字我聽來還真怪。

仁厚的首領歐達領主，他非常的好客，和安格思聯手粉碎了丹麥營地。

當天晚上，夜色愈來愈暗，光線愈來愈不足，我的人馬發現自己給好幾支火把照亮了。威賽克斯的人民以艾弗列大帝之名熱烈的款待我們，這一次我又遇見了一位仁厚的首領，也就是歐達領主，他的模樣有點像布蘭，不過沒那麼結實，他非常的好客，絲毫不懷疑我們的意圖。他解釋說艾弗列收到了一份文書，言明南西姆如及北威賽克斯兩國互相協防。歐達領主和威賽克斯國王似乎關係匪淺。等我們吃飽喝足，他就把王國內最新的發展全部都告訴了我們。交談了幾個鐘頭之後，他道了晚安。

『大家休息吧，』他說：『趕了那麼長的路，你們一定都累了。』

的確，我們真的該休息，恢復體力了。

隔天我們需要籌畫防務，我先要求和歐達談話。

『我有個計畫，領主大人……』我爬上城牆，從這裡可以觀察有無敵軍動靜。『我們找出他們的位置，第一天早晨拂曉前就攻擊。』

『這樣不會太莽撞嗎？在這裡我們有城牆保護……』歐達是有道理，不過他把自己的戰略位置限制在防衛上。

『領主大人，我絕對不是在這裡說大話。你從我的外表也看得出來，我以前也是挪威軍隊的一員，跟這些丹麥人是仇敵，我知道萬一他們圍城，你的堡壘就會淪陷。比這裡還要大上許多的其他城堡都在一天之內給攻破，而「蛇眼」席古的軍隊勢必非常龐大。根據俘虜的說法，他們有六十艘船，每一艘大約三十人，那麼總數就將近兩千了，大人……』

『我的天，我的軍隊也不過兩百人啊，安格思！』

『一千兩百人，大人……』我說，把手伸給他。

『無論你需要什麼，只管開口，安格思。我相信你的決定。』

『攻擊這些渾蛋最好的時機就是趁一大早，他們還沒醒，還有點醉醺醺的……』

歐達哈哈大笑，非常開心。他跟布蘭一樣有種老小孩似的天真。

當天稍後探子回報，說席古的艦隊距離堡壘還有六個鐘頭的路程，可能是直撲我們而來。探子還說他們已經襲擊了兩處村寨，奪走了所有的補給品和馬匹。

今晚他們不會攻擊，我心裡暗想……他們會休息，隔天才攻擊。兩處村寨提供了他們需要的東西，但攻打要塞並沒有那麼簡單。

我相信他們會在堡壘附近紮營，所以一聽完我的解釋，歐達立刻熱心的同意我在隔天清晨出擊。他派出更多探子，而我們則準備戰鬥。

我們比較晚出發，一千二百人空城而出。

那個冬夜，月色慘澹，烏雲蔽天，伸手不見五指，我們只能隱約辨識出自己的腳步。但就是這樣月黑風高才最適合突擊席古的營地。我們佔了天時地利人和，就連可怕的寂靜，鷹鳴狼嚎都和我們行軍的聲音融合為一。

席古的軍隊根本就軍紀荒弛，營地衛兵醉的醉，睡的睡，連武器都不保管，只見地上到處都是弓箭、大錘、長劍、槍矛，跟孩子的玩具一樣。

我和歐達、哈格斯詳細的把計畫全盤複習過一遍，等他們認可之後，我下令進攻。我的人和歐達的人就像麥田裡的昆蟲大軍一樣，悄悄的撲向敵人。

沒有多久，我們就粉碎了丹麥營地。那些不知大勢已去的人渾渾噩噩的迎戰，連腳步都站不穩，只是憑一股驚駭和怕死之情在硬撐。我們殺得他們大敗，丹麥人逃走了很多，攻擊我們的人則都死於我們的武器下。槍矛長劍交擊，我們的攻擊撕裂了敵人，斧頭在敵人腦袋上開出一道血河。

破曉之後，只見空盪盪的營地一片狼藉，那些不戰而逃的人只是苟活得一時，早晚也是跟這裡的死人一樣的下場。等到曙光衝破了濃霧，我們才真正看見自己的戰果：到處是斷肢殘骸，一個活口也沒留下。戰場流滿了異教徒的鮮血。遠處仍看得見騎馬逃生的人揚起的灰塵，後面還尾隨著追兵。

這場殺戮並不是沒有代價的。我們能夠留給家人和兄弟姊妹的遺產也就是擊敗敵人，釋放正飽受奴役之苦的王國。

我們損失了一些人，勇敢的戰士，我們永遠都不會忘記。歐達損失的人手更多，因為他的士兵習慣了在城牆的保護下迎敵，不習慣野戰。

席古死了，老拉格納一定氣得在墳墓裡翻身。我們蒐集了他們奪自撒克遜村寨的戰利品，當然沒放過軍事裝備，那可是價值連城。我們最珍貴的戰利品是一面繡著烏鴉的錦旗，是由烏普沙拉國王拉格納・洛布克的三個女兒親手紡織的。我們返回了堡壘。主內八七八年冬，我們也有節制的慶祝了勝利，渾然不覺這一仗對不列顛的歷史有多關鍵。

17 蘇摩塞特沼澤

戰士的快樂時光總不長久。

我們才剛擊潰了『蛇眼』席古，就又聽說古斯倫的軍隊急速擴充，攻擊肆虐了南威賽克斯所有的土地，許多人不得不躲入阿爾莫利卡。

南方已是哀鴻遍野，前所未見之慘。最不公平的是威賽克斯王國並不是因為昏君荒淫無道，而遺禍百姓。艾弗列大帝是少見的高貴仁君，他把沉重的王冠當作是必須要背負的重擔，而不是榮耀奢華的表徵。他非常的公正，不像其他的不列顛國王會耽於逸樂，他反而像父親般時時刻刻都在為王國打算，看見人民受苦，他更是苦在心頭。

老天爺真是不公平，艾弗列大帝像俘虜一樣困在蘇摩塞特城堡裡，而古斯倫那暴君卻率領大軍橫行無阻，害愈來愈多的家庭家破人亡，妻離子散。

我們向歐達告別，他駐守堡壘以免有別的攻擊，我們則出發去協助艾弗列大帝。我已經不敢肯定我究竟是在為誰而戰。我離開了蘇格蘭土地北方的家鄉太久，跟著太多的南部眾王國作戰，現在我變成是為了全不列顛而戰。只要有哪個國王夠膽識，願意犧牲自己來對抗丹麥人，保衛自己的人民，我就為他而戰。

歐達的探子指引我們穿越了因為下雨而變得泥濘不堪的土地，然後我們就出發向艾弗列大帝提供棉薄之力。我們花了很久時間才趕到，一見城堡的蹤影，歐達的探子就先去通知國王我們此來的目的，而我們則在大雨中等候……

探子很快就回來，國王自然是很感激我們這支援軍，所以我們就朝堡壘前進。堡壘是急就章建造的木寨，村舍又老又簡樸，我還以為回到了家鄉……營火點燃，想要給這寒酸的聚落一點風采。挪威大軍不費吹灰之力就可以踏平村子，通過此地，因為這裡已經很破敗很淒慘。我從來也沒想到會在這麼寒酸的地方見到那麼一位偉大的國王。

我們正在泥濘中跋涉，艾弗列大帝已經出現了……就國王來說，他的頭稍微垂得低了點。

『陛下！』我跪了下來，不僅是出於尊敬，也是想給他打氣，因為在我眼前的是一位謙卑的統治者。

『我感謝上帝各位能仗義援手，可敬的武士……』他說，凝視我的目光單純誠懇。他是個心事重重的人，卻散發出安詳的氣質。或許是因為他無愧於自己的職責，儘管所有的努力都敗在丹麥人手下，還付了兩次和平獻金，但他的心靈卻很平靜。

『我則很感激能夠在全不列顛最艱苦的時候貢獻一點力量。』我答道。國王很親切的要我把我的經歷說給他聽，我言簡意賅的說完了。然後我們談論了好幾個鐘頭，談的都是整個王國的困境，我們開始籌畫幾個可行的策略。

大雨斷斷續續的下，並不是因為有暴風雨，可是卻下得很久，一下就是好幾個鐘頭不停，已經吸飽了雨水的土地無法再吸收一滴雨。低窪地區很快就到處是小水坑，又擴大成水池，蘇摩塞特的沼澤又應運而生。沼澤再度醒來，生機勃勃。這種急遽的地貌變化真可說是上帝的神蹟，給了艾弗列元氣。避居一隅的他視線失焦，任思緒與大雨融合，他有把握這一陣子古斯倫的丹麥大軍不會折磨他，因為沼澤就像天然屏障，誰想通過，必定會慘遭滅頂。再者，困守蘇摩塞特的殘兵敗將可以獵捕到更多動物，因為鹿群會遷居到沼澤後面的森林。

艾弗列深知天堂轉眼即逝。一旦太陽露臉，丹麥大軍就會蜂擁而來，摧毀他們最後的堡壘。不過，這個上天所賜的禮物卻讓他有機會來推敲戰略軍事行動。他可以有時間提振士氣，可以把他每天清晨祈禱之間構思出來的計畫付諸實現。

艾弗列是一名充滿了基督徒精神的國王，無論是性格上或態度上都看得出來，他總是感謝上帝賜予的禮物，但和他兄弟艾瑟雷德不同的是，他認為人生不能單單是靜思不動，一味的祈禱冥思；對他而言，人生充滿了激烈的戰鬥，充滿了勇氣，充滿了艱辛急迫的工作。所以，他打算建造一座橋，橫跨上帝所賜的沼澤地，和古斯倫的軍隊隔離起來；在他的人民、他的村寨還沒有完全給入侵者佔據之前，他會守住這條橋。築橋可以讓士兵鍛鍊筋骨，讓他們的肌肉有力。給軍隊加油打氣是非常重要的事，可現在要想提振士氣是愈來愈難了。畢竟，他的人馬已經是自願追隨他，忠心耿耿，犧牲奉獻，他沒有權利要求更多了。必須要給他們一個目標，一個更光明的未來，為了他們自己，也為了全不列顛。

唉，要是艾弗列能看見未來就好了！要是他能預見未來的幾天、幾年，他就會微笑看著壓在他肩膀上的不幸，明白那不過是一點點的悲慘，是來挖掘他的勇氣的。

艾弗列決定造橋，他的考量完全放在他的人馬和整個威賽克斯王國上。他喚來自己的左右手，發布命令，開心的看見眾將士的眼睛裡閃動著熱心的光芒，他們都很佩服國王的主意。這位國王，不過三十歲，已經像是智者，因為戰爭的鍛鍊，僧侶給他的書籍薰陶，他總是坐在僧侶腳邊，全神貫注的傾聽。

艾弗列實在不應該忍受這麼多的憤怒和殘酷……但是我自己的人生經歷讓我知道力量總是存在弱點裡，而得自經驗的智慧會在混亂中發光。國王掙扎痛苦的時光其實是表示更大的光榮就要在這些簡單的沼澤地裡成形，將來不列顛南部所有王國都會萌芽。

上帝的奧秘不是我們這些凡夫俗子可以了解的！我們怎麼也解釋不了為什麼會承受災難不幸。不過，我們也不該被動的等待，否則的話上帝也就不需要用靈感和感動我們的事件來激發我們，來對我們耳提面命。就是這樣的態度會讓我們的信仰在人生的每一刻發揚光大。親眼目睹艾弗列大帝的遭遇，我不禁納悶換作是我，我有沒有力量來嘗試這樣一個不可能成功的行動。

艾弗列的人馬在蘇摩塞特埋頭苦幹，橫渡沼澤地的橋樑幾近完成，再幾處細工就可以通行了。再等兩天每個人就可以來來去去，不用顧忌處處陷阱的沼澤了。大雨仍無情的下，築橋工人卻一點也不氣餒，因為國王曾跟他們解釋過這座橋代表了上帝的保佑，讓他們能夠在敵方氣勢正盛的時候有一塊安全地。白天，半數人幹活，晚上輪班，換另外半數人，如此一來造橋的速度增快，而且森林裡獵物增加，也提供了源源不絕的食物。

艾弗列很高興築橋順利，他請來了他的老朋友，阿瑟主教。主教陪伴他走過漫漫旅程，傾聽過他的告解，為他施行聖餐禮，也把他的一生記錄下來。多虧了這位神職人員，不列顛的歷史才能夠流傳給後代，不會像秋天的落葉般凋零……

不過，要想不凋零，艾弗列還得要仰仗冬天。只可惜冬天並不是多麼有力的奧援，因為天氣再冷，丹麥人照樣從南部海岸登陸。嚴寒的冬季，寒風似乎能割裂肌膚，必須要把全身都包得密密嚴嚴的。可是這些人卻不在乎刺骨的寒風，而是比較在乎心靈的創傷。撒克遜人雖然不比我的人馬耐寒，卻在造橋期間無畏低溫，唯一能夠動搖他們的只有古斯倫的攻擊，因為即使傳到我們耳裡的消息再怎麼微不足道，那一次又一次的殺戮都能夠消磨身體和精神的力量。

艾弗列絕對想不到會有這麼多敵人！他們渡過的海峽是沒有人膽敢挑戰的。部隊帶來無數的船艦。古斯倫侵襲了南威賽克斯的大小土地：從左邊，從右邊，陸地上，海面上。然而在這個小小的堡壘裡，艾弗列仍力圖抵抗，仍力圖凝聚抵抗的勇氣，而援手卻只有我們這一小撮人。

不管用的，我心裡暗想，丹麥的軍隊太龐大，一旦雨季停止，沼澤乾涸，他們就會團團包圍住我們。不過命運不會這樣對待艾弗列大帝。他已經抗拒了這麼久，這麼一位勇武的人是不會埋屍泥坑的。再說，我的軍隊訓練精良，士兵熱血沸騰，才不會讓古斯倫輕易嚇倒，誰叫我們是蘇格蘭土地來的呢……

國王沉默不語……但從他的眼神我看見戰爭已成形……是挪威人的惡兆……這位信仰堅定的人不會輕易屈服的。

我想說點什麼來讓他心情好一些。

『陛下，從你身上我學到了應該向那些協助你的人致上最崇高的敬意。』

『你太客氣了，朋友，你的慷慨援手就像是在最苦難最關鍵的時刻送上了救命藥丸。我們必須要好好補償那些日夜趕工造橋的士兵，不過我得承認以目前的狀況，我哪有那個能力補償他們。』

『那就邀他們去大打一仗好了。』我想也不想就脫口而出。

我這種粗魯直接的風格反而讓氣氛變得輕鬆，我們都哈哈大笑，忘記了這些日子的緊張。突然間，築橋工地傳來尖叫騷動，人人都朝那邊跑過去。原來是一根木樁滾落，壓住了一名士兵。那可憐的年輕士兵腿給壓碎了，他痛苦尖叫，其他人則手忙腳亂的想把他救出來。人人面面相覷，張口結舌，不知有什麼方法能夠徒手抬起那麼大的一根木頭，除非是有神力才辦得到。主教趕來幫助受傷的人，想要給他止血。艾弗列從自己的衣服上撕下一塊布，交給主教，要他綁在傷者的腿上。還不到幾秒鐘的功夫，大家已經圍攏了過來。一名士兵走向前，神色古怪的瞧了瞧傷口，把艾弗列叫到一邊。艾弗列示意主教也一起來。主教的看法一點也不樂觀。

『截肢！上帝啊！……一定有別的解決辦法！……』艾弗列不想做最壞的打算。

『沒別的法子了，陛下……』主教顯然了解他的意思。『要是放著不管，也會生壞疽，他還是非死不可……血液沒有辦法流通，反而造成更大的痛苦。』

『既然沒有更好的辦法，那還是先救他的命吧。』艾弗列讓這場災難給嚇了一跳。

『一條腿總比不上一條命……』主教想給老朋友打氣。

『誰來動手？』又一名戰士問，看著幾乎昏迷的傷者。

『既然如此……』艾弗列深吸了一口氣，看著受傷的人。

『我要死了……』他啜泣道。『我知道怎麼祈禱，陛下……我對神有信心。』受傷的戰士看了看四周的人，忽然抓住國王的手說：『陛下，我會效忠您一輩子。』

『給他一點蜂蜜酒，把他抓牢！』艾弗列命令道。接著他揮舞長劍，眼睛瞪得很大，斬斷了那隻傷腿。做起來比說起來容易。最難的部分在掩住耳朵不要聽見那可憐人的刺耳尖叫。但是截肢做得非常乾淨俐落，已經陷入昏迷的傷者在燒烙傷口的時候根本沒感覺，既沒聽見國王承諾無論有什麼困難都會幫助他，也沒聽見阿瑟主教給他的祝福。

艾弗列和主教匆匆離開，去喝點蜂蜜酒壓壓驚。

主內八七八年春，我們已經把橋樑建造好了，橋樑很有戰略功用，我們可以上橋走進蘇摩塞特森林裡，不費什麼力氣就能獵捕許多食物。鹿群都聚集在一起，到處都聽得見野豬的聲音。鳥類似乎在慶祝有青蛙蟾蜍大餐可吃，溪流裡魚群悠游。我們吃了許多鹿、魚、鳥、野豬。豐盛的食物可以提升戰士的精神，甚至連看來毫無希望的老百姓都振奮了一點。不過，橋樑最重要的功用卻是讓我們能夠到達威賽克斯一些比較重要的城池，還沒有棄守的城池。在這艱難的時刻，很多人逃到阿爾莫利卡，海洋那邊的土地，儘管會受到不列塔尼人和法蘭克人統治，也總比在北方蠻族的鐵蹄下苟且偷生來得強。而且，死守不列顛這塊土地的人民因為聽謠傳說艾弗列大帝已死，認為已經沒有國王了，如今當他們看見國王還活著領導大家時，必定能讓他們甩掉沮喪，振作起來。

我們突襲了幾個敵軍基地，搶奪了馬匹、食物、武器。其實戰鬥規模很不起眼。我們設下埋伏，突襲小股敵軍。有時，我跟哈格斯會偽裝成敵兵，進入某些營區，打聽他們未來的動向。就連艾弗列大帝都喬裝改扮在王國裡四處走動。有時可以看見他假扮成牧羊人，有時又看見他在某個挪威人營地裡彈奏豎琴，我真是佩服他的膽量。這位國王為了要保護自己的人民和王國，究竟可以大膽到什麼程度？隨便哪個場合，他都很容易會被認出來，送掉性命。可是他絕不讓任何事任何人阻撓他挽救不列顛的決心，因為這是他深愛的島嶼。我甚至還聽說有一次他假扮成卑賤的僕人，在挪威軍隊活動範圍的邊緣村寨裡打聽敵情。他親口跟我說，有一次他還因為把麵包烤焦了而挨了他自己的臣民一頓罵——要是那個可憐的女人知道她罵的是國王……

我們打聽清楚了古斯倫的動向，他們也不斷的犯邊，他現在正重新編組，打算要全面攻佔威賽克斯中南部。艾弗列必須要立刻出現在百姓面前，號召各村寨頭目來開會，以便凝聚部隊的向心力，在敵軍抵達蘇摩塞特領地之前就將之擊潰。雖說現在就暴露他的位置等於是自殺，可是我們還有什麼選擇？四面八方的情勢都不看好，北方也沒有消息傳來。要是蘇格蘭人攻擊了諾森伯里亞或柏尼西亞北方的挪威軍，我們也一無所知。依照判斷，這件事很有可能。畢竟海夫丹曾在蘇格蘭土地的南方建造了十分堅強的防線，給他造成了沉重的負擔，對他完全支配諾森伯里亞和柏尼西亞也有很大的影響。目前正在統治這些地區的甲爾們或許正感受到南方的蘇格蘭人所施加的壓力。

艾弗列就像是優秀的軍事家，知道被動等待敵人來襲將會一敗塗地。但是反過來說，要是線民的消息並不誇張，那麼古斯倫的軍隊規模比艾瓦的還要大，而且戰爭器械之多，沒有一個國王看了不眼紅。他也知道古斯倫會全力對付不列顛南部，而艾弗列就是他唯一一個，也是最後一個死敵。因此，他決定繼續小規模戰鬥，而且要快準狠，先從附近村寨開始，等到人強馬壯，他才會去追擊敵人大軍，一舉解決掉異教徒。鐵匠不眠不休的幹活，捶打武器的聲音不絕於耳，就連鳥叫都壓過了。而打鐵的節奏則預告了即將而來的血戰，到時絕對是屍積如山。三名力大無窮的鐵匠默契一致的伺候這些鋼鐵，貫注的無限熱情唯有鋼鐵能夠感受。

阿瑟主教衡量艾弗列的決定，忠言直諫道：『我們必須讓大家都知道艾弗列大帝還活著，而且他需要每一個能夠戰鬥的臣民幫助，來投入戰場，收復威賽克斯王國。』

『我不知道那些古老撒克遜人的後代，那些國王、那些頭目、那些戰士部族是否還記得我……我隱伏了那麼久，任由百姓受苦受難，飽受那些北方蠻子的肆虐。我甚至沒有把握我的子民還是不是把我當他們的國王看。』國王的苦澀話語懸在空中，他的悲傷重重的壓下來，聽得出他對自己非常失望。

『陛下！』主教高呼。『你親眼看見附近村寨的頭目看見了你還活著，他們有多高興！上帝留你一命就是為了今天，為了要保護他們，陛下，你還活著！』

『別給我戴高帽子，主教先生，我很可能會相信，然後就讓自我膨脹，控制了靈魂，開始以為我真的很偉大，真的無所不能，真的是拯救王國捨我其誰的那個國王了。』艾弗列不但鬱鬱寡歡，而且充滿懷疑。

『陛下，你會為大家帶來快樂幸福。很多人會懇求和威賽克斯締盟，他們都會為了換取你的保護而甘願變成你的臣民。』

『這不過是你這位好朋友的客氣話罷了。』

『不，陛下，不是客氣話，而是預言，』說著，主教雙手按住了艾弗列的肩膀。『上帝的意願就是要公正之人來統領全人類！』

日子一天天過去。戰士忙著小規模戰鬥，對自己的戰果十分得意。我們的軍隊數量增加可觀，但比起古斯倫的超級艦隊來說還是小巫見大巫。艾弗列把大部分仍效忠於他的國王召集來開會，盟軍從各個角落匯入，撒克遜族的酋長、艾弗列的臣民都偷偷趕來和他密商軍事行動。國王鎮日長思，我不知道那時他心裡有多少思緒翻騰。或許他以為他的王國是最後一次的大團結，也或許……啊，這位高貴的國王是多麼熱愛不列顛啊！跟在這麼一位國王身邊，我不禁感覺在這座上帝垂憐的島嶼上，所有的洞穴、所有的部落、所有的領土，甚至所有的王國都可以像一體一樣生存，可以彼此分享所有的財富，交換榮耀，尊重島上所有的人。此時此刻，艾弗列不是為了更高的權位而戰，也不是想要擴充自己的王國。他是為了不列顛的存亡而戰。他的子民對國王的快速攻擊深具信心，但他們期待更多。對他們而言，看見自己的國王從蘇摩塞特的沼澤深處再次站起，簡直就像奇蹟。

他們讚頌國王，不吝給予他理應得到的榮耀，用極大的喜樂歡迎他，要是當時情況允許的話，他們會把所有人都找來大吃大喝一頓，慶祝國王復行視事。可是他們知道該保密，因為還有可怕的威脅不斷從對岸渡海而來。而艾弗列大帝，儘管對自己的失望還是很明顯，也展開行動了。

他重新組織民兵，也以非常緊湊的節奏武裝部隊。艾弗列深知怠惰只會讓希望消磨，讓掠奪者坐大，因為獵物的動作會變慢，精神會不集中。但我們可不會是丹麥人手到擒來的獵物。這是我從吸入鼻孔的早晨清新空氣裡感受到的。現在是我操練武藝的最好時機。我好像渾身精力充沛，像是等著獵人的野獸，隨時要撲到他身上，把他撕成碎片。我的部下都跟著我在破曉之前就起來訓練，艾弗列下令他的部下也接受同樣的訓練。每天早晨都像一次新的勝利：在我們的土地上、我們的島嶼上，每天都是嶄新的一天。國王本人也帶頭操練，更讓所有士兵士氣大振，他的一言一動都漸漸醞釀出未來的勝利。

幾個月後，氣候變得暖和，太陽照亮了我們的戰鬥精神，溫暖了我們一度有如冬天般寒冷的心。艾弗列看出漫長艱辛的戰鬥近在眼前，於是下令所有的地方酋長儘可能召集人馬武器。而他自己則一直憂心忡忡。

『古斯倫不是號簡單人物，他是非常高明的軍事家。每次想到他，我都把他比作一頭狼，被一群獵狗追捕。就算給逼得後退，他也會繞過山，再回頭攻擊，藉著陰影作掩護。溜過懸崖，藏進村寨，等風頭過了再現身。』

『可是陛下，你忘了，他或許夠精明夠優秀，不過他少了最重要的東西，就是上帝的保佑。他是異教徒，一舉一動也像個異教徒，再邪惡的人也不會跟他一樣讓別人承受那麼多的暴政和不公不義。』我反駁道，這次口氣很嚴厲。

決定性的一戰已緩緩拉開了序幕。古斯倫的大軍在沙利斯柏立平原紮營。所有忠於艾弗列的人馬，我、哈格斯、我的部隊也聚集在一起，在巨石柱群整編。巨石柱群這地方有奧秘的宗教氣息，而且就在多恩塞特周圍。環繞著我們的巨石成了我們的祈禱台。艾弗列邀請我們一起靜思片刻，我看見這位國王，雖然是這塊土地的無上權威，卻以最謙卑最虔誠的態度，捨棄了帝王之尊，跪下來，臉貼著塵土，把一顆心送到上帝面前。我陪伴他祈禱，度過了許多漫長珍貴的時光。我快速瞥了瞥後面，又瞧了瞧左右，雙眼所見讓我明瞭耶穌基督的偉大，祂把人類又帶回到上帝的國度：黑壓壓一片的軍隊，跪下來，都是最虔誠的靈魂，長劍插入地面，像十字架，誠心誠意的榮耀萬王之王。這一刻會永遠銘刻在我的內心，因為我親眼目睹了人對宗教的虔誠……阿瑟主教懇請上帝保護我們大家，之後，我們站起來，朝愛森登㉜出發，迎戰駐紮在那裡的古斯倫大軍。我們策馬行進了好幾個鐘頭，儘管心頭戰雲密佈，我們還是能偷閒欣賞一路上懸崖峭壁上生長的植物，披著晨露閃閃發光，一心一意要在岩縫中茁壯成長。

我們放鬆韁繩，讓馬匹自己加速。此時只有達達的馬蹄聲，偶爾會有一點不協調的聲音，四隻馬蹄猛然踩中地面，打破了奔馳的節奏。大部分的軍隊在我們後面行軍。我們把長矛朝天，盾牌向前，看起來就像一道五顏六色的圍牆。

我們抵達愛森登，只見前方有如插天的懸崖上蝕刻著『埃格柏特石』，上面有一匹巨馬，是一匹白馬，畫在山壁上，長寬都有一百匹馬大小，這幅畫吸引了艾弗列的注意。

『安格思，畫在那塊大石上的馬讓我想起了許多年以前我打過的一次大勝仗。那時也是有一匹白

古斯倫和他的大軍正在那裡焦急的
等待我們，等著要給安格思致命的
一擊，但安格思帶領大軍，憑著堅
強的信念取得勝利。

馬。那天，我哥哥正在虔誠的祈禱，我比他先上戰場，』淚光模糊了他的眼睛。『誰知道這是不是神的旨意，要把我們推向最後的勝利？這個圖案讓我們想起以前的勝利，再度自信的面對另一個挑戰。畢竟，安格思，你自己親口說過，那些人是異教徒，而那些暴君擄掠修道院，把僧侶聖人都化為灰燼，姦淫奴役這島上的每一個人。』

『艾弗列，你說的話很有道理，我們應該讓所有人都知道，就當作是勝利的預兆！我們得提醒大家從前也有過一次抵抗入侵者的戰鬥，而且是我們勝利了。』當前最要緊的是，我們的人馬不能在敵人傾巢而出的時候嚇得作鳥獸散，我也絕對不會錯過任何一個可以鼓舞士氣的好機會，畢竟決勝的要訣可不是只靠武力。

於是先前那場戰役的經過以及白馬扮演的角色立刻在部隊間散播開來。戰士們個個信心十足，誓言奮戰到死，要讓勝利的呼喝響遍整個王國，解放全島。我們派出的探子回報，敵軍近在咫尺，古斯倫帶領主力大軍前進。顯然已經等不及要一舉拿下這個王國，徹底粉碎最後的抵抗；管他是皮克特人、蘇格蘭人、不列塔尼人、艾弗列大帝的撒克遜人，一律殺無赦。

艾弗列很仔細的聆聽探子的報告，隨即下令全體下馬祈禱。我們把劍插入土裡，權充十字架，在上戰場之前最後一次虔誠的祈禱。可是艾弗列居然做出了叫人驚訝的事情來，他要我們這些人排成一個十字架。一個肉體做成的十字架，有數不清的戰士，實在是非常壯觀。最後，由艾弗列來發表開戰前的最後一段話：『為了榮耀上帝，我們組成了這個十字架，這也是我們的作戰陣勢。什麼戰術也對付不了我們，因為我們謙卑的足跡上有上帝的保佑，祂是這個混亂的世界上真正的統領。讓我們來當和平的工具，讓我們把不列顛島從混亂中拯救出來！我們是這座島上唯一一個有血有肉的十字架！該是上帝的正義在不列顛的東西南北發光發亮的時候了！』

沐浴在幾乎是超自然的力量中，又加上艾弗列的激勵，我們激昂的朝愛森登核心行進。古斯倫和他的大軍正在那裡焦急的等待我們，等著要給我們致命的一擊。

一看見挪威軍的壯盛，我們的部隊裡立刻響起一片耳語。我的手下，皮克特人和蘇格蘭人眼神凝重，我看出來有兩種解釋：一個是我灌輸給他們的信心，一個是某種程度的飢渴，也許我該說是對戰爭的熱愛。我覺得在我面前的人全都是不屈不撓的優秀戰士，他們願意讓我來當他們的領袖實在是我莫大的榮幸。

古斯倫的大軍好似一道圍牆，有三層厚，疊成一個長形的密實方陣，叫嚷著挑激的言詞，用長矛敲打盾牌，高呼索爾和奧丁之名，跟我們安靜感傷的祈禱相比，他們還真是興高采烈。我想起遙遠的過去，我父親和一名叫做渥夫葛的挪威巨人決鬥，當時我握著母親的手旁觀，那是好久以前的事情了……那些北方人也像現在一樣敲打盾牌……現在又看見他們，驕傲之情油然而生，因為這些北方人都是所向無敵的征服者。

不過艾弗列卻格外的沮喪，因為他發現島上的修道院幾乎都化為灰燼。我以前也為這件事難過，今天還是。有多少像當初收留我的僧侶一樣喪生在血腥的兵刃下？這是基督教在不列顛的大浩劫，不列顛很可能會淪落到挪威人的手裡，永世不得翻身。我們可能得要崇拜索爾和奧丁等眾神，時間一久，真正的信仰會被淡忘。再也不會有像內尼厄斯這樣的大師來傳道解惑，再也不會有像艾弗列一樣仁厚又公正的國王。艾弗列最怕的就是這一點，所以我們今天這一戰才非勝不可。所以，我們會像雄獅一樣奮戰，像不知恐懼為何物的野獸一樣進攻。

艾弗列眉頭打結，隨即下令攻擊。我們跳下馬背，把馬推向後方。我趕到隊伍的另一端去，隊伍緊密排列，盾牌扣盾牌，朝那些異教徒進擊。我們向前進，就像一個人，一條心。我們是有秩序的一個整體，為了單一的一個目標而戰，那就是不列顛的存亡。

我的斧頭似乎是戰場中最致命的武器。哈格斯似乎更加的力大無窮，攻勢銳不可當。艾弗列看來像得到了開悟。敵人屍體紛紛倒在我們腳下。這一戰足可讓風雲變色。短兵相接，一道人牆似乎把敵人一步步逼入冥界。丹麥人很快就會嘗到苦果。我們的長矛每攻擊一次，就會有敵人的膽汁噴出，像是永遠也倒不乾的酒杯。敵軍頂不住我們的攻擊，開始撤退，一張張臉上明顯的透出疲倦。

不列塔尼弓箭手像雨點似的把箭射入敵人的後翼，時間一久，造成的傷亡就看出來了。起初敵人並不在意會發出聲音的響箭，但後來丹麥人卻不得不抬頭看天，舉起盾牌。跟我們正面交鋒的前線部隊仍然沒有潰散的跡象。丹麥人是強壯優秀的戰士，但我們卻有燃燒的靈魂。我們是在保衛自己的領土，自己的家族，以及我們最珍貴的寶物：我們的信仰。

我的斧頭劃開了許多丹麥人的臉，切開了他們的頭，露出牙齒，我非常的高興。看著他們倒在我腳邊，我充滿了信心，在這場關鍵戰役裡，只有一個部族能夠存活。古斯倫獨攬大權，沒有任何斯堪尼亞的國王輔佐他。自作孽不可活。我們似乎對戰敗的跡象格外敏感，立刻加倍攻擊。就在激烈的戰鬥中，我忽然發現我們正一步一步前進，把古斯倫的前線部隊逼迫得節節敗退。這是勝利的徵兆，我好似親眼目睹了奇蹟，心裡揚起一股信心。蘇格蘭之劍粉碎了丹麥之盾，而撒克遜人也在國王的命令下慢慢推進。皮克特人彷彿是野獸，把敵人包圍了起來，敵軍如今是腹背受敵，四面八方都有敵人。

看見我的人馬在對付丹麥人的時候那麼的驍勇，我又一次得意得不得了。

那一波沖刷過我的靈魂，帶著信心、感激、驕傲的浪潮，現在也撲打在丹麥海盜心頭，只不過那是一波惶恐的波浪，糾纏著他們的靈魂不放。

怕死的念頭折磨著他們的靈魂。我想去找找看他們吹噓的那種視死如歸的精神，卻不見得找得到。我之前就注意過，在前幾場他們吃的敗仗裡，他們唯一的念頭就是逃命，躲開我們猛烈的攻擊。我們繼續推進，完全包圍了古斯倫的大軍。

我說不上來丹麥人逃離戰場時究竟發生了什麼事，只怕永遠也說不清楚。我們的部隊沒有停，反而無情的追逐那些逃命的人，殺掉所有受傷的，佔據一路上敵人拋棄的馬匹、牛群、補給品。

一整天下來，撒克遜人用騎兵封鎖西邊，不斷追擊敗軍，用利劍從後面斬斷敵人的退路。民兵騎馬追殺敵人。有些國王的侍衛騎馬趕過逃亡的丹麥人，然後跳下馬來，殺掉那些喪家之犬。

這種獵殺並不單純是軍事需要。在這些效忠艾弗列的侍衛心中，他們是在報復丹麥人無情的摧殘，報復他們長年來深陷不列顛島於恐懼之中。我看見一名盎格魯士兵在激烈戰鬥之後，轉頭看著他的俘虜，眼神悽愴，他說：『你一定得死，我的兄弟親人都給你們殺光了。』對盎格魯人和撒克遜人來說，復仇是他們背負的債務，必須要立刻償還，不容有片刻拖延，愈是拖延，愈是強調了行動的重要。

作戰的另一個結果就是戰士的武器會受損。肉搏戰的時候盾牌會承受無數的打擊，這是我們在每次激烈戰鬥之後學會的道理。詩人曾經傳唱過，相當的貼切：

受傷的英雄繼續上路，
人們說他的盾牌破爛，
鎧甲報廢，頭盔凹扁。

戰士自己會修理大部分的裝備，要不然就委託隨軍鐵匠。受損的鐵劍必須在戰後重磨，斷掉的長矛長槍只要換個新柄就可以。不過修復鎧甲就得要專門的工具，而且還得要勞動專門打造鎧甲的師傅。有些裝備可以用親衛隊自己帶來的零件修補，或是用軍隊的庫存換裝。反正我們的部隊準備得很充分。

我們主要的補給來源是戰場，起碼對我們這勝利的一方來說是如此。戰鬥尚未停止，就已經有人動手剝除死者的衣物，有時甚至還在戰鬥最激烈的時候就開始了。珍貴的物品像是鎧甲長劍都堆成了山，就是在戰場這樣的背景下才會看見大量的軍事裝備，殲滅的敵軍殘留下的裝備是極大的報償。我們必須感謝上帝送給我們兩份大禮：勝利，以及擄獲的武器。

我們繼續行軍，下一個目標是屈本漢，十五哩外的路程，古斯倫的敗軍都撤退到了那裡，我們把他們躲藏的堡壘給團團包圍起來。艾弗列的軍隊陸續抵達，沿著城牆部署。

我們似乎並沒有使出全力追擊敗軍，因為聯軍裡那些單純的人一心只想要搜括戰場上的戰利品。依我看來，有些追擊的部隊太急著回頭去搶奪他們贏得的戰利品，軍紀實在太差，如果是我的部隊，我絕對不會輕饒。可是話說回來，這些單純的人拿著最基本的武器，面對一場懸殊的戰鬥，為了他們的國王而戰，而且還打了一次大勝仗，他們是有資格取得一些精良的武器，以更佳的狀態為他們的艾弗列大帝效忠。他們尋找的不僅僅是武器，而是自己的未來，而且還是戰死的敵軍所提供的未來。

戰士們全數都折回，經過了一堆又一堆的屍骨。現在他們可以好整以暇的拿走沾滿鮮血的戰利品，剝掉美麗的裝飾、斗篷、盾牌、寬刃劍、閃亮的頭盔，簡單一句話，就是從可恨的敵人手裡得到的珍貴寶藏。這些折磨了他們一輩子的敵人如今終於都成了毫無生氣的死人。

古斯倫的黑鴉旗一度神氣十足，在戰場上威風凜凜，讓每一個膽敢與他作對的人心驚膽跳。到如

戰勝古斯倫大軍後，聯軍歡欣鼓舞的舉辦慶功宴。

今，戰場上到處是『戰獸』飄揚，我們的旗幟淹沒了古斯倫的旗號；從作戰開始就隱藏在我們側翼的各種猛獸，已經等著要好好飽餐一頓了。

挪威人留下了遍地的屍骨，他們自己的旗幟召引了烏鴉野獸來大啖他們自己的屍骸。那黑亮的羽毛，如鉤的鋼喙，大口享受柔軟的屍肉。背紋是白色褐色的巨鵰暢飲著鮮血，總是隱藏在林中的老鷹，高唱人類的死亡之歌，而野狼則無情的用爪子撕裂牠的獵物。

『陛下，只要你一聲令下，我們隨時都可以進攻。』我迂迴的說。

『我們已經是勝券在握，最好是沉住氣，把古斯倫的人馬圍個水洩不通，讓他們又餓又累，消耗他們的戰力。』國王沉思道，於是我們就在原地等待所有的部隊集結。

現在我們有時間可以照料傷兵了，照料傷患是親衛隊以及急救小隊的責任。盎格魯撒克遜部隊裡似乎沒有醫者，不過他們應該都具備了醫藥的基本知識，知道如何燒烙傷口，以免傷者失血而死。大部分的治療方式都很傳統，用草藥來療傷，還搭建了許多醫療帳篷。

我跟著艾弗列和阿瑟主教慰勞傷兵，給他們加油打氣，光是看見我們，他們就渾然忘了傷痛。我發現盎格魯撒克遜的醫療專家都是僧侶神父，我猜想絕大的原因是只有僧侶讀書識字，他們可以從羅馬人那裡抄錄醫學典籍。

有個傷兵陷入了昏迷，不斷尖叫，全身冒汗，一會兒叫『我給惡鬼砍了』，一會兒又叫『敵人之劍』，主教告訴我這是古老的撒克遜傳說，指的是撒旦的六個鐵匠所冶鍊的一把刀，被砍中了會造成強烈的痛楚。我想起了古斯倫，立刻回到圍城的位置上去——古斯倫可是活著的惡魔。

困守在堡壘裡面，古斯倫只能靠占卜來鼓舞士氣。退無可退的他一心等著增援部隊，只可惜永遠都不會有。話雖如此，他還是讓我們整整兩個禮拜的時間不敢掉以輕心。在似乎永無止境的兩個禮拜過去之後，我們的軍隊連一吋也沒有退卻，把堡壘給圍得滴水不漏，連一隻蒼蠅也飛不進去。眼見大勢已去，古斯倫終於投降，交出了所有的人質，但求我們饒他一命。

我們這些戰士最直接的反應就是把那群可悲的渾蛋殺得一個也不留，但艾弗列卻停在敵人面前，把我們完全搞糊塗了。

『古斯倫，要是我們饒了你和你手下一命，你願意放棄你的異教眾神嗎？』

我永遠忘不了這一刻。睿智偉大又寬厚仁慈的國王寧可把基督信仰灌輸給這些蠻族，也不願用和這些蠻族同樣的暴力來剷除他們。

古斯倫同意了，艾弗列繼續往下說。

『你願意發誓受洗，接受基督教，從此一心向善，再也不會在這片土地上散播死亡和邪惡嗎？』

古斯倫猶豫了一下才回答，不太了解對方的真正用意。他看了看自己的甲爾們，完全看不見當初的意氣風發，或許反而看見了在此時此刻他有多眾叛親離。甲爾們嚴厲的盯著他，我聽見有一個甲爾鼓勵大家一決死戰，但古斯倫命令他不得多言，然後他就在偉大的威賽克斯國王面前發誓……

我才不相信他是真心的，我巴不得那個陰險的狗東西趕緊滾出來，讓我用斧頭送他進地獄。

『我不是為了我自己才要求的，古斯倫，我是為了上帝，為了所有不列顛的子民。』

『我鄭重發誓！』丹麥國王說。

『那就走出來！』艾弗列命令道。

多疑的丹麥暴君從堡壘裡出來，我出於直覺也向前跨出一步，還高舉著斧頭。

艾弗列攔下我，按住我的手臂，我們雖然年紀相當，他卻像做父親的阻止孩子一樣，此時此刻他似乎真的比我老成不少。

『發誓，北方的大王，用你最重視的戰士靈魂發誓，你永遠不會再給威賽克斯王國以及全不列顛帶來不幸。』艾弗列對古斯倫說。

接下來的一幕更讓我永生難忘。艾弗列肅穆的低頭，向敵手表示致敬。他用手比出十字架，我們所有人都跟著做，然後他轉向丹麥人的首領，凝視他的眼睛。古斯倫一臉的迷惑……接著艾弗列大帝以基督教之名歡迎他，擁抱了他，叫他孩子。這名曾經暴虐無道、手握大權的丹麥國王啞口無言，全身發抖，跪了下來。

『陛下，我用我最重視的一切發誓！』

我簡直不敢相信自己的眼睛！竟然有國王和一個潰不成軍的敵人和解，而且這敵人還是一個幾乎肆虐了他整個王國的大暴君……我的狹小器量讓我更加的渺小，我絕對做不出這種讓步！或許我該說我絕對不會有這種胸襟！當前的情況讓我很氣餒，我想尋找平靜卻找不到，我沒想到竟然真有一位國王可以把內尼厄斯教導過我的大道理付諸實踐。

我硬逼著自己懺悔，以便看清艾弗列的舉動，好好體會。

微風輕吹，空中彌漫著快樂希望，可是我還是再自我檢討一遍。我是不是一個愛好戰爭的人？我是不是一直都需要敵人？我是不是忘了生命的活力，只想著死亡的顯赫？我為什麼不能接受和平？

我抓住披在前額、像面紗一樣阻擋住我視線的頭髮，我的頭老是低垂著。

我祈禱了一整天，懇請上帝給我啟迪。

我的良師益友的形象再次的清晰起來。我感覺一陣和風吹拂過靈魂，一陣冰冷溫和的風。我的頭本來像著火，現在突然清爽了。我跪了下來。

『戰士和聖人並不互相矛盾！』我在心裡想，幾乎是在心裡大叫。『戰士講究的是鐵的紀律和高尚的品德，聖人則是傳布和平，本身也要具備和平的氣質。戰士必須要確保和平，聖人則要注意公義。戰士是聖人的先鋒，聖人則秉持信仰。戰士四處尋找信仰，聖人則為真善美而戰，並且要傳播到更遠的地方，深植別人心中。戰士對抗邪惡，豎立起更高更牢的障礙，追獵邪惡到天涯海角。我們並肩作戰，聖人和戰士，為了同一種正義，為了上帝的正義。對抗邪惡，而不是對抗別人！就是這個道理，艾弗列的舉動就是最好的例子。』

敵人已經被擊敗了！他已經粉碎了！

但他不是他的敵人！而是他的兄弟！

這就是他的意思！

我捏捏心口，再一次感謝內尼厄斯的啟迪，也感謝上帝，賜給我這樣一位良師。

第二天對我來說就像是在平靜的水面上行船，這天是安葬死者的一天。

曝屍戰場是一種戰略考量。屍體是勝利最明顯的證據，最不容爭辯的證據，不但可看出戰役的規模，也可看出戰勝一方氣勢之盛，失敗者連收拾殘局的功夫都沒有。我的原則就是任由敵人在戰場上腐敗，給那些圖謀不軌的豺狼做個榜樣。

但是對艾弗列大帝來說，為他的戰士安排適當的告別式卻是神聖的義務，不這麼做，非但對不起他的手下，也對不起自己的良心。國王一心想要讓那些死於挪威人之手的親衛隊能夠得個全屍。這種修補死者遺體的傳統深植在盎格魯撒克遜人的心中，辦得不好甚至會影響他的權威，因此整件事都很嚴肅的執行。

第三天有如恬靜的潮水般降臨。大勝後的第三天，古斯倫以及其他粗野的戰士就在赤德的衛德摩爾教堂受洗，不列顛從此多了三十名基督徒。

艾弗列大帝下令，我們為丹麥國王皈依基督教而慶祝了十二天，威賽克斯全境歡欣鼓舞。艾弗列甚至還下令送給古斯倫國王大批禮物，他自己則擔任古斯倫的教父。在眾多禮物中還包括艾弗列送他的教名：伊索斯登。

和平終於來臨，我想都不敢想的和平。我看著一個公正的王國誕生，這王國會從不列顛南部漸漸拓展。不消說，艾弗列會維持長久的和平，空氣似乎都在歡唱，風也吹奏著寧靜的喜樂……該是我離開的時候了。

『陛下，這幾天發生的事不是我的智慧所能了解的，』我緊張得咳嗽。『我知道憑你的權威，你可以決定一個人的生死，不過……』

國王很和藹的勸戒我。『容忍是很值得培養的美德，朋友。我們已經有很長一段日子沒有在日常生活中體現上帝的教誨了，而愛你的鄰居正是所有戒律的第二條。』

人類和天使的差別只在於人類的體型比較小。而人類和人類的分別則在於儘管大家生於平等，卻很少有人真正平等。聖人和凡人的差別則在於聖人懂得謙卑，而且在性靈上比別人『渺小』……我觀察著艾弗列大帝的高貴之處，心裡一面這麼想。

等到我的靈魂真正成熟的那天，或許我就能夠完全了解艾弗列大帝到底是什麼樣的人了。

18 巨石柱群之會

我們大肆慶祝，美酒美食川流不息。艾弗列非常開心，當初困守蘇摩塞特沼澤，踽踽獨行孤立無援的回憶似乎都遺忘得一乾二淨。為了讓戰士們沒有遺憾，蜂蜜酒當然是源源不絕的供應。他們的確有權快樂，吃了這麼多苦頭之後，他們確實有資格得到回報。至於古斯倫，我密切的觀察他，想找出他這麼爽快答應皈依基督教是否有什麼陰謀。我一點也不信任他，因為我知道他只是迫於無奈。但我注意到，他也像我一樣覺得自己的處境很尷尬。我看出他有些不同。他少了以前的意氣風發，反而像落敗的公雞。艾弗列會用快樂的目光注視他，而古斯倫則低著頭，露出愧意。艾弗列大帝為了他的皈依而盛大的慶祝似乎讓古斯倫明白這位國王的確是一位寬宏大量、光明磊落的君主。我也逐漸相信這個狗東西真的受到了感動，甚至被艾弗列的仁厚改變了。

幾天之後，我正忙著準備離開，艾弗列召喚我去見他。他的表情有些異樣，跟我說昨天晚上有位隱士來見他，他是從大老遠的地方來的。他的隱居地在愛奧納島上，也就是斯特拉克萊王國一個古老的修道院。

『安格思，這位隱士讓我一見難忘。他告訴我他知道你在不列顛南部這裡，他請你再等一天再走，他有話和你說。』

『他會有什麼話要跟我說？』我反問國王。

『他堅持這次的會面非常重要。根據他的說法，我相信你應該跟他見個面。』

我覺得情形十分詭異，不過既然隱士隔天會來，我決定等他，看看究竟是怎麼回事。不過我還是不太高興，因為我實在急著離開。在我看來我已經耽擱太久了，我巴不得趕緊飛回凱爾關特，和關妮絲團聚。

雖然時序已經入春，隔天卻吹起了不尋常的寒風。我把頭浸入一大桶冷水裡，搓洗頭臉，因為睡得太飽了。未來似乎是漫長的休息，而我已經開始休息了。我走到城門邊看地平線，反正現在生活悠哉遊哉。我伸了伸懶腰，打了一個大哈欠。我的手下都睡得跟豬一樣，我注意到雖然我得到了充足的睡眠，時間還是有點早。我在城堡城牆上欣賞美麗的不列顛島，這座神佑的島嶼上竟曾有這麼多的爭執，這麼多的血腥。這是個祥和的早晨，寒風吹拂著我，愜意極了。

忽然，地平線上出現了一道人影，穿著白衣，可能是上了年紀的人。誰知道，搞不好是那位僧侶什麼的，反正就是艾弗列昨天晚上提到的那個人：可敬的人……隱士……對了，就是隱士。老實說，昨天艾弗列跟我說話的時候我已經累壞了，雖然覺得情形相當怪異，但我根本就沒有注意聽。那人愈走愈近，我忽然覺得有點害怕，看著他一個人過來，鬼魂似的。我看見他的白鬍鬚和衣服顏色融合在一起，他戴著很大的僧侶兜帽，但看得出來他的年紀很大，鬍鬚頭髮都很長，跟我在內尼厄斯那裡看見的剃髮僧侶很不相同。而且他那身白色長衣也給他增添了一種鬼魅的氣氛，跟我知道的黑色僧袍剛好相反。我就這麼帶著恐懼看著那神秘的人，那個鬼魂靠近……我縱情想像他是個迷失的靈魂，跑來這裡要綁架我，把我帶到某個地獄去。胡思亂想如果再配上晨霧或是夜晚的陰影那效果可真是十足，如果我們已經長大成人，具備了戰士的力量，那就更不一樣了。我記得小時候我最喜歡把凱特村裡的詩人口中的飛禽走獸幻想成妖精怪物，嚇得自己全身都起雞皮疙瘩。我記得小時候把我父親族人的挪威故事和我母親那邊的塞爾特傳說編成遊戲，跟朋友玩得不亦樂乎。

小時候胡思亂想實在很有趣，但沒多久我的胡思亂想就給成人世界的殘暴貪婪給粉碎了。我另一次和奧秘的世界有接觸是在內尼厄斯的修道院，只不過在那裡的胡思亂想有另一層深意，而且持續不散，出現的形象是上帝和祂的天使大軍。是一場美妙的體驗，也對我未來的道路奠下了基礎。塵世的殘忍會在天堂得到補償，我們可以根據我們的信仰抱持這種想法。

老人在城門前停住，但他仍裹在霧中，彷彿正看著我觀察他，他就像我在心裡描繪的鬼魂一樣站在那裡。我決定打開城門去見他，不過我的斧頭可不能離身，絕對不能……我打開了城門，盯著他瞧。勾魂女巫似乎在召喚我走向死亡。我緊緊握著斧頭，只要這個謎一樣的東西敢妄動一下，我就會把他給送回地獄去。我朝他的方向走去。寒意愈來愈重，但他仍動也不動，殭屍似的等著我……

『你是誰？想幹什麼？』

『不幹什麼，年輕的戰士……不幹什麼……安格思·麥克蘭！黃昏的時候到巨石柱群的聖石那裡去！』

我不喜歡他的語氣，幾乎像在對我下令。

『去，安格思！非常重要！』

他不再說什麼，轉身就走了。在他背對我的時候，我不禁打了個冷顫。同時我又覺得他很奇怪，我察覺到一種睿智的氣息。他的態度非常強勢，而且他的目光十分嚴厲。

他消失在地平線外，像個幽靈。

我和艾弗列討論這場謎樣的事件。我自問，既然我從來沒有見過他，那他如何會知道我。艾弗列說黃昏時他會陪我一塊到巨石柱群去。

我們帶了一小隊的人馬隨行，儘管我們已經贏得了勝利，但還是小心為上。騎了一小段路之後，我們抵達了那些壯觀的石柱群，對我來說，這些石柱就好像天然的祭壇，也可能是巨人休息用的小板凳。

我們下馬來，眼前景色十分壯麗，天空是一片的橘紅，著火似的，在石柱周遭形成一個圓圈，國王和我看見了一大群的剃髮僧侶，貨真價實的僧侶。

那名隱士也在，就在那個神秘地點的中央，匍伏在地上，頭貼著地面。國王和我互看了一眼，滿心好奇，又很驚訝會有這麼多僧侶在場，他們似乎都在靜靜祈禱。

隱士親吻了地面，再次注視我。

『過來這裡，安格思！該是物歸原主的時候了！』

艾弗列跟著我到隱士那裡。僧侶們繼續祈禱，顯然是用拉丁文，艾弗列聽得懂。我注視他，想從他臉上看出點端倪，看這些祈禱文是什麼意思，我又為什麼會牽涉在其中。這是無比莊嚴神秘的一刻。我走向老隱士。

『說，老人！你要我幹什麼，你叫什麼名字？』我對謎團一點耐性也沒有，也不喜歡這種懸疑。對我來說，人生就應該像水一樣清澈見底。內尼厄斯本人就是我這輩子見過最直來直往的人，說話從來就不拐彎抹角。我更靠近他，看見他拿著柄劍，光芒耀眼，似乎要隱沒在他的白袍裡，而且那柄劍非常長，雖然他很高，劍高舉在胸前，但劍尖還是碰到地面。

『正義之劍』嘉歐．賽瑞德文，含有基督釘死在十字架上的三根神聖的釘子，由謎團般的隱士交給一位將抵抗邪惡及不公不義之人。

『我叫做凱拉・派翠克，這柄劍是你的，安格思・麥克蘭。』他對我說，這時僧侶們祈禱的聲音變大。

我凝視那把神奇的劍，現在比較能清楚的看見老人的眼睛。那是一雙狂野的眼睛，眼神嚴厲，讓我有點驚駭，恍如我面前的人比國王還要重要，我應該加倍謹慎。

『這柄劍，安格思，』他開始解釋眼前的狀況及淵源，『是三百年前鍛造的，那時這座島仍然是異教徒的天下。當時，有一位叫做哥倫巴的聖人來到這裡，他的使命就是把福音散播給這座島上的人民。他讓所有的種族、所有的國王都皈依了，他看見了天使，接受了一項任務，也就是打造一把聖劍。因為塞爾特族自古就有造劍的技術，他就找德魯伊教的鐵匠打造了這柄聖劍，以備將來需要。』

我仔細打量這柄劍。劍很大，劍柄是黃金打造的，整柄劍都有刻紋。

『這柄劍叫「嘉歐・賽瑞德文」，正義之劍，安格思。從今天開始，就歸你和你的子孫使用。』

這時，所有的僧侶都跪下來。艾弗列出於尊敬也跟著跪了下來，而仍然驚訝萬分的我不知道該如何是好，是該接下劍，還是該跪在老人面前？隱士開始用拉丁文祈禱，艾弗列看出我需要有人指點這場儀式的意義，就站了起來，走到我身邊，向我解釋他聽見的祈禱文。他開始翻譯。

『這柄劍，就如查理曼大帝的皇冠，含有基督釘死在十字架上的三根神聖的釘子，現在轉交給一位將抵抗邪惡及不公不義之人。在上帝、天使、聖徒的協助之下，他會揭發所有的狡詐，擊敗黑暗之獸的伎倆，讓牠終結人類、陷人類於黑暗的野心無法得逞。我現在要告訴各位的故事非常不凡，請仔細聽。

『有一天，我在愛奧納修道院附近的山洞靜修，就在我被時間巨浪吞沒的時候，我知道了這柄聖劍的秘密。一陣狂風掃過我的心靈，我發現自己竟然回到了主內五百四十五年，爾後我就會遇見一位基督的鬥士，聖哥倫巴。

『森林很潮濕……在這神奇的一刻，每天下午都歡唱鼓譟的小鳥就像沒有風吹的樹葉一樣寂靜。那天下午唯一的聲音就是風聲，像音符一樣在古老的橡樹林裡演奏。橡樹是森林裡庇護一切的老領主，是大地的支柱，是德魯伊教的聖壇。

『我可以聞到草藥的香味，這香味邀請我在草原上坐下，觀察即將在草原上上演的一幕，既神奧又自然。

『我左手邊，可以看見峽谷一直延伸到大海，好似地標，天然的屏障，未來統治者的堡壘，他們會在這裡建立強大的王國。他們會在這裡祝福水手一路順風，在這裡嘲笑他們的敵人，因為這面峭壁太險峻，根本無法攀登。我的右手邊，可以看見另一個天然屏障，是一片古老的橡樹林，濃密陰森。我就在這裡等了一天，為過去早已發生過的事祈禱，就在我坐的地方，未來還不可知，總是掌握在那些不是很有道德的人手中。我看見月亮愈來愈大，爬上了天空，有如銀色珠寶閃耀，追求著一身夜色的大地，在攀上了最高點之後，月亮自殺似的墜向那不斷挑戰山壁的漆黑怒海。月亮並沒有白白犧牲，因為它照亮了整個天空，給了群星新生命，在那明亮的晚上，一切都鎮定寧靜的發生……我抬頭看天，又低下頭陷入這一片玄妙，祈禱了一整夜。

『第一道曙光撫過我所坐之處的柔軟青草，就在此地，上帝要我來看的偉大奧秘就要揭開。我看見邊緣有黃眼草和委陵菜裝飾成一頂金冠。

『浪潮拍打山壁的隆隆聲逐漸遠去，愈來愈聽不清楚，黑暗的海洋似乎也因為尊敬這特殊的一天而安靜了下來。一條小溪潺潺流過灌木叢，水晶似的溪水流過鵝卵石，琤琤琮琮的唱著。古橡樹、冬青、紫杉、松樹、栗樹、白楊的黃葉、椴樹的銅紅葉、山楂微紅的葉子、香杉、山毛櫸、樺樹、柳樹，各種植物的芳香歡迎著新的一頁，歡迎著明天的到來，而明天果真祥和的到來，宣示著新的時代。就是這些樹木邀請了不列顛和埃林的智者從四面八方而來。五花八門的樹木聚集一堂就表示天堂的大門出現，古老年代的巫師藉此可以展現他們傳奇的本領。

『首先靠近大門的是動物。小山豬跑進森林深處，接著伊恩・麥克雅登放開套著繩索的紅鹿。他走向前，就在我身邊經過，騎著他的白色駿馬，我這才明白沒有人看得見我，因為我屬於另一個時空，我雖然人在這裡卻不能干擾，只能旁觀。

『伊恩・麥克雅登是一位智者，蓄著長鬍鬚，來自斯特拉克萊王國，他是一位典型的隱士，只不過他的衣衫並不襤褸，而是一身的白色，而且衣服保養得不錯。他還戴了一條很粗的金項鍊，繞著脖子好幾圈，尾端還有兩個兒童拳頭那麼大的球，非常的顯眼，單是看到這條金項鍊就可知道這次的會面不同凡響。伊恩也深入了森林。

『另一個人到達，不過他騎著黑色的小馬，也剃髮蓄鬚，年紀和伊恩相當，他來自達爾瑞鄂塔。他是「聖臂」凱若達，又一位知名的武器巫師，是埃林島上最偉大的大師。他帶著皮囊袋，裡面裝著他的神秘工具，他用這些工具為歷代的君王打造過許許多多的利器。他的服飾比伊恩的簡單，而且身材也比較高瘦，不過我看得出來兩人是一樣苦行修道之人。這裡時間花得挺多的，不過風在我耳邊低語要我耐住性子。

『第三名巫師走來，一面走一面已經大聲和同儕問候。他是「呼嘯的風」穆瑞格，來自杜蒙尼亞，深受敬畏。他比另外兩個人要活潑，看得出來他們三人是老朋友。伊恩的聲音很快從森林深處傳來，告誡他別驚散了動物。

『第四名，緊接著第五名抵達。兩人都是騎馬來，穿著白色長袍。一個是「血雲」席恩，來自烏爾艾辰；另一個是圖德瑞奇，來自歸內德，還帶了他的寵物蛇。

『來自皮克特維亞的柯南・艾歐凱是最後一個抵達聖地的巫師，而且這次會面就是由他召開的，把消息傳遞給他的兄弟。柯南是皈依了主的巫師，在皈依之前，他是一位真正的先知，經常為想要知道未來以及征伐結果的皮克特國王卜卦釋疑。五位最重要的德魯伊教大師都很重視他的召喚。

『他們知道他們經歷的是關鍵時刻，而由柯南・艾歐凱這位眾王的導師來召開會議更預告了新世紀即將來臨。他們都在等候第七位抵達，除了柯南之外，誰也不知道第七位是誰。

『柯南建議大家要有心理準備，此次會面與其他幾次都不同。巫師們佈滿皺紋的臉上流露出頑強又好奇的神情。他們的沉默與森林的寂靜融為一體。

『遠處微微可聞腳步聲，微風帶著足聲穿過樹葉。第七名接近了。

『柯南神秘的朝圓圈中其他五名同伴微笑。他們渾然不解其中的奧秘，全都朝那個接近的高個子那裡望。他比他們都年輕，從服裝的顏色是可以播種的泥土色，還有頂上剃髮來看，他是在這些島上如野火燎原般擴散的新宗教的僧侶。

『他們都轉頭看柯南，每一個都一臉的驚愕，似乎要從他的眼神裡找出答案。這些天然的寺廟是為特定的人保留的，不是什麼人都來得的。為什麼柯南會帶一個基督教的僧侶到他們神聖的森林裡來？和羅馬人分享德魯伊巫教儀式還算有道理，但是和基督徒？那像什麼話！基督教絕對不許用孩童來祭祀異教神祇。雖然機會也不多，但羅馬人和德魯伊教在祭品上的看法一致，但這個新的基督教卻是這些神祇的大敵。他們五人面面相覷，心裡的問題不用說出來，這些巫師之間的古老情誼就已經像遭受地震般動搖了。

『哥倫巴，這名樸實的僧侶，手裡就帶著答案。他堅定的走近，有力的步伐好似羅馬軍人，因為他知道他正進入古老的權力圈，但他仍散發出祥和及容忍的氣息。他也知道自己在此次會面的重要，更知道這次會面對未來有多大的意義。他知道他正帶著對抗大邪魔的希望，這邪惡不在眼前，而是一種永恆的邪惡，會根植於弱者心中，會給無辜之人帶來羞辱死亡，是從開天闢地以來就一直有先知預言的罪惡，對整體人類為患不斷的罪惡。而這位基督教僧侶帶來的武器則會在正義甦醒之際耀武揚威。

『基督教僧侶慢下腳步，戒慎恐懼的接近圓圈，深深凝視眾位巫師的眼睛。

『「這太不成體統了！」伊恩・麥克雅登高呼道，提醒其他人他們的義務。

『「一點也不錯！你好大的膽子，艾歐凱，身為眾國王的導師，你居然叫我們來參加一場騙局！難道我們也得要把自己當成給羅馬人的祭品嗎？」穆瑞格大喊道，他講話向來就是用喊的。

『「我們大老遠趕來參加你所謂的『極其重要，攸關天上群星存亡』的儀式，艾歐凱！我對你十分敬重，但現在你卻逾越了分寸！莫忘了我們是受法規約束的！」圖德瑞奇怒喝道。

『「放尊重點，各位！」艾歐凱爆出大喝，比穆瑞格的嗓門還要大，而且威嚇的看著眾人。「在你們面前的可是烏以內由來的克林薩因。」說著，他比著哥倫巴。

『恐怖彌漫空中，像一道冷鋒。巫師們倒退了一、兩步，瞪大眼睛看著哥倫巴。時間似乎就在這個巫師圈子裡凍結了。

『「烏以內由來的克林薩因？他會殺掉我們！我們落入陷阱了！艾歐凱設計的陷阱！」凱若達大吼，走向其他巫師，擺出防衛的態勢。

『「別慌張，我的兄弟們！」艾歐凱說，想要讓大家鎮定下來，忙著用手勢安撫，同時凝視同伴的眼睛。

『「烏以內由來的克林薩因！這人憑他一己之力擊敗了埃林大王的軍隊！我們不是他的對手！」凱若達繼續警告其他人。

『「我來到此地完全沒有惡意。其實正好相反，我是來請各位幫忙的。」哥倫巴一面接近一面平靜的說。

『「退後，克林薩因！否則我們就在你身上施咒，讓你從此不能用兩條腿走路，而是像蟲蛇一樣在地上爬！」杜蒙尼亞來的穆瑞格失聲喊道。

『「不！」席恩舉起枴杖，彷彿牧羊人在牧羊。「克林薩因的魔法十分高明，穆瑞格！我親眼看見埃林的大王率領強大的軍隊從康瑙特出發去攻擊烏以內由北方的克林薩因族人，結果全軍陷入大霧，最後兵敗如山倒。克林薩因已經有個基督徒名字叫哥倫巴，從新的宗教那裡得到力量，他自己變成人人害怕的戰爭王子。千萬別低估了克林薩因，穆瑞格，別忘了一位偉大的國王和他的軍隊曾經敗在他的手下。

『所有的巫師都兇狠的盯著哥倫巴，但奇怪的是，除了柯南之外，現在連凱若達都忙著安撫眾人。

『不過，穆瑞格還是開始吟唱咒語，伊恩和圖德瑞奇隨即加入，吟唱出幾乎已在時間的洪流裡遭人遺忘的古老咒語。

『哥倫巴的耐性有點快磨光了，他用手杖在地上畫了一條線，地上立刻出現了一道鴻溝，像是地震震開的一道裂縫。

『幾名巫師都嚇呆了，他們的巫術像給神蹟重重的打了一鞭。

『「看這裡！」哥倫巴命令道。「看吶！」他彷彿是在命令士兵。

『三名巫師拖著腳步，其他三名也跟上來，窺探裂縫裡，看來想是無底的深淵。

『「看！」哥倫巴又命令道。「仔細的看！」

『裂縫看來很像無底洞，不過巫師們漸漸看出了一點輪廓。他們看見人類在裡面全身著火，還有人面朝下躺著，正在吃土顫抖，同時還有惡魔在鞭笞他們。接著出現一顆巨大的鐵球，球面上到處是紅熱的尖刺，惡魔不斷把人往上拋；人的四肢黏著在上面，鐵球急速運轉，尖刺射出火花，人人都痛苦得哭號呻吟，心裡充滿了仇恨，而惡魔則不斷的鞭笞，把同等的仇恨鞭入他們的靈魂中。

『死亡之門的鎖打開了，死亡伸展枯槁的手臂，穗狀的黑色羽翼包圍了臨終所臥的床。迷失的靈魂在淒涼的痛苦中呼號，墮落的呢喃所發出的虛幻之光更加深了迷失靈魂的痛苦。他們從惡夢中哭醒，喉嚨因為淚水而哽住。有一座驕傲的涼亭，許多人躺在下面，淹沒在活死人的永恆夢魘中。在這個雌雄同體的黑暗中充滿了膽汁，在與愛相反的烏雲中，人喝著自己的血液，酩酊大醉，墜落的星辰大聲喝采。

『忽然間，墮落天使從深淵裡抬頭看著哥倫巴。

『「這些巫師是我們的，是牧者的奴隸！他們向來是服侍我們的！他們是我們的，你拯救不了他們！」

『巫師們既絕望又恐懼的看著這一切。

『「沒有人是你們的，除非他們自甘墮落，你們這些地獄的狗！只有拒絕上帝才會讓他們落入你們的污穢的窠巢裡，霍亂的僕役！」然後哥倫巴抬頭看天，說：「耶穌基督，上帝之子，垂憐我，因為我是罪人，拯救在我面前這些祢的子民吧，天主。」

『大地立刻震動，裂縫合了起來，像一道疤痕。

『接著是莊嚴的沉默……有一名巫師跌坐在地上，額頭不斷冒冷汗，同伴協助他站起來。

『「請問我們剛才看見了什麼？」

『「不知感恩的人、卑鄙的人、叛徒、懦夫的巢穴。可是，還有一個更大的邪惡，一旦發生了，這塊土地會一片荒蕪，還有每一塊人類居住的土地都一樣。」哥倫巴說，疲態畢露，就像某個打了一場硬仗的人。「請各位聽我說，這件事真的很重要……」哥倫巴用和藹的態度懇求道。

『「剛才那一幕有什麼含意？」伊恩追問道。

『「剛才那一幕是地獄，所有和上帝作對的人都會淪落地獄。」柯南答道。

『「基督教的上帝？」

『「不錯，死後他們就在地獄裡永世不得翻身。」

『「受那樣的折磨？」

『「沒錯，那是他們自作自受，他們想要仇恨，也想要被別人仇恨。地獄是那些驕傲紛亂的靈魂的混亂天堂，」柯南指出，像是僧侶在做教義問答。

『「在譴責靈魂之前還有些考量，皮克特維亞的艾歐凱，」哥倫巴插嘴道。「有時候剛剛皈依的基督徒很難去衡量這些考量。我自己就沉思了好幾年，懇請上帝啟迪我的靈魂，因為我的靈魂在知性和智能上太過狹窄。有一天下午風和日麗，我記得很清楚，那天下午陽光普照，萬物都披上金光，就連海水都金光閃閃，我等一下會聽見的聲音似乎真的是來自上天，所以大地應該為這特殊的場合好好的裝扮，所以才會披上金光。我得到的第一個啟迪是：有時候上帝的話語似乎有點幼稚，但那是因為我自己太渺小，才會任性的要求天父，請祂調整祂無限的智慧，讓渺小的我能夠理解。但我該記住祂的每一句話語，因為那就是性靈和生命。然後我看見了地獄，我非常注意看見聽見的東西……緊接著是第二個啟迪：

『「做母親的，真正的母親，無論孩子有多醜，都不會覺得醜；對母親來說，孩子怎麼看都美，這也是她心裡對孩子的看法。上帝告訴我祂也是這麼看待那些靈魂的：儘管醜陋，儘管全身污濁，儘管骯髒下流，祂的愛卻總是看他們都很美。

『「這番話正是此刻我最不想聽的，我像個孩子般哭起來，因為我想起了我惡意譴責的眾多兄弟。

『「接下來的啟迪：我必須要了解儘管是根據真理，但祂在看見嚴厲的評判、譴責、判罪，祂那顆慈母的心是如何的在滴血；而另一方面，在祂看見憐憫、寬容、慈悲，祂又有多麼鬆了一口氣。

『「祂要求我要慈善，以便減輕祂對人類深刻的哀傷以及失望。祂雖執行正義，卻心中難過；我可以因為慈悲而犯錯。祂需要相信祂所創造出來的人類並不是真的不知感激。祂儘管主宰了一切有形無形的事物，卻寧捨正義而就慈悲。

『「正義是為了榮耀祂的公正以及祂無辜的子民的。

『「而且最特別的是，沒有人可以從祂那裡奪走一條靈魂。因為這條靈魂有自由，它或許會背棄祂，否認祂，於是出於自由意志，它或許落入了惡魔之手。祂並不是為了地獄而創造我們，祂是為了天堂才創造我們的！祂不是為了讓我們與惡魔為伍才創造我們的，祂是為了讓我們享受祂的永恆之愛才創造我們的。」

『一陣冰冷的微風包圍住巫師們……這些話像把利劍刺穿他們，傷了他們的心。艾歐凱十分感動，陷入了沉思。

『「諸位，你們必須聽我說，」哥倫巴再次開口，用溫和慈善的眼神望著可敬的巫師們。

『整座森林都靜下來傾聽他說話。柯南朝其他人警告的瞅了一眼，要他們安靜，但他的眼神卻柔和了下來，彷彿前面有什麼陰影。他對其他巫師感到同情，在他皈依基督教之前和他們的同志情誼如今變成了一種模糊的感覺，籠罩了他的心。他嘆口氣，知道大概會從他的新主人那裡聽見什麼。哥倫巴碰了穆瑞格和圖德瑞奇的肩膀，請他們在草地上坐下。其他人也紛紛坐下，然後他繼續說他的故事。

『「我看見了可怕的景象，在我看見的時候大邪魔的力量幾乎所向無敵。在未來，會有一個強大的秩序興起，有權有勢的人會和惡魔結盟，奴役全人類。我看見一波又一波的嚮往啃蝕了人類的靈魂，害他們盲目，害他們看不見星辰。我看見硫磺河上漂著各式各樣的動物死屍；大地上到處都是爆發的火焰，人類的屍體堆積成山。這強大的秩序有如餓狼般向前撲，帶來這片神聖森林的毀滅，犧牲掉灌木叢，灼傷了動物。那些在金字塔頂端的領導人物會用盡手段粉碎公義，讓虛偽的偶像誕生。謊言會變成真理，真理則會被當成謊言。」

『「這一切什麼時候會發生，克林薩因？」圖德瑞奇問。

『「大邪魔已經混進我們裡面了，」哥倫巴接著說：「他的根慢慢的伸展，毫不起眼，現在還是嫩芽，但時間會讓他茁壯……人類沒有力量來和這種邪惡對抗。他必須要用到『上帝的正義』。在我看見的景象裡，有一把武器，十分銳利，能夠阻止大邪魔。這把武器就在一圈石獅子中央閃耀。劍身上發出光芒，形成一個大光圈，擴及到整個圈子。它是人類之子的犧牲所創造出的鐵鍛鍊的，劍柄讓劍身神聖，散發出力量。」

『「這柄劍在哪裡？」席恩問道。

『「還沒有打造出來！」哥倫巴回答道，嚇壞了眾人。「所以我才請各位前來。我需要各位的知識，現在就打造出這柄劍！上帝的正義之劍必須要今天就打造出來！」

『柯南・艾歐凱讓可怕的沉默吞沒他們。他的眼睛緩緩檢查每一個人的手，他們也順著他的目光看去，想找出答案。隨即恍然大悟，他們每個人都有一種力量。

『伊恩・麥克雅登長滿老繭的手擠捏一根鐵條，這是從大地的深處挖掘出來的，帶著土壤的力量。穆瑞格帶著一皮囊的水，那是來自一處聖泉。席恩也了解何以會選上他，因為他帶來了他的風箱及大鍋，而「聖臂」凱若達早已知道為何需要他來此，已經把皮囊袋裡的工具拿出來了。圖德瑞奇也了解了柯南用眼睛說的話，升起了重生的聖壇，鎔化金屬的大鍋，專門鍛鍊武器用的。

『他們都看著哥倫巴。他們這些打造武器所需要的元素都已經到齊了，那他算是什麼角色？哥倫巴鎮定的攤開雙手。逐漸要落在森林外的最後一抹陽光照亮了那小小一塊金屬，揭示了要灌注在這把劍上的力量。

『凱若達站了起來，其他人也紛紛起立。金色陽光照耀他們的袍子，讓他們全身都沐浴在金光中。涼風把即將降臨的夜晚空氣一起吹進圓圈中央。第一顆星沿著地平線出現，窺視著鍛鍊的工作，觀察著即將展開的古老儀式。

『柯南佔住了圈子北邊，站著，面對其他人。他的眼睛反映出第一抹火光，那是席恩敲出的第一擊，召喚變形的元素。他之所以叫做「血雲」就是因為他總是製造最熾熱的熱度，可以熔化金屬，形成血紅的河流，鮮紅閃亮，搖身一變就是長劍的冰冷鋼鐵。火焰很快就沖天，巫師們虔敬的歡迎它。哥倫巴，驚愕以及尊重之情交織，仔細的觀察每一個步驟，研究每一個動作。

『接著，伊恩走向大鍋，把帶來的鐵條放進去。鐵條似乎曉得遵從他的意志，很快變成紅色，迅速熔化，鋼硬的金屬向火的力量臣服。

『鎔鐵沸騰，彷彿在召喚哥倫巴加入儀式。哥倫巴走近大鍋，把神聖的大釘高舉向天，召請神聖的力量。然後慢慢的讓大釘落入熾熱的熔漿裡。大釘落下的時候，哥倫巴的心中閃過一連串的影像，形成了一個意象的風暴。他看見了十字架和耶穌，頭戴荊棘皇冠，三枚神聖的大釘把祂釘入十字架。每一根釘子都刺穿了基督的身體，因此而得到了力量。其中一枚正落入沸騰的大鍋裡，把力量散佈到熔化的金屬裡，合而為一。

『「呼嘯的風」穆瑞格走向一個格外平坦的石頭，和圓圈有一段距離，吟唱著哥倫巴聽不懂的語言。他把水囊裡的水灑在石頭上，彷彿在給石頭加持。然後把囊裡的水全部倒入石頭上蝕刻的凹洞裡，為了喚起水元素的力量。

『清澈的水流出來讓哥倫巴又回到基督最痛苦的一刻。他看見基督的臉上斗大的汗珠，那是祂承受的苦難。從祂身體滴下的水是祂的生命力量，給那些祂必須要去愛的人鞭打出來的。祂慷慨的舉杯邀請人類進入永生，會見人類之父，卻換來人類的折磨和不負責任。哥倫巴痛哭失聲，這名霸主在很久之前就向人類的牧者降服了。

『遵循著圓圈儀式的同步步驟，那是這些人在許多年之前就確立下來的儀式。凱若達站好位置，加入圓圈中央的伊恩，跟著星辰的節奏行動，他們接近冶劍的石頭，兩個人握住大鍋的鍋把。

『每一步步伐都有一定，兩人吟唱聖歌，要低喃的風噤聲。哥倫巴聽得出神，完全融入了這壯觀的一幕。他閉上眼睛，由音樂來指引他體驗這一刻。等他睜開眼睛，只見伊恩和凱若達已經把劍的模型放到了鑄形石上，把鍋裡的熔漿倒出來。紅色的熔漿仍不斷沸騰，緩緩填滿了模型，有了自己的生命，想要填充每一個空間。它的高熱遇上了賦予它形狀的冷鐵，立刻降服，想要成為一柄劍。

『哥倫巴對這強而有力的一刻完全的懾服，他跪下來，心頭狂喜，高舉雙手向天致謝。在圓形石陣中央閃耀的火轉化成基督的血，從釘死他在十字架上的傷口中淌下。

『凱若達敲打劍身，這節奏讓哥倫巴想起那個近黃昏的午後，那些陪同人類之子去目睹他的燔祭的人發出了痛苦的尖叫。純潔的劍身放入水裡的嘶嘶聲侵入了哥倫巴的影像，在淹沒了劍身的清液中，他看見婦女為救世主所流下的眼淚。哥倫巴的心也湧出同樣的眼淚，緩緩從眼中落下，淹沒了喉頭的憐憫。在凱若達正打造的劍柄上，哥倫巴看見了救世主的十字架。

『月亮也出來目睹新武器誕生，月光和凱若達舉起來的銀色劍身互相輝映，把長劍奉為天地兩大力量的結合。「你是嘉歐·賽瑞德文，蘇格蘭冷風，正義的使者。」

『長劍在巫師手中閃耀，領會了自己的使命。月光似乎更亮，好似要照清楚劍柄上所鑄的獅子。

『這隻動物凱若達沒見過，卻在哥倫巴的影像中出現了好幾年，是他最後一次看見的顯靈。獅子把爪子放在十字架上，代表的就是基督，猶大之獅。

『哥倫巴整個沉浸在心頭燃燒的幻象中。他看見基督輕輕的拔出了釘住祂的三根大釘，釋放了自己。從十字架上走下來，到他面前。哥倫巴看見祂的眼睛流露出人類的痛苦，祂的犧牲不僅是為了祂的復活，也是為了要解放那些公正的人，那些從開天闢地以來就一直在等候，等候祂扯下死亡的大門，逼迫死亡吐出它吞噬的那些靈魂。同樣的救贖又出現在這裡，在祂伸出的雙手中，在那三根大釘中。這三根大釘隱含著永恆救贖的種子，治療人類哀愁的良藥：也就是正義、力量、智慧。基督的眼睛揭露了將會剷除大邪魔的力量，指引參加這場戰役的戰士的智慧，以及會讓滿目瘡痍的大地恢復平靜的正義。

『基督把正義的釘子給了黑暗中伸出的一隻手。這隻手把大釘傳下去，另一隻手接過來，再交給下一隻手。這樣一個接一個，渡過時間的長河，來到了愛奧納島，有一所修道院會在這裡建立，建立的人就是現在捧著大釘的那個人，哥倫巴。然後天空出現了一群天使，他們出現又離開，承諾會在必須要保護長劍的時刻出現。

『如今，正義之釘已經融入了沐浴在月光下的長劍，尋找著會帶著它完成使命的戰士，打一場「抵抗邪惡的無懼戰役」。

『天堂降下的潮濕夜晚空氣擁抱了嘉歐・賽瑞德文，挺直的劍身上出現了會指引它命運的戰士之名。圓形石陣中燃燒的熾熱煤炭照亮了劍身上的蓋爾文，用很小顆的露珠寫成，意思是「上帝之愛」，也就是安格思。』

聽見這話，艾弗列立刻又跪下，我也跟著跪下。老隱士繼續往下說。

『願此人及其後世子孫永保心靈純淨，願他們謹守上帝所傳的十誡，願他們永遠是我主耶穌基督的教會的保衛者。』

說完，他親吻長劍，轉交給我。

『收下！當成傳家之寶收藏它。』

我服從他的命令，站起來用雙手把劍接過來。然後所有人都起身祝福我。僧侶們向我寒暄，個個都是謙和的人，跟我在內尼厄斯的修道院見過的人一樣。他們用拉丁文唱歌，老隱士又一次朝我走來，開口解釋劍柄上蝕刻的圖案。

『獅子是摩爾人土地上的一種猛獸。』他讓我看獅子是如何把一隻爪子放在十字架上，好似在護衛十字架。『獅子代表力量和勇氣，因為所有的動物裡面沒有比獅子更勇敢的。放在十字架上的爪子象徵牠對神聖的十字架的警戒及效忠。你的子孫必須像獅子一樣的勇敢，安格思，這表示他們必須要為人類的傳承而戰。你必須要好好的實踐內尼厄斯教導你的美德。』

他這番話更讓我害怕。難道說這個人是我的良師的好朋友？抑或是位聖人，擁有穿透人心的洞察力？

『你認識內尼厄斯嗎，先生？』

『內尼厄斯是我主基督的好朋友！』他告訴我。『他所教導你的美德會在你的家族史上以及整體人類的命運上佔有根本的地位。』

老隱士說的每一句話都讓我驚駭不已，因為不但涉及我，也涉及我的後世子孫。他跟我解釋，還特意強調說我必須要時時記得內尼厄斯的教誨，而且要傳給我的下一代。

『實踐七大美德應該是你家族的座右銘，安格思，因為你的子孫以後會加入許多可怕的戰鬥。』他也提醒我將來會有一隻黑色之獸變成邪惡的僕人，在世上肆虐，它會化身為行動鬼祟之人，無所不用其極的和信仰作對，一心想要讓人類陷入更可怕的奴役，比現在的丹麥人更有過之，它的目的是奴役靈魂。他還告訴我這隻黑色之獸的圖案是能洞見一切的眼睛。

『一條毒蛇，頭是三角形，正中央有一隻眼睛。這隻眼睛什麼都看得見，什麼都可以穿透，甚至連敬畏上帝的人類內心都逃不過它的視線。』

隱士的話像是謎語，但他告訴我，我的子孫會接受這個考驗，所以他們必須要讓七大美德根植在心中，才能投入這場艱苦的抗戰。他還說他看見過許多景象，跟我有關，也跟我的未來、我氏族的未來有關。

『我看見你的子孫穿著黑色的甲冑，威風凜凜。就從今天起，你的圖徽，也是你子孫的圖徽，就是那隻稱之為獅子的猛獸。將來，你應該製造一面旗幟，上面繡著一頭雄獅。』

艾弗列大帝插口說他感到雙倍的光榮，能得到我的支持和友誼。他還同意讓他的王國和我們氏族結為永世之友。為此我誠心的感謝他。隱士告訴我們哥倫巴和巫師們一起打造了這把劍，哥倫巴是一位聖人，在那些巫師面前表現出無比的謙沖，而那些巫師也表現出高貴的靈魂。

『安格思，教會相信「言語的種子」，意思是說上帝能夠碰觸世界上所有角落裡所有人的心，那些一心求公義，言行舉止都真正有榮譽感的人，儘管是異教徒，仍然是上帝之國的子民，無論他們在哪裡，就算是居住在世界最偏遠角落的人也一樣。』

『我很高興聽你這麼說，先生，因為我父親雖然不是基督徒，我卻從沒見過比他更有榮譽感的人。』

『基督教並不是上帝所設的牢籠，更不是教會的牢籠，安格思。我們天主之名約書亞的意思是「上帝拯救」，所有沙漠裡的神聖僧侶都證實「基督徒是第二個耶穌」；連你的名字安格思的意思都是「上帝之愛」。』

然後老隱士要求我隔天再來一趟，他有些重要的話要跟我一個人說，只能由艾弗列大帝一個人陪我來。說完，他祝福我，祝福了國王，就帶著僧侶一起離開了。

我留在原地，手裡握著長劍，如陷五里霧中，心裡將信將疑。艾弗列大帝碰了碰我的肩膀，說我們該離開了。老隱士說明天要他陪我再來。

19 火獅

艾弗列大帝與我再一次來到這個叫『巨石柱群』的古老之處。老隱士正在石陣中央祈禱。注意到我們來臨，他轉過頭，用手畫出十字架，向我們走來。

『安格思，我現在要告訴你的事，你得鼓起所有的勇氣來聽，而且你要根據自己的信仰來理解。別害怕，上帝與你同在，即使是在最黑暗的時刻也是。』

我立刻感到憂心忡忡，就連我的朋友艾弗列在聽見了這番話之後也變得十分擔憂。

『安格思，』老隱士接著說，低垂著頭，非常難過。『羅德利．莫爾大帝，駕崩了！』

我不由得一陣冷顫，雙腿一軟就摔倒在地上，眼前好像冒出金星。

『與其一點一點的中毒受苦，不如一次就把毒藥喝乾，安格思。關妮絲也在對抗西奧武夫跟他的丹麥聯軍一役中戰死了。』

我像給閃電劈中。我頭暈眼花，只感覺隱士的手按住我的肩膀，艾弗列也是。好像過了一輩子那麼長，我的心頭閃過和關妮絲在一起的一幕幕，而那些美好快樂的時光都已給破壞殆盡，變成了灰塵。就好像暴風雨摧毀森林，強風拉倒了樹木，展示出至高無上的力量。我的未來呢？我渴望了那麼久，計畫要和關妮絲共度的未來呢？

我猛捶地面，大地似乎在旋轉。我的頭重得承受不住，臉朝下跌在地上。努力了這麼久，征戰了這麼久，換來的卻是消沉沮喪和一敗塗地。我痛苦的嚎叫，哭聲混合其中……

老隱士和艾弗列看著我，或許當我是什麼垂死的生物，破布一樣丟棄在地上。我並不覺丟臉，雖然在這可怕的一刻之前我是戰士，現在卻不過是一個殘破的人。我想到挪威人的攻擊給不列顛島上那些居民已經造成或是即將造成的損失。我想起我忠心的手下，曾經是奴隸，那一張張受苦的臉後面隱藏了多少的傷痛，而成為我的部下，終於有了一點點自尊，有多少破碎的生命可以暫時卸下肩頭的悲劇，只因為他們能夠起來反抗一支無敵的大軍。我想到艾弗列，想到他是如何的表現出勇氣和堅忍。

沉默目睹了我無盡的哀痛。我想到關妮絲，想到羅德利大帝，他就像子民的父親。

『還要多少不幸……多少不幸才能阻止這些挪威人？』

『我必須告訴你，安格思，歐文和關娜拉已經展開了反擊，討回了一些公道。他們在不幸發生之後立刻結婚，和羅德利的兒子們結盟，展開了漫長可怕的反抗，終將摧毀西奧武夫。』

『什麼玩意！我以為我已經為上帝戰鬥得夠多了，我不相信我會得到這種懲罰。』關妮絲的死伸出爪子掐住了我的信仰，在我心中仍很穩固的東西。

『這樣的結局是不公平，安格思。』老隱士十分哀痛的說。

『什麼樣的上帝才會這麼不公平的對待祂的子民？』我憤怒的問，恨恨的注視老隱士的雙眼。他的視線停留在我身上，眼神關切溫和，開始了另一個解釋，會永遠停駐在我心中的解釋。

『安格思，很多時候我們面對世上的不公不義，我們會問上帝為什麼。為什麼世上有這麼多痛苦？為什麼要有那麼多我們人類討厭的災難，而且還看著災難繁殖？對這類憤怒的答案，安格思，就叫做「人」。上帝並沒有叫我們互相殘殺，也沒叫我們隨心所欲的殺掉自己的兄弟，奪走他的財產。祂也沒要我們仇恨自己的兄弟，什麼都勝過他，把他變成塵埃，讓他聽見他的女人哭泣。上帝並沒有要我們這樣，安格思。是人自己作出這些不公不義的事情，是人自己造成死亡，因為人是罪惡的奴隸，上帝一心想要從我們的靈魂中除去罪惡。但上帝卻給了我們自由，讓我們在實踐美德的時候能夠有我們自己的價值觀，上帝要我們自己做決定，主宰我們自己的道路，帶著祂的祝福。』

我仍跪著，看著老隱士，想聽見我覺得有道理的話，讓我脫韁的靈魂得到羈勒，再次向前。但我只能痛苦的狂吼，對我來說，失去關妮絲是最深刻最巨大的挫敗。我的吼聲在聖地迴盪。在椎心刺骨的痛苦中，我巴不得把劍抓起來擲向遠處，丟掉這個負擔，此刻這負擔太過沉重，我承當不起。

我抓住劍，用盡所有的力氣握緊劍柄，拋向老遠，力道大得我失去了平衡，又一次跪下來。我痛苦的呼號傳來回音，一次又一次，到後來我才醒悟那不是我的聲音。而是一隻野獸在痛苦的嘶吼，而整個地方都充盈著泛紅的強光。噪音像打雷一樣迴盪，大地似乎也在震動。

我凝聚勇氣想睜開眼睛，仍跪在地上的我擦掉淚水，看見有隻怪物懸在我頭上，佔據了整個地方。是我在內尼厄斯的修道院裡夢見的那頭怪獸，不過這隻更大，而且全身是火，吼聲震天。我從沒見過這麼強壯驕傲，同時又駭人、憤怒的東西。這個形象既神妙又可怕，主宰了整個聖地。吼出了最後一聲之後，這頭巨獸就化成了一陣清煙，散入了空中。

『天啊……』我喃喃說，聲音很輕。

老隱士把手放在我頭上，又一次祝福我，協助我站起來。艾弗列仍跪在地上，虔誠的祈禱。沉浸在玄奧的經驗裡，我看見了自己的劍，插入遙遠的地面，閃耀發光。我走過去，把劍從地上拔出來，再一次捧在手中。

『這就是為什麼內尼厄斯要教導你美德的原因，安格思，』老隱士接著跟我解釋我的宿命，『如此一來上帝才起碼有一些子女能夠依靠，讓他們來執行正義。你需要信仰，安格思，因為你不知道上帝對你以及你的子孫有什麼計畫。相信我的話，安格思。關妮絲已經去見天主了，享受著我們無法想像的快樂，與上帝為伴。羅德利也是，他是個公正的人，寬厚的國王。他的兒子們會粉碎敵人的。』

『那麼我得立刻動身，趕到岱納福爾去幫助他們解決西奧武夫那隻狗。』

『不，安格思。我已經看見了西奧武夫的失敗，而且他會敗得很慘。我完全能夠體諒你的痛苦，畢竟那是應該有的反應，不過目前最重要的是我要你返回自己的家鄉。你的子孫都會是蘇格蘭人，你的家族需要強壯的血統，因為未來他們必須加入慘烈的戰鬥。企圖把魔爪伸入這座島的入侵者個個都久聞蘇格蘭人的勇猛。你應該立刻就啟程回鄉，建立你自己的氏族。上帝允許你看見的景象就是要鼓勵你，讓你在最困難的時候有信仰，像獅子一樣勇敢的完成你的使命。』

『可是我沒有高貴的血統，先生，我的家族從來沒出過國王，建立不出你所說的那種戰士族，也具備不了上帝要求的品格！』

『你錯了，安格思！姑且不提你父親直到死前都一直是既高貴又磊落，你自己，安格思，在所有的試煉裡，都表現出無比的勇氣。再說，所有的麥克蘭都是埃林島大王的後嗣。』

我聽得啞口無言。

『埃林島的埃依國王跟你是同一個血緣，而且你的子孫會世世代代保護不列顛島。另外，蘇格蘭土地永遠也不會有人能夠征服！所以，去吧，建立你的新氏族：麥克蘭族！』

『先生，事情一下子太多，我還是沒辦法接受。我不覺得我有那個力氣往北走。』

『可是你應該去！別害怕！別忘了，我們的天主耶穌基督派遣到人間來的使徒都會感到害怕！但天主給他們的教誨卻是：「要是他們迫害我，你們也會受迫害。」還有「別害怕！」所以，安格思，別害怕。你的未來比你自己想像的好多了，而你的悲傷也會在你自己偉大的行動中消散。只要是人都會害怕，安格思。但是別害怕上帝的奧秘！去吧，安格思，帶著你的劍到北方去，追隨你的宿命——麥克蘭族的宿命！』

艾弗列碰了碰我的肩膀。

『走吧，安格思，不列顛需要你！天主選擇了一位高貴的兒子來執行一項非常珍貴的使命。』

我握住朋友的手臂，站了起來。

『你才是高貴的人，陛下！』我對艾弗列大帝說。

我請求老隱士帶領我們為關妮絲及羅德利大帝祈禱，他很樂意。他為他們說了讓人永難忘懷的禱文。後來我才知道這位老隱士是一位苦行的聖人，因為僧侶們讓我看了許多書，書上畫有他的事蹟，圖畫上他接收上帝的訊息，看見他虔誠的靈魂就連天使也為他祈禱，將來還有很多神蹟都歸功到他身上。

這一次我們三個都跪下來，我已經接受了我的重擔和長劍。我們祈禱，每個人都把長劍插在面前地上，在神聖的土地上立出十字架。獅子的力量……我凝視長劍，看見跟剛才那隻懸在我頭上，全身是火的獅子一樣的猛獸鑄在劍柄上，握著十字架。我們誰也不會忘掉這個影像，絕對不會。我懇請上帝的正義幫助我完成使命，因為我不覺得有能力能解開這無窮的奧秘。

我和艾弗列道別，以上帝之名發誓會永保友誼，互相支持。

我帶著部隊離開了威賽克斯，四十艘德拉卡全部出海，朝家鄉前進，朝蘇格蘭土地北方前進。

20 新的一族形成

船隻高速掠過海面，像生了翅膀的鯊魚，我的德拉卡在前，率領整支艦隊。我們過了兩天平靜無波的好天氣，就在接近家鄉蘇格蘭土地的時候，遇上了洶湧的怒海。我覺得惡劣的海洋其實是在警告所有接近的人這裡是一塊勇者的土地，就如謎團一樣的老隱士給我劍的時候說的，這裡永遠不會有人征服。而只要我安格思．麥克蘭活著一天，就不會有人膽敢嘗試……

我們抵達了凱特的嚴酷海面，這條路線哈格斯非常清楚，他可是日耳曼海域和塞爾特海域的航海老手。大老遠我們就看見了一個小村寨，仍半隱藏在寒冷的晨霧中。我突然一陣害怕，因為見母親的時候到了。我們不在家期間，她吃了多少苦？她免不了會相當哀傷。畢竟，從我離家匆匆也過了快十五年了。再說，我一個人回來，父親沒回來。她會不會已經過世了？離家這麼久，什麼都沒了把握，我祈禱她仍然健在，而且要身體健康。

我們放下帆，讓船隻滑上凱特海灘。我跳進水裡，注意到只有一名老婦人在撿拾貝殼。我彎腰捧起一把沙，凱特的沙。我又注意那名婦人，她站在那裡，看似動彈不得，想必是因為看見我們的德拉卡穿透濃霧而害怕。

她發出很長的尖叫，雙手舉到嘴邊。我並不想嚇著她，但我必須承認那麼多德拉卡壓境，想不嚇到也很難。我朝她走去，注視她的眼睛，想要讓她鎮定下來。我覺得最好說點什麼她熟悉的話，以免她

安格思率領整支艦隊返抵凱特，一上岸就注意到一名老婦人在撿拾貝殼，
那是布麗姬，他最親愛的母親。

害怕。她在我面前動也不動，驚愕的盯著我。我只好先開口：

『我，安格思，在找布麗姬，凱特來的麥克蘭族人。』

『安格思，兒子！兒子！』她一面大喊，一面抽泣。這場奇遇看似很單純，對我卻彷彿是奇蹟。就彷彿上帝在告訴我，祂把我母親放在海灘上，好似在等我，就表示祂隨時都不忘守護我。我走向她，緊緊抱住她，感覺上就像海狼擁抱她一樣。

哈格斯過了一會兒才邁開腿，很快就來到我們旁邊。他笑望著我母親，那種善良大巨人的笑。

『布麗姬，這些年過得怎麼樣啊？』哈格斯問。

他們彼此擁抱，我要手下登岸，已經到家了。村裡人接二連三出現，我母親要我宣告這不是攻擊，而是遊子還鄉了。

後記

安格思就這麼告訴了我他的歷險以及他重要的使命。我也給了他最大的驚喜，把他十四歲的妹妹愛汀介紹給他認識——海狼離家的時候留給了我另一個珍貴的禮物。對我來說，海狼會在天堂裡。畢竟，安格思跟我說過他會是戰士星座裡面最閃亮的那顆星。

安格思溫柔的擁抱妹妹，把父親的一生都詳細的告訴了她，讓她有驕傲的理由。我們把整個氏族遷移到高山去，那裡比較安全，距離海岸更遠。

有一天，我們去了愛奧納島上的修道院，去向老隱士以及他的好朋友內尼厄斯致敬。我們也為關妮絲及海狼祈禱。在那一天，我的女兒愛汀繡好了我們這支新氏族的旗幟，底色是紅色，旗面上有一頭白色雄獅。安格思跟我說這會是所有蘇格蘭土地的標誌，因為我們族人的英勇會受到這種猛獸的勇氣鼓舞。

隔天我們回到族人那裡，有五名僧侶來找我兒子，內尼厄斯託他們送了份手稿來，手稿名稱是『美德』；他們跟他說內尼厄斯已經離開人世，升到天堂陪伴上帝，請求上帝賜福我們大家。

我兒子哭了，接過手稿，慎重的收藏起來。僧侶們說他們是來教導我兒子讀書識字的，還說號稱『沉默的革命』已經來臨了，在各個修道院裡都開始了默讀的訓練，為的是要在內心獨自一人沉思上帝的教誨。

讓我無比喜悅的是安格思在村裡看上了一名叫做桑荷的女孩，我很喜歡她，把她當親生女兒看待。他們結婚了，有了五個孩子，兩女三男，兩個女兒分別叫關妮絲、凱薩琳，大兒子叫海狼，老二叫歐文，最小的一個叫安格思。

我們的氏族遷到高地安家立命，生活起了急遽的變化。我們還建了自己的小教堂，還有別的建築，在未來我們家族就會發現這些建築的確是高瞻遠矚。

安格思下令營建了一座巨大的地下墓穴，凡是麥克蘭的子孫都可以埋骨於此，那些生於戰火，鍛鍊成利劍似的戰士死後就可以在這個形狀像骨頭的墓碑下安息。墓穴裡雕刻了七種獅子的姿態，這些獅子會守衛躺在地下墓穴裡的麥克蘭。七隻獅子代表了我們必須銘記在心的七種美德。

信仰、希望、慈善是左邊三隻大石獅，謹慎、力量、節制是右邊三頭獅子，而在最後一頭獅子口裡則是正義，靜靜的安息，因為誰也不敢挑戰那把帶來公理正義的劍：『嘉歐‧賽瑞德文』，這把劍等著我們的子孫再次揮舞殺敵。未來，新的麥克蘭將會崛起，按照上帝的旨意，不論何時不論何地，擔負起伸張正義的職責。

我們享受了很長一段時間的和平繁榮。我的年紀愈來愈老，該是我告別人世的時候了，歲月終究沒有忘記我，布麗姬‧麥克蘭，村裡最美麗的女人。看著我的兒孫，我的生命再次溫暖起來。他們受到上帝的祝福，要把麥克蘭這個家族延續下去，讓善良堅強的血液在他們的血管裡流動。海狼的血液。那名我深愛一世，期待最後能夠相聚的高貴武士──『冰血』海狼。

安格思的妹妹愛汀繡好了麥克蘭的旗幟——底色是紅色，旗面上有一頭白色雄獅，這是所有蘇格蘭土地的標誌。

安格思下令營建了一座巨大的地下墓穴，凡是麥克
蘭的子孫都可以埋骨於此，墓穴裡雕刻了七種獅子
的姿態，代表了必須銘記在心的七種美德。

神聖寶劍能否回歸真正的主人呢？
神之戰士又將承擔起什麼樣的使命？

神聖寶劍在十字軍第一次東征時遺落在東方，安格思（首部曲安格思好幾代的後裔）在不知自己使命的情況下，隨著蘇格蘭盟友來到東方。他們的隊伍被一群強大的大軍殺得潰不成軍，安格思奇蹟似生還，但身受重傷，他被送到隸屬於耶路撒冷的堡壘，嘉歐・賽瑞德文之劍正由此地守護著。

最嚴重的不公不義就來自西方基督教君主，邪惡再度降臨所有國度貪念在王國間蔓延開來，而東征戰士的心，被東方的繁華財富給蒙蔽了，猶太基督教和回教之間這場似乎永無止盡的征戰，麥克蘭家族也參與其中。二部曲安格思的場景設定在聖土，重建人類歷史上最浩大的戰役——政治、經濟利益、宗教理念、陰謀，以及『邪惡勢力』都是這場衝突的元素……

國家圖書館出版品預行編目資料

安格思首部曲：傳奇初現 / 奧蘭多・裴斯著；趙丕慧譯.
-- 初版.--
臺北市：皇冠, 2005[民94]
面；　公分. --（皇冠叢書；第3479種　安格思;1）
譯自：Angus: livro um: o primeiro guerreiro
ISBN 957-33-2162-9（平裝）

879.57　　　　94012695

皇冠叢書第3479種

安格思首部曲

傳奇初現

Angus: livro um: o primeiro guerreiro

作　　者—奧蘭多・裴斯　　　譯　　者—趙丕慧
發 行 人—平雲
出版發行—皇冠文化出版有限公司
台北市敦化北路120巷50號　電話◎02-27168888
郵撥帳號◎15261516號
香港星馬—皇冠出版社(香港)有限公司
總 代 理　香港灣仔告士打道88號19樓
電話◎2529-1778　傳真◎2527-0904
出版統籌—盧春旭　　　版權負責—莊靜君
編務統籌—金文蕙　　　外文編輯—李佳姍
美術設計—王瓊瑤　　　印　　務—林莉莉・林佳燕
校　　對—鮑秀珍・余素維・金文蕙
著作完成日期—2003年
初版一刷日期—2005年8月

法律顧問—王惠光律師

讀者服務傳真專線◎02-27150507
皇冠文化集團網址◎www.crown.com.tw
安格思中文官方網站◎www.crown.com.tw/angus
電腦編號◎440001　　ISBN◎957-33-2162-9
Printed in Taiwan
本書特價◎新台幣299元/港幣100元